AARON NO

KANUNİ'NİN YAHUDİ BANKERİ

DONA GRACIA

DESTEK YAYINLARI: 678
EDEBİYAT: 275

Aaron Nommaz / Dona Gracia

İmtiyaz Sahibi: Yelda Cumalıoğlu
Genel Yayın Yönetmeni: Ertürk Akşun
Editör: Ersin Takla
Son Okuma: Devrim Yalkut
Kapak Tasarım: İlknur Muştu
Sayfa Düzeni: Ahmet Karcılılar
Fotoğraflar: Gordon Napier
Sosyal Medya-Grafik: Mesud Topal - Tuğçe Budak

Beyaz Baykuş: Mayıs 2016
Yayıncı Sertifika No. 13226

ISBN 978-605-311-106-1

Abdi İpekçi Caddesi No. 31/5 Nişantaşı/İstanbul
Tel.: (0) 212 252 22 42
Faks: (0) 212 252 22 43
www.destekyayinlari.com
info@destekyayinlari.com
facebook.com/DestekYayinevi
twitter.com/destekyayinlari
instagram.com/destekyayinlari

Deniz Ofset - Nazlı Koçak
Sertifika No. 29652
Maltepe Mah. Gümüşsuyu Cad.
Odin İş Mrk. B Blok No. 403/2
Zeytinburnu / İstanbul

AARON NOMMAZ

KANUNİ'NİN YAHUDİ BANKERİ

DONA GRACIA

Bu roman tarihi gerçeklerden yola çıkılarak yazılmıştır.

DONA GRACIA

-1-

Her şeyi anlatacağım...

İyiliği, kötülüğü, inancı, bağnazlığı, nefreti, savaşı, barışı, yağmayı, göçebeliği ve direnci... Binlerce yıl süren sürgünün, bir yüzyılını...

Ben Dona Gracia... Kimileri beni "Sinyora Mendes" olarak bilir. İsa'nın doğumundan bin beş yüz yıl kadar sonra doğdum. Doğduğum topraklara bugün Portekiz deniyor...

İstanbul'da, Hasköy'de yaptırdığım sinagog ve akademiyle hatırlar beni sonraki kuşaklar... Hayatım altının parlaklığı gibi aydınlık ve gecenin karanlığı kadar puslu birçok olayla dolu. İnsan yüreğinin dayanamayacağı, çatlayıp ortasından yarılacağı ne varsa gördüm... İnsan denilen varlığın meleksi taraflarına da şahit oldum, ifritliğine de... Yaşlı gözlerim, dünyanın eşsiz güzelliklerini, yeryüzü cennetlerini de gördü, dünyadaki cehennemleri de... Nesilden nesile taşınarak gelen o sır bana da verildi ve sonraki kuşaklara aktardım. Amacımıza ulaşmak için elimden ne geliyorsa yaptım. Bu amaç uğruna en yakınlarımla bile mücadele etmem gerekti hatta. Acımasız düşmanlarla giriştiğim savaşı ise tahayyül bile edemezsiniz. Ama sırrı hep korudum ve mücadele etmekten vazgeçmedim. Kimi zaman en yakınımdan darbe yedim, en güvendiklerim yüzüstü bıraktı, kimi zaman hiç ummadığım anda uzandı dost eli. Bu uğurda hayatımı, kadınlığımı, kalbimde taşıdığım aşkımı bile bir kenara bıraktım ama amacımı bırakmadım. Başarılı olabildim mi olamadım mı, görmeye ömrüm yetmedi.

Ama her şeyden önce, bilinsin diye söylüyorum:

"Sadece kâinatın yaratıcısı olan Rabb'e bütün varlığımla tapıyorum..."

-2-

O uğursuz gün... O uğursuz olay...

Lizbon şehrinin başı, şehri yaşanmaz hale getiren bir salgınla dertteydi. Arada bir yoklayıp, nüfusun önemli bir bölümünü koparıp götüren salgınlardan biri daha şehirde kol geziyor, insanlar ölüm ve hastalık haberlerini duyduğu yerden kaçıyordu. Tüm şehre hastalık çökmüş, işyerleri kapanmış, çalışanlar işlerini ve gelirlerini kaybetmişlerdi. Şehrin ekonomisi çöküşün eşiğine gelmiş, hastalık ve ölüm haberleri moral bozuyor, dışarı çıkacak cesareti bulanlar, ekmek bile bulmakta zorlanıyordu.

Hastalığın hükmünü sağlamlaştırdığı günlerde, kraliyet ailesinin de bu ortama dayanamayıp, nispeten daha korunmuş olan Abrantes'e kaçtıkları duyuldu. Başkenti terk etmiş, rahat nefes alabilecekleri bir yere geçmişlerdi. Şehir hastalıktan tamamen temizleninceye kadar dönmeye niyetleri olmadığı söyleniyordu.

Onlar Lizbon'un hastalıklı ve ölüm kokan havasından uzaklaşmışlardı ama geride kalanlar için hayat gittikçe zorlaşıyordu. Yöneticilerin kusuru çoktu. Halkı en azından açlıktan korumak için gerekli önlemleri bile alamıyorlardı ama kendi kusurlarını, dikkatleri başka yöne çekerek örtme yolunu seçtiler. Zaten her zaman kuşkuyla bakılan ve kendilerinden her nasılsa daha varlıklı olan "Marran" dedikleri, sonradan Hıristiyan olmuş kişilere çevirdiler tepkinin yönünü... Zorla vaftiz edilip Hıristiyanlaştırılan Musevilere "Marran", zorla Hıristiyanlaştırılan Müslümanlara "Morisko" diyorlardı. Buğday ticaretiyle uğraşan sadece Marranlarmış gibi, "Kıtlığın nedeni bu insanların kâr amaçları!" suçlamalarını yaptılar. Nefreti körüklediler, ticaretle uğraşan, iyi eğitimli insanları hedefe koydular.

Marranlar ise duyduklarına inanmakta zorlanıyor, konduramıyorlardı. Ne de olsa, Portekiz'in bir parçasıydılar. Yüzlerce yıldır bir arada yaşıyorlardı, inançlarını değiştirmeye zorlansalar da...

•

19 Nisan Pazar... Hıristiyanların kutsal günü...

Her nasılsa, Dominiken Manastırı'na bağlı San Domingos Kilisesi'nin damındaki bir aralıktan bir ışık huzmesi, Bakire Meryem'in yüzünü aydınlattı. Hastalık, açlık ve sefaletten bunalmış Hıristiyanlar, bunu mucize saydılar. Kiliseden koşarak uzaklaşanlar, sokaklarda bulabildikleri herkese bu kutlu olayı duyurdu. Bir anda tüm şehre, bu büyük mucizenin gerçekleştiği bilgisi yayıldı. Halk, akın akın kiliseye koştu. Öyle ki, kilise hıncahınç doldu ve adım atacak yer kalmadı. Haberi duyan kiliseye koşuyor, bu mucizeye gözleriyle tanık olmak istiyordu. Kalabalık artık hastalığı bile umursamıyor gibiydi. Ne de olsa bekledikleri mucize gerçekleşmiş, bu uğursuz ve kötü günlerden kurtulma umudu, Bakire Meryem'in yüzünde görünmüştü...

"Beklenen gün geldi! Mucize göründü!"

Marranlar inancını saklamak zorundaydı. Evlerinde Musevi olarak yaşasalar da, içlerini sebzeyle doldurdukları sosisleri domuz yediklerine inanılsın diye bahçelerine assalar da, başka bir inanca izin verilmediğinden, iyi Hıristiyanlar gibi davranmak zorundaydılar. On iki yaşıma basıp ergenliğe girerken, kardeşlerime ve diğer çocuklara anlatıldığı gibi bana da anlatılmıştı bunlar. On üç yaşından gün almış her Marran, dışarıda rengini belli etmemeyi öğrenmiş olurdu çoktan. Görüşlerine katılmasa da kalabalığı kızdıracak bir şey söylemezdi. Hatta Hıristiyan papazlardan aldığı Yeni Ahit derslerinde, gerçek inancının aşağılanmasına, hakaretlere uğramasına ses çıkarma hakkı da yoktu.

Ancak her çocuk bu kadar dikkatli davranamayabiliyor. Ne yazık ki kilisede bulunan Marran bir çocuk, aynı dikkati göstermeyi akıl etmemiş olmalı. Yaşanan şeyin bir mucize olmadığını, ışık oyunu olduğunu söyleyiverdi...

"Bu mucize filan değil! Tavanda bir delik var! Bakın!"

Hatta alay ettiği iddia edildi ama kim bilir?

Kilisede bulunan ve mucizenin, sakat kızının kolunu iyileştirdiğini iddia eden bir Alman tüccar, sevinçten kendinden geçmiş, adeta cezbeye tutulmuştu. Bir anda çocuğun üstüne atladığı görüldü. Bıçağını çıkarıp, küçük çocuğun karnına saplaması saniyeler içinde oldu.

"Kâfir!"

Kan, ılık ve koyu kırmızı fışkırdı kilisenin zeminine. Yüzünde dehşete düşmüş bir şaşkınlık, küçük çocuk yere düşerken, kan ılık ılık yayıldı ayaklar altına... Küçük bir çocuğun kanı...

Kalabalık ne diyeceğini bilemiyor gibiydi. Herkes şaşkın, herkes gördüğüyle şoka girmiş...

Neyse ki az da olsa aklı başında olan biri, "Ne yaptın be adam!" diye kızacak oldu. "Küçücük bir çocuğu nasıl öldürürsün? O daha bir çocuk! Nasıl anlasın Tanrı'nın mucizelerini?"

Kan sızmıştı bir kere kiliseye...

Kan kokusu, günlerdir hastalıktan kırılmış insanların başını döndürmüş, nefretleri ve nereye yönlendireceklerini bir türlü bilemedikleri öfkeleri ile isyanları sonunda bir adres bulmuştu. Hastalık, açlık, ölümler ve üstüne gerçekleşen mucize!

Bakire Meryem'in yüzünde beliren ışık... Hem de ayin sırasında!

"Kimse Meryem'in mucizesiyle alay edemez!" diye bağırdı biri.

Öfkeli haykırışlarla destek geldi. Bir anda atılan bir başkası, katile bağıran adamın başına bir darbe indirdi. Hemen ardından peş peşe geldi darbeler. Saniyeler içinde, kadınların korku çığlıklarına, erkeklerin zafer naraları karıştı.

Çocuğun bedeni yukarı kaldırıldı.

Hayır! Bir meleğin yükselişi gibi değil... Omuzlar üstünde bir çuval taşır gibi... Sonra kilisenin önüne çıkarıldı ve parça parça edildi.

Artık kimsenin aklı başında değildi. Gözleri dönmüştü.

Çocuğun kardeşi de oradaydı. "Kaç!" diyenlerin ne söylediğini bile anlayamadan, yakaladılar onu da...

"Kaç, kurtar kendini!"

Daha can vermeden, yarı baygınken kopardılar kollarını ve bacaklarını. Can çekişen vücudunu orada bırakıp, öne düşen, elinde tahta bir haç taşıyan kişinin arkasına takıldılar.

"Hadi, gidip bu kâfirlerin hepsini öldürelim!"

Marranların yaşadığı mahalleye çevirmişlerdi yönlerini.

Akıl artık orada yoktu. Vicdan susturulmuştu. İyi olan kim varsa ya sinmiş ya da kendini kaybetmiş, bu sele kapılmış, gidiyordu. Öldürmekten, düşmanlıktan, ırkçılıktan zevk alan kim varsa, en önde koşturuyordu.

Onları gören ne kadar it kopuk varsa yanlarına koşuyor, arkalarına takılıyor, bu zincirlerini koparmış güruh, yıkıcı bir nefretle büyüyerek ilerliyordu.

Marranların oturduğu mahalleye varır varmaz, sokakta gördükleri kim varsa saldırdılar. Saniyeler içinde "Kahrolsun Marranlar!" seslerine, acı dolu çığlıklar karıştı.

"Yapmayın! Sizin insafınız yok mu?"

"Tanrı aşkına bırakın! Ben vaftiz edildim!"

"Hayır! İmdat!"

"Beni tanıyorsunuz! Bunu neden yapıyorsunuz?"

Önlerine kim gelirse öldürmeye, ne bulurlarsa ateşe vermeye başladılar.

Güneş batmadan önce öldürülmeyen, yaralanmayan, sakat kalmayan neredeyse kimse kalmamıştı. Her yerde kan vardı. Bütün evlerde ateş... Gökyüzü, yükselen dumanlardan erken karardı. Akşam, kâbus gibi çöktü Lizbon'un üstüne.

Yetinmiyorlardı. Yakaladıkları, yaraladıkları Marranları sürükleyerek götürüyor, kilise meydanında yakılan büyük bir ateşin içine, yarı canlı atıyorlardı. Serseriler durumu fırsat bilmiş, evleri, dükkânları talan ediyordu.

Korkuyla saklananlar, canlarını kurtarmak için "Bizi bulmasınlar!" diye dua ederken, dışarı çıkabilen erkeklerden az da olsa haber almaya çalışıyorlardı. Lizbon savcısı harekete geçmiş, kalabalığı sakin olmaya, evlerine dönmeye çağırsa da Marran ve Musevi aleyhtarı propagandayla beyinleri yıkanmış polislere bile söz geçiremiyordu.

•

Dumanlar şehrin üstünde dört gün boyunca yükselmeye devam etti.

Yanık et kokusu, insan kokusu, kan kokusuna karıştı. Değil bu ortamda durabilmek, nefes alabilmek bile zorlaştı. İlk saldırılarda kaçmayı, saklanmayı başarabilenler de birer ikişer yakalanıyor, canlarını kurtarmak için yalvarsalar, ayaklara kapansalar da hunharca öldürülmekten kurtulamıyorlardı.

Şehrin her yanında acı dolu haykırışlar yükseliyor, insanlık yerin dibine giriyordu.

Kan kokusu... İnsanın genzini tıkayan o koku... Bir kez o kokuyu duyan bir daha unutamaz! Ne akıtılan insan kanının kokusunu ne yanık insan kokusunu...

İnsan canlı bir organizma, bir parça odun değil! Ne kadar yakılmak için çabalansa da bir yanı yanmıyor... Bir parça et, sızan bir kan, olmadı bir parça kemik ortada kalıyor, insan gördüklerinden dehşete düşüyor.

İnsan, insana bunu nasıl yapar?

Her yanda parçalanmış çocuk cesetleri vardı. Küçücük bedenlerden koparılmış kollar, ayaklar, başlar...

-3-

1492'de Grenada'nın düşmesi, bütün Avrupa'da dini törenlerle kutlandı. İstanbul'un fethinden sonra adım adım yükselen Hıristiyanlık ülküsünde birleşme hayali, bir nebze amacına ulaşmış, Avrupa'da Haçlı ateşi yanmaya başlamıştı. Endülüs'te Müslümanlara karşı girişilen katliamlar İslam dünyasında tepkiyle karşılansa da devam etti. Bir yanda Hıristiyanlar Haçlı ruhuyla hareket ediyor, diğer yanda başta Türkler olmak üzere Müslümanlar gittikçe daha fazla öfkeleniyor, tehditler savuruyordu.

Bir de bizler vardık: Museviler... Kudüs'ten çıktığımızdan beri ülkesiz, devletsiz, dünyanın dört bir yanında ve elbette İspanya ve Portekiz'de de yaşayan bizler...

Grenada'nın düşmesinden iki yıl önce Katolik papa, Osmanlılara karşı bütün Avrupa'yı bir araya getirip bir Haçlı seferi düzenlemek için davette bulunmuştu. "Grand Turco'nun* oğlu Zizimi** Vatikan'da esirdi ve onu da seferde kullanmak istiyorlardı. Endülüslü Müslümanlar, daha önce Sultan Mehmet'e heyetler göndermiş ve uyarmışlardı. Endülüs'ün düşmesinden sonra Afrika'nın kuzeyinde yaşayan diğer Müslümanlar da endişelendiler. İspanya, en büyük düşman oldu Osmanlı için.

Osmanlı, Museviler için bir kaçış yeriydi. Belki de iki yüz yıldır çeşitli dönemlerde Museviler bu ülkeye göçüyordu. 1360 yılında Macar Kralı Lajos'un topraklarından Yahudileri tehcir ettiğini duyurmasından itibaren, Orta Avrupa Yahudileri, Osmanlı'yı kendileri için güvenli bir ülke görerek göçmeye başlarken, İstanbul'un fethinden sonra Osmanlı da davetini artık daha sık ve yüksek sesle yapar olmuştu. İstanbul ve Selanik gibi şehirlerde zaten Museviler vardı ama fethedilen İstanbul'un, harap ve yerle bir olmuş başkentin yeniden ayağa kaldırılması için hem nüfus hem de iş yapabilecek insan gücü gerekliydi. İspanya ve Portekiz'e mektuplar geliyordu İstanbul'dan:

"Herkesin kendi asma ve incir ağacı altında huzur içinde oturduğu Osmanlı mülküne gelin. Buraya sığının..."

Çok sayıda Musevi İstanbul'a ve diğer Osmanlı şehirlerine göç etti. Bizans'ın kadim başkenti artık yeniden inşa edilecek, refah ve zenginliğin şehri olacaktı. Grand Turco'nun, ticari kabiliyeti ve sermayesi olan insanları bu şehre yerleştirdiğini, Balkanlardan gelenlere Çıfıtkapı'dan Zindankapı'ya kadar olan bölgede yer gösterdiğini, daha önce Venediklilerin hâkim olduğu bu bölgeye "Yahudiler Kapısı" denildiğini ileride öğrenecektim. Sultan Mehmet, Venediklilerin buraya dönüşünü

* Fatih Sultan Mehmet

** Cem Sultan

yasaklamış, Musevilerin önünü açmıştı. Bizans döneminden beri Osmanlı'da yaşayan Musevilere Romanyot, İspanya'dan getirilenlere Sefarad, Orta Avrupa'dan getirilenlere ise Eşkenaz denildiğini de sonraları öğrendim. Osmanlı'da her üç grup da özgürdü. Müslüman hukukuna göre hükümdar bile kanunlara uymak zorundaydı. Bu durumun bir Musevi için ne demek olduğunu, Musevi olmayan birinin anlaması zordur. Halkım, tarih boyunca krallar, imparatorlar, dükler tarafından davet edilmiş, sözler verilerek çağırılmış ve gittikleri şehirleri canlandırıp, ekonomilerini düzeltmişlerdi. Gittikleri yerleri zenginleştirmişler, sonrasında ise birçok örnekte verilen sözler unutulmuş, hükümdarlar hakkı hukuku bir yana bırakmıştı. Osmanlı, şimdilik verdiği sözde duruyor ve İspanya'dan göçenleri İstanbul dışında Selanik, Avlonya, Patras, Edirne, Bursa ve daha birçok şehre yerleştiriyordu. Gidenler cemaatler oluşturuyor, sinagoglar açıyordu. Yeni yeni mahalleler oluşuyordu sinagogların etrafında.

Osmanlı'da kan iftirasına inanan yoktu...

Musevilerin, Musevi olmayanları Pesah ya da diğer ayinlerde kanlarını kullanmak için öldürdükleri iftirasına, Müslümanlar inanmıyordu.

Tüccarlarımız, mühendislerimiz, hekimlerimizle göçüyorduk Osmanlı'ya... Biz de elbette "herkesin kendi asma ve incir ağacı altında huzur içinde oturduğu" ülkeye göçecektik ama daha sonra...

-4-

Hıristiyan takvimiyle 1510 yılında Lizbon'da, Benveniste ailesinin bir üyesi olarak dünyaya geldim. Musevi adım Hanna'yı, gizlice ve sadece evimizin içinde kullanabildim. Ev dışında, vaftiz edildiğimde bana uygun görülen Beatrice de Luna'yı kullanmak zorundaydım. Ama beni daha çok Dona Gracia olarak bildiler.

Hanna, İbranice "zarif" anlamına geliyor. Gracia da bu ismin Portekizcedeki karşılığı sayılabilir. Ailem, bu sebepten bana Gracia ismini vermiş olmalı:

Gracia Nasi...

Kendi ismini kullanamamanın ne demek olduğunu, başına gelmeyen bilemez. Musevi olmamız ya yasak ya da sürülme sebebiydi. Ne ben ne de ailem kendi ismimizi kullanabildik.

Benveniste, İber Yarımadası'nda çok itibarlı bir soyadıdır. Kökleri Narbonne'da çok zengin işadamları ve değerli akademisyenlerden oluşan bir aileden gelir. Katalanca "Benveniste" adıyla anılan, bankacılık yapan kuruluşun İspanya ve doğusunda çok sayıda şubesi vardı. Efsane gibi anlatılan bir olaya göre, İspanya Kralı Alfonso veya Pedro, saray hekimi Musevi bir maliye bakanına sahipti. Değerli bir hekim olan bakan, bitki uzmanı olarak da biliniyordu. Saray bahçelerinde yaptıkları bir gezi sırasında kral, "malva" isimli pembemsi mor çiçeğin adını sorar. Bakan da bunların yaprakları kaynatılarak ilaç yapılan "bienva" olduğunu söyler. Yani İspanyolca "her şey iyi gidiyor".

Kralın çevresinde bulunan bir diğer Musevi düşmanı ve makam hırsıyla tutuşan kişi ise alay ederek, çiçeğin adının "bienva" değil "malva" olduğunu söyler. "Malva", "her şey kötü gidiyor" anlamına gelmektedir.

Kral sinirlenir. Sebebini sorar. Musevi bakan ise şöyle açıklar:

"Majesteleri, bitkinin adının 'malva' olduğu doğrudur. Bizleri refakatçi kabul edip, onurlandırdığınız bu güzel gezide, huzurunuzdakiler önünde 'malva' lafını kullanmak istemediğimden 'bienva' dedim. Affınıza sığınırım..."

"Seni kıskanan, kötü düşünenlerin sözlerini utanç verici ve kötü niyetli buluyorum. Açıklaman beni tatmin etti ve değerli bir hekimimi, bakanımı kaybetmemi önledi. Bu önemli olayı anmak için senin adını bundan böyle 'Benveniste'* olarak değiştiriyorum..."

•

---

* Benveniste, İspanyolcada "hoş geldin" anlamına gelmektedir.

Ailem İspanya'da, Castela'da yaşıyordu. 31 Mayıs 1492'de "Kovulma Fermanı" ile bütün Müslümanlar ve Musevilerin dinlerini değiştirmeleri ya da ülkeyi terk etmeleri istendi. Kırk gün süre tanınmıştı. Bu süre zarfında din değiştirmeyen, göçe karar vermiş on binlerce insan, kısa zamanda gayrimenkullerini satmak zorunda kadı. Alınan karara göre altın, gümüş ve değerli madenler dışında, sadece taşıyabilecekleri kadar mallarıberaberlerinde götürmelerine izin vardı. Gayrimenkuller, bir elbiseyle takas edilebilecek kadar değerini yitirdi. Kapı dışarı edilmek Musevileri incittiği gibi büyük maddi zararlara da neden oldu. Tabii ki yolunu bulanlar, "telafi" mekanizmasıyla, İspanya'da uygun zamanlarda sattıklarının karşılığını, İspanya dışında almayı becerdiler. Zira fermanın gelişi, uzun zamandır sinyalleri alınan bir durumdu.

Gidilecek en uygun ülke, yakınlığı ve dil benzerliğinden dolayı Portekiz olarak görüldü. O tarihte Portekiz'de engizisyon denilen ve Hıristiyanlığından kuşku duyulanları yargılayan mahkemeler henüz kurulmamıştı.

Babam ve annem, yani "Yeni Hıristiyan" olan Alvaro ve Filipa de Luna da Portekiz'e göç ettiler.

•

Zenginlerin ve soyluların genellikle yakın aile çevresinden evlenmeleri geleneği vardı. Bu kuralı ben koymadım, ben kaldırmadım da... Yüzyıllarca böyle devam edecekti ve gelenekler, benim de dayımla evlenmemi gerektiriyordu. Kuşkusuz, bunun önemli sebeplerinden biri, servetin bölünmemesi, evlilik yoluyla sermayenin el değiştirmemesi olsa gerek.

İleride eşim olacak Semah Benveniste ya da Hıristiyan adıyla Francisco Mendes, aynı nedenlerle benimle evlenmesi münasip görülen kişiydi.

Üç kardeşim vardı: Guiomar, Aires ve hayatım boyunca başıma bela olacak olan Brianda...

Çocukluğumu hem çok iyi hatırlıyorum hem de çok az... Bir yandan unutamayacağım anılarla dolu diğer yandan sisler içinde gibi... Babam Alvaro, eşya ve değerli maden ticaretiyle uğraşıyordu. Prensipli, disiplinli, Hıristiyanlığı kabul etmiş görünse de Museviliğe yürekten bağlı bir Benveniste idi. Beni ve kardeşlerimi, kız erkek ayrımı gözetmeden en iyi şekilde eğitmeye çalıştı. İyi bir eğitim alıp, donanımlı olarak yetişmemizi hedefledi. Elbette dini bir eğitim almamızı da sağladı. Dışarıya karşı Hıristiyan olsak da evimizin içinde samimi bir şekilde Museviliği yaşıyor, inancımızın geleneklerine sonuna kadar uymaya çalışıyorduk. Babam sık sık uyarmayı ihmal etmezdi:

"Kuzum, dış dünya, biz Museviler için tehlikelerle dolu. Başka bir kusura ihtiyaç duymadân, Musevi olmamızı bile suç sayan fanatikler olduğunu unutma!"

Küçük bir kızken oturduğum dizinde, zaman zaman ticaret hayatından zaman zaman dini konularda küçük hikâyeler anlatır, sonunda bir şekilde bana ve kardeşlerime bu öğüdü vermeyi unutmazdı. Bazen de durumu daha iyi anlayabilelim ve daha dikkatli olalım diye, inancından ötürü sürülen, öldürülen, parçalanan insanlara ait küçük hikâyeler ve inancını korumak isteyen kutlu insanların, engizisyon tarafından nasıl hunharca katledildiğini anlatırdı. Aldığımız onca eğitim içinde sisli olmayan bilgiler, net hatırladığım konuların başında inancımızı dışarıda gizlememiz gerektiği konusu başta gelir. O yıllarda, henüz küçük bir kızken, bir gün bir kahramanlık yapıp, şanlı bir şekilde ölüme yürüyen o kahramanlar gibi inancımı insanların yüzüne karşı haykırdığımı, bütün işkencelere rağmen sözümden dönmediğimi hayal ediyordum. Elbette ileride başıma gelecekleri, o günden bilemezdim.

Annem Filipa, Şabat'ın* gelmesini dört gözle bekler, güneş batınca mumlar yakar ve heyecanla hazırlığını tamamlardı. Ailemizin en geniş, en donanımlı, en coşkulu ve kalabalık sofrası kurulur, dua eder ve yemeğimizi keyifle yerdik. Purim Bayramı'nda** bizlere içinde topaçlar da olan çeşitli hediyeler verilirdi. Domuzu ve Tevrat'ın yasakladığı diğer gıdaları yememeyi küçük yaşta öğrendik. Hamursuz Bayramı'nda,*** saklanan yarım hamursuzu bulduğumuzda ödüllendirilir, aramızda yumurta kabuğu kırmaca oynardık.

Cuma akşamı, güneşin batışıyla Şabat'a girilmiş olur. Babam elinde bir bardak şarapla kutsama duası olan Kiduş'u okur, hepimiz ayakta ve sessiz beklerdik. Rabb'in yaratılışın yedinci gününde dinlenmesi hatırlanır, bizi Mısır'da esaretten kurtardığı ve Şabat'ı armağan ettiği için şükrederdik. Babam, somunu parçalara böler, tuzlar ve küçük bir parçasını kendisi yiyip, geri kalanı bizlere bırakırdı.

Dua bitip yemek başlayınca, babamın yanına otururdum. Onun yakınında olmak, kendimi güvende hissetmemi sağlıyordu. Kardeşlerimin de benim yerimde olmak istediğini biliyordum. Özellikle Brianda'nın ama aldırmıyordum.

•

* Museviler için dinlenme günü olan cumartesiyi ifade eder. Şabat veya Sebt diye anılır.

** Antik Pers İmparatorluğu'nda yaşayan Yahudilerin öldürülmekten kurtulmalarını hatırlatan bayram.

*** Fısıh veya Pesah da denir.

Ayaklarım yere değmediği için rahatlıkla salladığımı gören babam, "Bakıyorum neşen yerinde..." dedi gülümseyerek.

Ekmeğimden ısırdım.

"Çok mutluyum baba! Yarın hiçbir şey yapmayacağız."

Yeniden gülümsedi. Uzanıp yanağımı okşadı.

"Elbette boş durmayacağız sevgili evladım... Rabb'i anacağız ve ona şükredeceğiz."

"Baba, Hıristiyanlar neden hiç dinlenmiyor?"

Başını salladı.

"Onların bazıları da pazar gününün dinlenme günü olduğuna inanıyor kızım... Ancak hepsi, hemen her gün çalışmak zorunda... Bizim gibi gerçek medeniyet sahibi insanlar ancak tatil gününün ne olduğunu biliyor. Rab bize bugünü armağan etti. Ama unutma! Bol bol dua edeceksin!"

Başımı salladım.

Annem Filipa, "Brianda İbranice öğrenmeyi ihmal ediyor..." dedi. "Ama Gracia çok çalışıyor. Böyle giderse bütün duaların anlamını öğrenecek."

Kardeşimle göz göze geldik. Bana daha fazla kıskançlıkla baktı. Aldırmadım.

"Elimden geleni yapıyorum anne!" dedi.

Annem olumsuz anlamda başını salladı.

"Daha fazla çalışmalısın kızım. Yeterli değil."

Babam daha yumuşak konuştu:

"Çocuklar, biliyorsunuz ki İbranice kitaplar bulundurmamıza izin verilmiyor. Eğer bu kitapları bulurlarsa bizi heretik* olmakla suçlar, Museviliğe döndüğümüz için ağır bir şekilde cezalandırırlar. Bunların bazılarını tıp kitabı gibi göstererek

* Dinden sapmış olan.

evimizde bulundurma şansı bulduk. Bu nedenle sizden daha dikkatli olmanızı, İbraniceyi daha iyi öğrenmenizi istiyorum."

Annem de eve gelecek bir Hıristiyan müfettiş endişesini hep taşıyordu:

"Ya eve baskın yaparlarsa, ya biri ihbarda bulunursa diye aklım çıkıyor!"

Babam o kadar korkmuyordu:

"Filipa, müfettişlerin çoğu İbranice bilmiyor. Size de öğrettiğim gibi çocuklar. Hıristiyan bir müfettiş gelirse, evimizde bulunan kitapların tıp kitapları olduğunu söyleyeceksiniz. İhtiyatı elden bırakmak yok! Size ne söylenirse söylensin, aklınızı çelmek için ne vaat ederlerse etsinler, sonuna kadar gerçeği gizleyeceksiniz. Yoksa hepimizin malına el koyar, hapse atarlar. Hatta belki öldürürler..."

Masa bir anda soğumuştu. Küçüktük ama babamın ne derece ciddi olduğunu anlıyorduk.

"Ben Hıristiyanlığı da iyi öğreniyorum baba..."

"Aferin kızım. İyi bir Hıristiyan olduğumuz izlenimi vermek için, Hıristiyanlığı da iyi öğrenmemiz şart. Hep ne diyorum size?"

Brianda cevap verdi:

"Hıristiyan görünmemiz şart!"

"Evet."

Bu defa ben ona kıskançlıkla baktım. Omzunu silkti.

"Yeni Ahit de öğrenilecek. Hepiniz tarafından..."

Annem dudaklarını ısırdı:

"Biliyor musun Alvaro, bazen Papaz Adriano'yu öldürmek istiyorum!"

Annem, iyi yetiştirilmiş ve soylu bir aileden gelen bir kızdı. Onu kızdırmak kolay değildi. Babam da şaşırmıştı.

"Neden?"

"Çocuklara Hıristiyanlığı anlatmak için ders aldırmamızı söylediğinde, ondan ricacı oldum. Hatırı sayılır bir ödeme de yapıyoruz ama çocuklarımızı karşısına alıyor ve sürekli Musevilere hakaretler ediyor. Bazen şöyle elimi belime koymak ve yaptığı bütün hakaretlerin cevaplarını vermek istiyorum. Hem de suratına karşı!"

Bunu yapamayacağını bilmenin üzüntüsüyle başını salladı.

"Tatlım, Papaz Adriano'yu küstürmemeye bak. Eğer gerekirse şahitliğine çok ihtiyacımız olacak. Rabbim korusun, bir gün belki de gerçekten onun şahitliğine de ihtiyaç duyabiliriz."

"Rabbim korusun!"

Doğrusu ben de içimden tekrarlamıştım. Bir papazın şahitliğine, bizim samimi ve gerçek iyi Hıristiyanlar olduğumuzu söylemesine ihtiyacımız olması, Museviliğe dönmekten dolayı yargılanmamız demek olurdu. Ne olduğunu tam bilemesem de bunun çok korkutucu olduğunu biliyordum. Sırf bu korku bile Hıristiyan olmadığım halde Hıristiyanlığı öğrenmemi sağlayabilirdi. Küçüktüm ama kendim için değildi korkum. Kardeşlerim için de değildi. Ben annem ve babama bir şey olsun istemiyordum. Hep, onlara bir şey olacak diye korkuyor, dua ederken kendimle birlikte annemin ve babamın da korunmasını istiyordum. Bu korku hayatım boyunca beni takip edecekti... Kendim için değil, yakınlarım için endişelenmek..."

Ben doğmadan dört yıl önce yaşanan "Lizbon Katliamı" içimdeki korkuları bir daha hiç çıkmayacak şekilde yerleştirmişti. Lizbon kana bulanmış, Museviler öldürülmüş, yakılmış, sürüklenmiş, parçalanmış, akla hangi işkence geliyorsa başlarına gelmiş, evlerini, yuvalarını bırakıp kaçanlardan çok azı canını ve ailesini kurtarabilmişti. Elbette bu katliama ilişkin hikâyeler biz çocuklara sürekli anlatılıyor, kendimiz yaşamış gibi sürekli tekrar tekrar kafamıza yerleştiriyorduk.

Babam anlatıyordu:

"Salgın başlamış, işyerleri kapanmış, çalışanlar işlerini ve gelirlerini kaybetmişlerdi. Ekonomi çöküşün eşiğine gelmişti çocuklarım... Hastalık ve ölüm haberleri, insanların moralini bozuyor, ekmek bulmak bile zor oluyordu. Bizim durumumuz fena değildi ama yoksul halkın durumu çok kötüydü. Kral ve zenginler Lizbon'dan kaçtılar. Abrantes'e taşınıp, salgın hastalıkların geçmesini, ekonomik sıkıntıların bitmesini beklediler. Suçlu onlardı: Kral ve diğer yöneticiler. Salgın hastalıklar için önlem almamışlar, gerektiği zamanda kapıları kapatmayı, hastalığı karantinaya alıp kontrol etmeyi akıl edememişlerdi. Halkın ekonomik sıkıntı çekmemesi, en azından zorunlu ihtiyaçlarını karşılaması için aldıkları bir önlem yoktu. Suçlunun kendileri olduğunu söyleyemezlerdi. En kolay yola başvurdular ve binlerce yıldır yapılan şeyi tekrarladılar: Biz Musevileri hedef gösterdiler. Zenginliğimizi dillerine doladılar. Çok çalıştığımızı unutup, sanki başka insanların hakkını çalıyormuşuz gibi yaptılar. Ekmek kıtlığının faturasını bile bize kestiler. Marranlara karşı nefreti körüklediler. Galeyana gelen kalabalıklar, Musevi mahallelerine saldırdı, her yeri kana buladı. Dört gün çocuklarım... Dört gün boyunca bu vahşet sürdü. Binlerce insan kâh parçalandı, şehir meydanındaki ateşe atıldı, kâh bulunduğu yerde katledildi. Ateşin içinde Musevilerin cesetleri kaldı. İnsanların cenazelerinin, hiç değilse kemiklerinin alınıp, bir Musevi gibi gömülmesine bile izin vermediler..."

Babamın daha fazla anlatmasına gerek yoktu. Devamını

kendim yaşamış gibi ezbere biliyordum. Kilisenin damından bir ışık sızıyor, Meryem'in yüzüne bir ışık huzmesi vuruyor, bunun mucize olmadığını söyleyen bir Marran çocuğu hemen oracıkta, kilisede katlediliyor ve sonrasında dört gün boyunca bütün Marran ve Musevileri katletmek için harekete geçiliyor...

"Sonra ne oldu baba?" dedi oldukça korkmuş olan Brianda.

"Sonra kral nihayet Lizbon'u teşrif etti, facianın sorumlularının yakalanması emrini verdi. Tagus Nehri'nin kıyıları darağaçlarıyla donatılıp, yüzlerce suçlu alelacele alınmış mahkeme kararlarıyla sallandırıldı. Darağacına asılan biri çürüyünceye kadar orada bırakılır ama bu defa öyle çok idam gerçekleştirildi ki çürümelerini bile beklemeden indirildiler. Orada pek çok kişi asıldı ama asıl bu olaylara yol veren yöneticiler kendilerini kurtardılar. Kim bilir, belki de katliamın bu denli büyüyeceğini onlar da tahmin etmemişti..."

Annem ve babam, birçok Marran gibi artık Portekiz'de kendilerine bir hayat hakkı olmadığını anlamışlardı.

"Bizim kusurumuz çocuklarım, ticarette başarılı olmak, çok çalışmak ve zenginleşmek... Asıl sorun bu... Elimizdeki zenginliği istiyorlar ama hukuka uygun davranıyormuş gibi yapmak için inancımızı bahane ediyorlar..."

-5-

Dayım Francisco, dünyanın en yakışıklı adamlarından biriydi. Aramızda yaş farkı vardı ama aynı konularda sohbet edebiliyorduk. Portekiz'in sayılı zenginlerinden olan bir işadamıydı Francisco Mendes...

Elimi tuttu ve bir beyefendi nasıl yaparsa, öyle sordu:

"Dona Gracia, seninle evlenmek istiyorum. Bunu uzun zamandır istediğimi biliyorsun... Senin düşünceni alabilir miyim?"

Kalbim deli gibi çarpıyordu, göğüskafesimi yırtmak ister gibiydi. Ama bir genç hanımefendi nasıl davranırsa, öyle yanıtladım:

"Sevgili Francisco, bu konuda benim bir söz hakkım olmadığını, kararı babamın vermesi gerektiğini biliyorsunuz..."

Anladığını belli etmek için başını salladı.

Bir süre sonra babam, bir akşam yemeği sonrasında benimle biraz konuşmak istediğini söyledi. Çalışma odasında bekleyecekti.

Gidip kapıyı vurdum ve bekledim.

"Gel..."

Girdim. Babam heyecanlıydı ama sakin görünmeye çalışıyordu. Sebebini anlayabiliyordum. En büyük çocuğunun evlenme zamanı gelmişti ve bir baba olarak şüphesiz, o da en az bizim kadar heyecan duyuyordu.

"Otur lütfen kızım... Seninle biraz konuşalım."

Sessizce oturdum. Babam hâlâ ayaktaydı. Arkası bana dönük, ellerini kalçasının üstünde bağlamıştı. Bu büyük adam, ticarette çeşit çeşit insanla muhatap olmuş, her türlü ortamda bulunmuş ve neredeyse tümünden de başarıyla çıkmış adam, ilk defa acemilik çekiyor gibiydi.

"Artık büyüdün... Yakında on sekiz yaşına basacaksın. Artık evlenmen gerekecek. Beni anlıyorsun değil mi?"

"Evet baba."

"İyi yetiştirilmiş bütün genç kızlar gibi senin de taliplerin oldukça fazla. Ancak sevgili kızım, yine de senin en başta kendi dinimizden ve ailemize uygun biriyle evlenmeni istiyorum. Elbette senin mutluluğun benim için her şeyden önce gelir. Yani, istiyorsan tabii kendi seçtiğin biriyle de evlenebilirsin ama sevgili kızım, çok iyi düşünmen gerekir. Yalnızca kendini değil, aileni, dindaşlarını, hepimizi düşünerek bu kararı al."

"Anlıyorum baba..."

"Kızım, bir baba olarak, senin hem uygun bir damat adayıyla hem de senin de sevdiğin ve sevebileceğin biriyle evlenmen, beni mutlu eder. Annenle de konuştuk. Dayın Francisco seninle evlenmek istiyor. Biz de ona söz verdik ama yine de sen istemezsen, sözümden dönmek için onu ikna edebilirim."

Susup tepkimi bekledi. Aslında deli gibi istiyordum ama acele etmedim.

"Kızım, annen de ben de Francisco'nun iyi bir damat adayı olduğunu düşünüyoruz. Hem sahip olduğu zenginlik, hem mevkii, hem de akrabalık bağımız ortada. Daha iyi bir aday düşünemiyorum."

Artık bana dönmüş ve yüzümdeki ifadeyi görmek istiyordu. Onu daha fazla bekletmek istemedim.

"Sizin rızanız ve hayırduanız benim için yeterli baba. Siz uygun diyorsanız, benim için de uygundur."

Gülümsedim. Babam anlamış gibi gülümseyerek karşılık verdi.

Babam, çocuklarının evlenmesini, mutlu olmaları yanında, soyunu devam ettirmesini de istiyordu. Ailemizin zenginliği bütün engellemelere rağmen büyüyordu. Bu nedenle iki kızının da çok talibi olduğunun farkındaydı.

"Bu kadar mı baba?"

Susuyordu. Yeniden pencereden dışarı baktı... Epeyce bir süre sessiz kaldı. Heyecanlıydım ama onun suskunluğu kafamı daha da karıştırıyordu.

"Hanna, kızım..."

Bana Musevi adımla seslendiğinde, genellikle inancımızla ilgili bir konu açar.

"Dinliyorum baba."

"Şimdi seninle konuşacağımız konu hem çok önemli hem de çok gizli. Anlıyor musun?"

Gözlerine baktım.

"Tabii ki..."

"Bunu Brianda'yla bile paylaşmanı istemiyorum! Bu... bu... aile içinde bile çok az kişiye söylenen bir sır evladım. Ne yazık ki erkek çocuklarım artık hayatta değil! Bir kız çocuğu olarak senin bu yükü sırtlanman zor olsa da sana hep güvendim. Senin bu yükü taşıyabileceğinden bir an bile tereddüt etmedim kızım..."

"Baba, beni korkutuyorsun!"

"Hayır, korkma! Korkmanı gerektirecek hiçbir şey yok. Sadece hep ihtiyatlı ol. Çok dikkatli davrandığını düşündüğün anlarda bile, ısrarla her şeyi yeniden gözden geçir."

Dönüp yanıma geldi.

"Şimdi beni iyi dinle. Bizim, artık senin de bilmen gereken bir sırrımız var."

-6-

Francisco iyi bir aile terbiyesine sahipti. Çok iyi bir eğitim alarak büyütülmüştü. Muhteşem servetiyle birçok genç kızın hayallerini süsleyen bir koca adayıydı. Üstelik ailemize yakınlığıyla yanımda isteyebileceğim ender insanlardandı. Onun yanında, baş başayken bir Hıristiyan gibi davranmama gerek yoktu. Rol yapmaya gerek yoktu. On sekiz yaşına bastığımda, onunla evlenmemin önünde hiçbir engel kalmıyordu.

Sevinçten uçacağımı sanıyordum evlilik kararımız kesinleştiğinde ama babam her şeyi altüst etmişti. Artık eskisi kadar heyecan duymuyordum. Seviniyordum elbette ama babamdan emanet aldığım sır, hayatta evlilikten, iyi bir kocayla mutlu olmaktan bile önemli şeyler olduğunu gösterdi.

Brianda şüphelenmekte gecikmedi:

"Sen benden bir şey saklıyorsun!"

"Nereden çıkardın bunu? Senden gizli neyim olabilir?"

"Bilmiyorum... Ama babamla görüştüğünden beri tuhafsın. Kafanda başka şeyler var."

“Saçmalıyorsun Brianda! Böyle şeyler söyleme!”

“Biliyordum!” dedi yakalamış gibi. “Kesin bir şey var!”

“Ah, sen hiç akıllanmıyorsun! Büyü artık! Koca kız oldun... Unutma ki benden sonra senin evlenme sıran geliyor.”

“O konuda düşünecek bir şey yok. Diogo’yla evleneceğimizi herkes biliyor.”

Doğru söylüyordu. Onun için uygun eş adayı da Francisco’nun küçüğü olan, diğer dayımız Diogo’ydu. Aslında Diogo, Francisco’dan daha sempatik, daha girişken bir insandı. Yaşlarımız onunla biraz daha yakın olduğundan daha iyi anlaşıyorduk. O da Brianda’dan çok benimle sohbet etmeyi severdi ama yapacak bir şey yoktu.

“Dikkat et de Diogo’yu elinden kaçırma! Benimle meşgul olacağına, onunla ol. Birçok Marran ailesi, kızını onunla evlendirmek için can atıyor!”

“Gözlerini oyarım onların! Hele bir denesinler...”

Güldüm.

İstediğim olmuştu. Brianda, Diogo konusunda az da olsa endişelenmiş olacak ki beni rahat bıraktı.

Evimizin içindeki küçük ibadethaneye gidip, dua ettim:

“Rabbim, ne yapacağımı bilmiyorum. Ben küçük bir kulunum. Küçük bir kızım. Acaba bana verilen emaneti taşıyıp, bu görevi yerine getirebilir miyim? Beni koru ve her daim yardımcım ol. Beni yanlış yollara sapmaktan, bana verilen sırrı ihlal etmekten koru! Beni hiçbir zaman yalnız bırakma! Bana verilen görevi, bir başkasına devredene kadar bu emaneti taşıyabilmemi sağla...”

•

Babam çeyiz olarak yüklü bir servet verdi. İyi bir Musevi olarak bütün âdetleri yerine getiriyor, benimle birlikte damada ev, işyeri, nakit gönderiyordu. Francisco'nun serveti, benim drahomamla birlikte hatırı sayılır şekilde arttı. Düğünde yapılması gereken ayin de dahil, bütün ritüeller gizlice yerine getirildi.

Kardeşlerimin en büyüğüydüm. Francisco da kardeşlerinin en büyüğüydü. Onun da iki kız kardeşi vardı ve biri annemdi. Ancak onun kadar işlere göz kulak olan kardeşi Diogo'ydu. Diğer kız kardeşinden olan Jozef Nasi'nin ise hayatımda çok önemli bir yeri olacaktı. Hem de ölene kadar...

Francisco'nun ailesi saray hekimliği yapmış bir Benveniste idi. Ailesinde diplomatlar, saraya yakın görevliler vardı.

"Soria'da doğdum..." dedi kendini anlatırken. "1482'de... On yaşına geldiğimde, İspanya'dan, engizisyondan kaçıp Musevi olarak Portekiz'e geldik sevgili karıcığım... Bizimle birlikte göç eden altı yüz zengin aileden biriyiz. Ama burada, ben on dört yaşına geldiğimde baskı başladı. Hıristiyan olmamız istendi. Çaresiz, din değiştirmiş göründük."

"Biliyorum sevgilim..."

Neyse ki on üç yaşına basmıştı Hıristiyan olmaya zorlandığında. Musevi bir çocuk on üç yaşında olgunlaşmış kabul edilir, bu, Bar Mitzva töreniyle kutlanır, yıllar süren hazırlığından sonra dini bilgileri tamamlanmış olur. Bar Mitzva sonrasında kendine yeni bir defter açıp, işleyeceği günahlardan, önceden olduğu gibi artık babasının değil, bilinçli olarak kendisinin sorumlu tutulacağı, günahların defterine işleneceği izah edilir.

"Senden yaşlı olduğumu da biliyorsun..."

"Tam yirmi sekiz yaş..."

"Peki, bu seni rahatsız ediyor mu?"

"Hayır. Seninle evlendiğim için çok mutluyum. Aramızdaki yaş farkı önemli değil."

Kilisede, rahibin önünde ona "Evet..." derken de aynı düşüncedeydim, evimizde gerçek Musevi nikâhı yaparken de...

Evdeki düğünden önce ruhumu temizlemek üzere "Mikve" banyosuna girdim, bir hafta Francisco'yu görmedim. Gelecekte yaşayacağımız evi sembolize eden çadır "Hupa" kurulduğunda, drahomamı ihtiva eden listeyi, Ketuba'yı sundum. İmzaladı. Komşuların bile haberi olmadan, gizlice yaptık her şeyi. Törenin bitmesiyle Musevilerin başına gelmiş en büyük felaketi, Kudüs'teki 1. Mabet'in yıkılmasını, bir bardak kırarak andık.

Kiliseye girerken içimden sessizce tekrarladım:

"Sadece kâinatın yaratıcısı olan Rabb'e bütün varlığımla tapıyorum..."

Francisco, evine küçük bir şapel yaptırmış, Hıristiyan âdetlerini burada yaptığını söylüyor, her pazar kiliseye gitmemesine bunu mazeret gösteriyordu.

Şabat gününde birlikte dinlenir, Yom Kipur'da oruç tatar, domuz yemez, Musevi âdetlerine ve kanunlarına uyardık. Yine de kendi vicdanımdaki bir rahatsızlığı, onun da hissettiğini, yaşadığı sürece hep bildim:

Yalandan da olsa Museviliğimizi inkâr etmiş olmak...

Bu üzüntü, sadece Francisco ve beni değil, bütün Marranları rahatsız etmiştir, eminim.

"Kendimi bazen ikiyüzlü hissediyorum Francisco..." dedim başımı onun omzuna yaslarken. "On Emir'e aykırı davrandığım için kendimi günahkâr hissediyorum..."

"Zorunlu kaldık..." diyerek teselli etmeye çalıştı beni. "Gerçek inancımızı terk etmedik minik sevgilim. Görüntüden ibaret her şey..."

"Yine de bir gün, açık açık inancımızı yaşayacağımızı hayal ediyorum..."

Öyle duygulanmıştım ki, neredeyse bildiğim sırrı onun da bilip bilmediğini soracaktım. Ama bilmiyorsa, kendisinden bir şey sakladığımı anlayacaktı. Tuttum kendimi. O ise sessizliğimi üzüntüme yorup konuyu değiştirmeye çalıştı:

"Vasco da Gama'nın keşfettiği Hindistan yolu çok işimize yaradı sevgilim. Avrupa'nın en büyük ithalatçısı olacağız. Kıymetli taşlar, baharatlar, Çin ile Hindistan'dan gelen lüks eşyalar Avrupa'ya bizim sayemizde akacak. Üstelik baharat... Baharatın tümü bizim kontrolümüze geçecek!"

Hizmetçilerimiz vardı ama onları kontrol ettiğim için biliyordum. Et, taze iken sert oluyor ve yenilemiyor, bekletildiğinde ise kötü kokuyor. Bunu önlemenin yolu, onu baharatlamaktı. Üstelik baharatların afrodizyak olduğuna inanılıyor, özellikle zengin ve mirasyedi mutfaklarından eksik edilmiyordu.

"Baharatları biz getireceğiz. Avrupalılar, nadide lezzette etler yerken, bizim de kasamızı doldurmaya devam edecekler..."

Sonra ne olacaktı peki?

•

Benveniste soyadı yerine Mendes soyadını almış, Beatrice de Luna Mendes olmuştum...

"Sen bizim için hep Gracia Nasi olacaksın aşkım. Hanna olarak sesleneceğiz sana ama içimizden. Çünkü seni tehlikeye atamayız."

"Beni düşündüğünü biliyorum..."

"Elbette. Senin için çok şık kıyafetler hazırlatıyorum. Venedik tarzı... İnciler ve kıymetli taşların olacak bol bol. Hindistan'dan getirdiğimiz değerli taşların en güzellerini sen takacaksın."

"Sonra da bir kenarda süslü bir şekilde oturacağım öyle mi?"

"Hayır. İşlerimle de meşgul olacaksın. Hem evinde hem de işimde yanımda olacaksın."

"Gerçekten mi? Benim işlerle ilgilenmeme izin veriyor musun?"

"Elbette! Sen evde oturabilecek bir kadın değilsin."

İşte bu güzel haberdi. Demek ki Rabbim dualarımı duymuş, karşılık veriyordu. Bana, üzerime aldığım görev için yolları açıyordu.

-7-

Kızımız Ana'yı da kendi adıyla çağıramadık... Vaftiz ettirmek ve "Reyna" demek zorunda kaldık.

Portekiz'den hoşlanmıyordum. Marranlara karşı düşmanlık, henüz kapımızı çalmasa da artıyordu. Mendes Müessesesi olarak bilinen şirketimiz, zenginliğimizi gösteren saray gibi evlerimizle biz daha korunaklı bir durumda olsak da diğerlerinin hayatı günden güne zorlaşıyordu. Üstelik bunaltıcı bir ortamı vardı Portekiz'in... Reyna burada büyüsün istemiyordum.

Francisco da zenginliği ve başarıları nedeniyle rakipler hatta düşmanlar edindi. Engizisyon henüz Portekiz'e uğramamış olsa da hedefinde olduğumuzu biliyordu.

"Farkındayım Gracia..." dedi konuyu sorduğumda. "Bu nedenle Kutsal Roma-Cermen imparatoruna epeyce para ödedim. Ailece 'dokunulmazlık' verdi bize âlicenapları! Kasasını biraz daha doldururken, bizim sahte Hıristiyan veya gizli Musevi olarak hâkim önüne çıkarılmamızı engelleyecek belgeyi mühürledi."

"Şarlken'den koruma mı aldın?"

"Evet."

"İşte bu güzel haber! Harika!"

Fazla sevinip, ihtiyatsız davranmamdan korktu:

"Yine de hiçbir şey garanti değil!"

"Ne zaman tam bir garanti oldu ki? Ne zaman kendimizi güvende hissedebildik? Korkarım asla da kendimizi tamamen güvende hissedeceğimiz bir zaman gelmeyecek... Hiç değilse, mühürlü bir dokunulmazlık belgesi alman iyi olmuş."

"Kısmen..."

"Ne düşünüyorum biliyor musun, dokunulmazlık belgesini cebimize koyduk ama yine de engizisyon giderek güçleniyor. Buraya da sızacak ve dibimizde bitecektir. Biz en iyisi başka bir yere gidelim. Daha güvenli bir yere. Reyna'nın burada büyümesini istemiyorum. Bunun için gerekeni yapıyorum... Servetimizin bir bölümünü yavaş yavaş transfer etmeye başladım."

Nihayet iyi birkaç haber!

Evin büyük salonunda karşılıklı oturuyor ama neredeyse fısıltıyla konuşuyorduk. Reyna, çoktan hizmetçiler tarafından götürülmüş ve uyutulmuştu.

"Peki, nereye gitmemizi planlıyorsun? İstediğimiz zaman gidebilecek miyiz?"

Başını salladı.

"Bu belgeyle evet! Ama fark ettiler... Önlem alıyorlar."

Yukarıda bir yeri işaret etti. Kraliyeti kastettiğini anladım.

"Hem biz Marranlara rahat vermiyor hem de ticaretimizi de alıp başka yere gitmemizi istemiyorlar! İşler azalmasın diye Marranların özgürlüklerini kısıtlıyor, ülke dışına para ve altın göndermeye kısıtlama getiriyorlar."

"Benim korkum onlardan değil Francisco... Engizisyondan... Bu belanın Portekiz'e de bulaşması endişesi uykularımı kaçırıyor. Burada güzel malikânelerimiz var, güzel dostlarımız ve yaşantımız var ama gelecekte neler olacağını düşünmek beni korkutuyor. Babamla bir seyahat yapmıştım geçmişte, İspanya'ya. Neye şahit olduğuma inanamazsın!"

Yaklaşıp, elimi tuttu.

"Ne yazık ki biliyorum... Baban anlatmıştı. Engizisyonun canlı canlı yaktığı..."

Parmağımı dudaklarının üstüne koydum.

"Tamam. Şimdi hatırlamak bile istemiyorum. O kokuyu hâlâ duyuyormuşum gibi oluyorum."

Yanık insan etinin insanın genzini tıkayan, midesini kaldıran kokusu... Midem kalktı, kusacak gibi oldum. Tuttum kendimi. Düşünmemeye çalıştım.

"Korkma! Her şey güzel devam edecek... Diogo Anvers'te* bir şube kurdu. Çin ve Hindistan'dan gelen malları Anvers'e

---

* Antwerp

gönderiyoruz. Düşmanları uyandırmadan, yavaş yavaş taşınacak her şey."

"Acele etmeliyiz kocacığım! Daha fazla oyalanmadan... Artık burada iyi şeyler hissetmiyorum."

Beni sakinleştirmeye çalıştı:

"Lütfen! Acelecilik dikkatsizliğe sebep olur... Sakin sakin halledeceğiz. Biraz daha zamana ihtiyacımız var Gracia. Sabır..."

Güvene ne zaman ihtiyaç duysam, aynı şeyi yapıyordum. Yanaşıp, onun göğsüne yasladım başımı. Usulca okşadı.

Öylece epeyce kaldık. Lizbon'un geceleri sıcak ve nemliydi. Uzaklardan sesler geldiğini duyuyordum. Bu şehrin gürültüsü gece bile bitmez, bir şekilde tam bir sessizlik olmazdı.

"Ne düşünüyorsun?" dedi epey sonra.

"Hiç. Dinliyorum..."

"Neyi?"

"Uğultuyu... Sen de duyuyor musun?"

Birkaç saniye sessiz kaldı.

"Evet."

"Bu uğultu hiç bitmiyor Francisco. Sanki daima dönen bir değirmen gibi. Ağır, dikkat ettiğinde duyacağın bir ses ama hiç durmayan..."

"Bana rüzgârın sesi gibi geldi."

"Değil sanırım."

Kapı vuruldu. Sıçramış gibi kalktım.

"Ne oldu?"

"Telaş etme!" dedi. "Kim o?"

Kapının öte yanından ses geldi:

"Lisa efendim. Rahatsız ettiğim için özür dilerim."

"Gir."

Lisa girdi. Uykudan uyanmış gibi uyuşuk gözlerle bakıyordu.

"Bir beyefendi geldi. Sizin için çalışıyormuş. Konunun acil ve önemli olduğunu söyledi."

-8-

Francisco hazırlanmış, yola çıkmak üzereydi. Yanında artık güvende olmadığımızdan olsa gerek, koruma sağlayan adamlarından birkaçını ve avukatlarından ikisini almıştı.

"Dönüşün ne kadar sürecek?" diye sordum ıstıraplı bir sesle.

"Bilmiyorum. Oradaki işlere bağlı... Belki Anvers'e geçmem gerekebilir. En kısa sürede dönmeye çalışacağım."

"Dört gözle bekleyeceğim. Beni ve kızımızı fazla bekletme!"

Dönüp sarıldı. Öpmek istediğini anlıyordum ama onca erkeğin arasında uygunsuz kaçardı. Anlamış gibi göz kırptı.

"Ben yokken işler sana emanet."

Sonra gittiler. Brianda'yla birlikte arkasından el salladık. Reyna, daha geride, bakıcısının kucağındaydı. Babasının uzaklara, hem de tehlikeli bir yere gittiğini bilmiyordu o küçük haliyle. İyi ki de bilmiyordu...

•

Dün akşam gelmişti haber. Francisco'nun Anvers'teki görevlilerinden biri gelmiş, Diogo'nun tutuklandığını haber vermişti.

"Bay Diogo hakkında Musevi âdetlerini sürdürmek, kanunsuz şekilde biber tekeli oluşturmak, yüksek faizle para vermek gibi suçlamalar yapılıyor efendim. Kendisi acilen sizi haberdar etmemi istedi. İki gündür yollardayım."

"Rabbim! Felaket!" diyebilmiştim dudağımı ısırıp. "Francisco, doğru mu duyuyorum? Ne yapacağız?"

Francisco paniğe kapılmak yerine adamından biraz daha detaylı bilgi almak istedi.

"Sen gidip dinlen tatlım. Ben konuyu detaylarıyla öğreneceğim. Sonra seni bilgilendiririm."

"Hayır. Kalıp dinlemek istiyorum."

"Peki."

Adamı anlatmayı sürdürdü:

"Bay Diogo'yla ilgili suçlamalar çok ağır. Kendisi hakkında ihbar bulunduğunu, bu nedenle uygun şekilde sorgulanarak yargılanması ve hakkında bir hüküm verilmesi gerektiğini iddia ediyorlar. Bay Diogo suçlamaların asılsız olduğunu avukatları aracılığıyla savunuyor. Ancak davanın hukuki olmaktan çok siyasi olduğu ve asıl amacının Anvers'teki Mendes faaliyetleri olduğu açık. Bay Diogo, oradaki varlıklarınıza el konulmaya çalışıldığına inanıyor. Dava sonucunda kendisi suçlu bulunursa, bu kaçınılmaz olacak."

Dünya başıma yıkılmış gibiydi. Hem Anvers'e kaydırdığımız servetimiz elimizden gidecek hem de Diogo cezalandırılacak!

"Buna izin vermeyeceğim!" dedi Francisco. "Kutsal Roma-Cermen imparatorunun verdiği dokunulmazlık belgemiz var."

"Ne yapmayı düşünüyorsunuz efendim? Bay Diogo'yu bilgilendirmek için hemen Anvers'e dönmem gerekiyor."

"Ona, hem kralla hem de Kutsal Roma-Cermen İmparatoru Şarlken'le görüşeceğimi söyle. Serbest bırakılması için yardım isteyeceğim. Majesteleri bunun için hangi bedeli isterse, ödemeye hazır olduğumu da... Sabırlı olsun. Bunun dışında gereken ne varsa, o biliyordur."

•

Francisco saraya gitti, kraldan yardım istedi. Yetmedi şimdi Şarlken'le görüşmek üzere yola düşüyordu. Lizbon'daki saraydan istediği desteği bulması zor değildi ama önemli olan, asıl patron olan Şarlken'i ikna etmekti.

Francisco'yu yolcu ettikten sonra dediği gibi işlerin başına geçip, durumu inceledim. Oldukça kalın defterler, ciltler dolusu kayıtlar... Başka kimsenin görmesine izin vermediğimiz sayfalar dolusu belge... Kral Juan'ın paraya ihtiyacı vardı. Osmanlı'ya karşı oluşturulacak kuvvet için Şarlken'e büyük bir meblağ ödemek zorundaydı.

Biber tekelini almak karşılığında krala büyük bir rakam ödemeyi vaat etmiştik. Bu bizim için avantajdı. Diogo'nun mallarına el konulursa, Lizbon sarayı, bizden beklediği parayı tahsil edemeyecekti.

Ortak çıkarımız, Diogo'nun serbest kalması!

İşte buna memnun olmuş, bir ümit ışığı yakalamıştım.

"Demek ki Francisco, kraldan Şarlken'e hitaben mektubu böyle alabildi..."

Kral Juan* mektubunda, Diogo'nun kendi vatandaşı ve "Yeni Hıristiyanlardan" olduğunu, bu tutuklamanın Anvers'te yaşayan Portekizli Marranların ekonomik durumunu kötü etkileyeceğini bildiriyor, gelirlerdeki azalmanın kendisini de zor duruma sokacağını ve Kutsal Roma-Cermen İmparatorluğu'na taahhütlerini yerine getirmesinin imkânsız hale geleceğini anlatıyordu.

"Bu sebeple sizden Diogo Mendes'in serbest bırakılmasını talep ediyorum. Diogo Mendes Benveniste'nin mallarının ve kendisinin Felemenk mahkemelerinin pençesinden kurtarılmasını bekliyorum. Kendisine yöneltilen suçlamalar tamamen maksatlıdır. Bu değerli şahsiyetin böyle bir teşebbüsü olamayacağına sizi temin ederim."

Mektubun içeriğini ancak Francisco'nun dönüşünde öğrenebildim. Elbette Şarlken'in kardeşi ve Portekiz Kraliçesi Katerin'in de aynı yönde bir mektup yazıp, Francisco'ya verdiğini de...

Diğer dostlarımız da faaliyete geçmiş, girişimlerde bulunmuşlardı. Sonunda Diogo serbest kalabildi. Önce tutuksuz yargılanması sağlandı, sonra kefalet karşılığı bırakıldı.

•

* III. Juan

"Bu davanın mahkûmiyetle sonuçlanma riski, Kral Juan'ı da endişelendirdi..." dedi Francisco. "Dindar* kralımız, biber ticaretinin ağırlıklı olarak Mendeslere bağlı olduğunu biliyor. Bu ticareti bizim kadar iyi yapabilecek bir grup istiyor ama bulması zor..."

Zaman zaman olduğu gibi yine dönüp dolaşıp, iş konuşur hale gelmiştik. Aslında bunda şaşılacak bir şey yoktu. Bizim hayatımız büyük oranda işten oluşuyordu.

"Ona boşuna 'Dindar' demiyorlar Francisco!" dedim sesimdeki endişeyi saklayamayarak. "Korkarım, engizisyon onun sayesinde Portekiz'e de gelecek..."

"Bütün mücadelem bunu engellemek için tatlım! Yıllardır bunun için mücadele veriyorum. Engizisyonun burada yaşam alanı bulması demek, Marranların felaketi anlamına geliyor. Bunun için İspanya örneği bize yetti de arttı bile..."

"Ama sen tek başına ne yapabilirsin? Herkesin sana destek vermesi gerekmez mi?"

Hava sıcaktı ve yaseminlerin kokusu geliyordu. Her yan çiçek kokusuna kesmişti. Gece kuşlarının ötüşleri duyuluyordu bahçeden.

Balkona doğru ilerledi.

"Elbette tek başıma çabalamam yeterli olmaz ama var gücümle ve bütün imkânlarımla çabalayacağım. Diğer Marranlar da benimle birlikte hareket edecekler. Etmeye mecburlar! Yoksa engizisyon onları "gizlice Hıristiyanlık dışındaki din icaplarını yerine getiriyorlar" iddiasıyla sorgular ve sonra mallarına el koyar."

---

* III. Juan'ın lakabı.

Elimde olmadan dudağımı ısırdım.

"Rabbim korusun!"

Dönüp şefkatli gözlerle bana baktı.

"Gracia, biliyor musun, yalnızca kendi adıma değil duyduğum korku. Rab biliyor ya, yaşım epeyce ilerledi. Ancak düşünmem gereken daha çok fazla insan var. Sen varsın, kızımız Reyna var. Basit bir ihbar mektubu yetiyor işkence görmelerine, beline kadar soyulup mahkeme önüne çıkarılmalarına. Hatta kadınların üst tarafını soyup, sokak sokak gezdirerek işkence ediyorlar. Böylece kan akıtmadan konuşturmaya çalışıyor, bir imza almak için her yolu deniyorlar. Ne şefkatli bir davranış ama! Bu felaketin buraya ulaşmasını engellemeliyiz. Yoksa bizim için bu nemli, deniz kokan şehirde yaşamak mümkün olmayacak. Bunu, son olayda artık net olarak gördüm..."

"Ama önlem aldın değil mi? Yani alıyorsun? Gerektiğinde ayrılabileceğiz Portekiz'den..."

Dönüp ellerimi tuttu.

"Bu kadar korkma küçük sevgilim! Bunca parayı harcarken, hiç istemediğim uygunsuz ilişkilere girerken aklımda sen varsın, Reyna var, Diogo var, bütün dindaşlarımız var... Engellemenin bir yolunu bulacağız, hepimiz için..."

"Umuyorum ki öyle olur Francisco..."

•

Dönüşünde verdiği umut, bir parça olsun rahatlamamı sağlamıştı ama tatlı rüyalar, pembe hayaller benim için uzak...

1536 yılı bir kâbus gibi geldi.

-9-

Kendisi de Marran olan Camilo, akşam yemeği için misafir olduğunda, sıradan bir ziyaret olmadığını artık biliyorduk. Yemek sıradan sözlerle geçiştirilip bitirildi ve hizmetçiler çekildiler. Reyna'yı hepimize küçük öpücükler vererek yatmaya gönderdikten sonra, Camilo artık anlatabileceğine kanaat getirdi:

"Felaket kapımızda!" dedi sıkıntıdan patlayacak gibi.

"Neler oluyor?" deyip Francisco'ya baktım elimde olmadan. Dinlememi işaret etti. Camilo, Kral Juan'a yakın sayılabilecek bir isimdi. Marran olmasına rağmen saraya rahatlıkla girip çıkabilen, bazen önemli toplantılara katılabilen ve kimi zaman da oluşturulan diplomatik heyetlere katılması istenen biri.

"Dindar Juan bakanlarıyla toplandı... Yenidünya'yı nüfuz bölgelerine ayıran Tordesillas Antlaşması'nı İspanyollar ihlal etmişler. Bu nedenle kızgın sanıyorduk. Madrid Antlaşması'yla Portekiz'e bırakılan Maluku Adaları'nın karşılığında, Filipinlerdeki egemenlik tanınmıştı. Ancak Yenidünya'nın güneyinde yeni yerleşim birimleri oluşturulmasıyla birlikte, İspanyollarla yeniden sorun yaşayacak gibi görünüyor. Bir yandan Siyam'la ilişkilerini geliştirirken, bir yandan Çin'in Macau bölgesinde kurduğu yerleşime yeni askerler gönderiyor. Fas kıyılarındaki kalelerden ise vazgeçti."

Francisco, konunun nereye bağlanacağını görmek istiyordu ama ben sabırsızdım:

"Bunları neden anlatıyorsun Camilo? Ne demeye çalışıyorsun?"

"Baharat denetimi Portekiz'in, yani bizim elimizde sevgili Gracia. Lakin maliyetler artıyor, kâr düşüyor. Devlet borçları da hızla büyüyor. Saray, sayıları artan personelin maaşlarını ödemekte bile kimi zaman zorlanıyor. Juan, el koyabileceği bir kaynak istiyor..."

Üçümüz birden sustuk. Bu kaynağın ne olduğu sır değildi.

Camilo bozdu sessizliği:

"Yanındaki bazı bakanlar Marranların zenginliğine el koyması için kralı teşvik ediyor. Adeta zorluyorlar."

Duymak istemediğim haber yavaş yavaş geliyordu. Francisco daha sakindi:

"Kral, Rotterdamlı Erasmus'un görüşlerinden çok etkilendi... Roma'dakilerin teşvikine kanıp, İspanya'daki durumu yaşatacağını sanmıyorum."

Camilo kızdı:

"Ne zamandan beri hislerimizle hareket ediyoruz Francisco? Bizim avantajımız, daima bir adım ileride ne olduğunu bilmek. Hislerimize güvenip oturmak bizi hayatta tutmaya yetmez!"

Haklıydı.

"Rotterdamlı Erasmus, görüşleriyle birlikte tarih olmak üzere. Kral Juan artık onun hümanizmini benimsemiyor. Evet, Protestanlar gibi olmasını, Martin Luther'in görüşlerini benimsemesini zaten beklemiyorduk ama nispeten özgürlükçü yapısını bu kadar hızlı terk etmesini de beklemiyorduk. Francisco, dostum, kral, engizisyonun kurulmasına izin verdi..."

"Aaaa!"

Şaşkınlıkla attığım çığlık oldukça yüksek çıkmıştı. Hizmetçilerden biri koşarak geldi. Elimle gitmesini söyledim Francisco'nun hem kızgın hem de üzgün gözlerine bakarken.

"Şimdilik duyurulmadı ama tamam... Juan artık Cizvitlere bile sıcak bakıyor. Onların Portekiz'de yayılmasına göz yumuyor hatta teşvik ediyor. Böyle giderse, Portekiz'in her yanı Cizvitlerle dolacak. Onların Yenidünya'da devletin işine yarayabileceğine inanıyor. Misyoner olarak onları kullanmak istiyor ama öte yandan böyle yapmasının burada, kendi yaşadığımız şehirde bile Museviler ve Marranlara yönelik öfkeyi daha da kamçılamaktan farksız olduğunu göremiyor. Belki de görmezden geliyor..."

Yıllar öncesine gitti aklım. Bize hiç durmadan hatırlatılan, hiç unutmamamız istenen katliama...

Hıristiyan komşuları tarafından öldürülen, hunharca katledilen Museviler, Marranlar...

"Yine bir katliam mı olacak?" dedim mırıldanır gibi. "Rabbim korusun, yine mi?"

"Katledilenlerin çoğu, İspanya'dan kaçıp gelenlerdi Gracia..." dedi Camilo. "Belki biz onlar kadar şanssız değiliz. Onlar kadar savunmasız da değiliz. Onlar 1492 sürgününden kaçarak, en kısa yol bildikleri buraya gelmişlerdi. 1496'da Kral Manuel,

Yahudileri göçe ya da din değiştirmeye zorlarken, 1506 katliamının da hazırlayıcısı oldu. Biz onlar gibi kitleler halinde göçmeyeceğiz, kaçmayacağız! Ama her türlü önlemi alacağız. Öyle değil mi Francisco?"

Francisco da endişeliydi ama beni korkutmamak adına sakin görünmeye çalışıyordu.

"Sünnet olup olmadığımıza bakacak değiller ya..."

O an bunu söylemesi bana komik geldi. Bir an için her şeyi unutup, gülümsedim. Oysa gelecekte yaşanacakları o anda bilseydim, gülmek bir yana, ağlamam gerekirdi.

"Engizisyon olursa, bir ihbar mektubuyla evleri basacak, insanları hapse atacaklar. Evlerde Tora ve Talmud arayacaklar."

"İstedikleri kadar rüşvet verdik. Yetmedi mi?" dedi Francisco.

"Neden tüm mal varlığımıza el koymak varken, sadece rüşvetle yetinsinler?"

"Kralı tanırım. Musevilere kör bir düşmanlığı yoktur. Mutlaka aklın yoluna gelecektir. Hem Diogo'nun kurtulması için girişimde bulunan o. Şimdi neden böyle bir şey yapsın?"

Camilo, hayatının tecrübesini aktarır gibi açıkladı:

"Çünkü dostum, ne yaparsan yap, ne kadar verirsen ver bir Musevi'sin! Ne kadar Hıristiyan olmuş görünürsen görün, bir Musevi olarak kalacaksın onların gözünde. Asla bir Hıristiyan'a baktığı gibi bakmayacak sana. İlla bir seçim yapacaksa, birinin malına el koymak, canını almak için, bir Hıristiyan'dan önce seni tercih edecek. Hiçbir zaman öz kardeşleriyle aynı değerde olmayacaksın..."

Dayım, kocam, hayat arkadaşım, bir tanecik sevgilim Francisco'nun ilk defa sarsıldığını gördüm. Sanki daha önce yıkılmaz, aşılmaz bir dağdı ve gölgesinde kendimi hep emniyette hissediyordum. Onun varlığı bile kendimi ve diğer Marranları güvende hissetmek için yeterli geliyordu.

Gücü tükenmiş gibi oturdu. Nefesini toplamaya çalıştığını gördüm.

"Francisco ne oldu? İyi misin?"

Kalkıyordum ki el işaretiyle durdurdu.

"İyiyim, bir şeyim yok..."

Geniş ve güzel bahçemizden esen serin bir rüzgâr evin içine doldu. Kandilleri, şamdanları dolaşıp, alevlerin titremesine neden oldu.

"Birden yüzün soldu!" dedim kendimi tutamayarak. "Su getirin!"

Kalktım. Yanına gidip durdum. Camilo da benim kadar endişelenmişti. Sanki bu kadar sert konuşmasına, gerçeği yüzüne bu kadar sert vurmasına pişman olmuş görünüyordu.

"Francisco... ben... seni incitmek değildi niyetim..."

Francisco daha iyiydi. Hizmetçimiz elinde suyla girdi.

"İyiyim... Beni incitmedin sevgili dostum. Senin anlattıklarınla bir ilgisi yok. Yaşlandım sanırım. Yaptığım yolculuk da yordu beni."

Benim endişem geçmemişti:

"Francisco, iyi görünmüyorsun. Betin benzin attı!"

Suyu içti. Boş kupayı hizmetçi kıza uzattı.

Kızın çıkmasını bekledik. Hizmetçilerimize güveniyorduk. Çoğu epeyce uzun süredir bizimleydi ama yine de onların yanında önemli konuları konuşmamak konusunda, adı konulmamış bir kuralımız vardı.

"Demek sonunda bu da oldu... Engizisyon geliyor..."

Francisco artık daha iyiydi:

"Hemen endişelenmeyin! Öncelikle bizim değil, paramızın peşindeler. Ancak kral bize ihtiyacı olduğunu biliyor. En azından yerimize koyabilecek birilerini bulana kadar... Ticaretin devam etmesi için bize dokunmayacaktır. Engizisyonun önüne sanırım, önce yoksul olanları atacaklar."

"Ne yapacağız Francisco?"

"Diğerleriyle bir araya gelip, durumu değerlendirmeliyiz. Hızlı bir şekilde durumu gözden geçirip, yapılabilecekleri yapmamız lazım. Papalık burada kasırgalar estirmeden önce sermayemizi, işlerimizi taşımalı ve buradan uzaklaşmalıyız..."

Uzun zamandır bunu istiyorduk ama bu şekilde olacağı aklıma gelmezdi.

Nereden çıktı bilmem, bahçeden, belki de yan konakların bahçelerinden bir yerden, bir şarkı sesi geldi kulağımıza... Konakların işlerini gören kadınlar ve erkekler, bazı geceler işlerini bitirince bir araya gelir, şarkılar söyleyip eğlenirlerdi. Ama bu defa gelen ses, oldukça içli, oldukça acılıydı. Sanki içimdeki hüznü anlamış gibi...

İki damla yaş, yanaklarımdan aşağı süzüldü. Buraya İspanya'dan kaçarak gelmiştik. Bizi yetiştirirken kulağımıza hep kanlı katliamların, kaçışların, acıların hikâyesini anlatmışlardı. Demek şimdi yine kaçmamız gerekecek...

"Nereye kadar?"

-10-

Ertesi sabah geniş yatak odamın yüksek tavanını gördüm uyandığımda. Cibinliğin bir kenarı açılmış, sinekler oradan hücum edip yüzümüze konmaya başlamışlardı. Pencereler sabahın serinliği rahatça içeri girsin, hava henüz tamamen ısınmadan ve ortalık balık, midye, kalamar kokusuna kesmeden biraz oda havalanabilsin diye açılmıştı hizmetçiler tarafından. Lizbon güzel bir şehirdi ama havası, özellikle yaz günleri boğucu oluyor, balık pazarının kokusu bize kadar ulaşıyordu.

Dün akşamdan dolayı gece doğru dürüst uyuyamamıştım. Önce uyku tutmamıştı, sonra da uyanıp durmuştum. Huzursuzdum ve içim sıkılıyordu. Gerinmeye çalıştım.

O anda fark ettim Francisco'yu. Her zaman benden önce uyanan, sabah erken saatte hazırlanıp, çalışmasına başlayan Francisco, bu saatte hâlâ yatıyordu.

"Günaydın kocacığım. Neden hâlâ yatıyorsun? Seni de benim gibi uyku tutmadı mı? Gerçekten yaşlandın galiba..."

Gülümsedim ve öpmek için eğildim.

Bir an korktum. Francisco'nun yüzünün rengi çekilmiş, kül gibi olmuştu. Gözlerini kırptığını görmesem, ölmüş sanacaktım. Korkuyla çığlık attım:

"Francisco! Aman ya Rabbim! Ne oldu sana?"

Cevap vermek yerine inledi.

"Hasta mısın? Ah, dün geceden anlamalıydım! Hastasın sen!"

Elimi alnına koydum. Ateşi fazla yüksek değildi ama garip bir histi ona dokunmak. Sanki elbisenin üzerinden dokunuyor gibi.

"Çabuk biri gelsin!" diye bağırdım. "Yardıma gelin!"

Yatılı hizmetçilerimiz vardı. Bir de gündüzleri gelenler... Yatılı hizmetçilerimizden ikisi yetişip odaya daldılar.

Onlar daha saygıyla selam verme derdindeyken talimatlar ağzımdan peş peşe çıkıverdi:

"Hemen su ve havlu getirin! Biriniz hekime haber gönderin! Hemen gelmesini, en çabuk şekilde gelmesini istediğimi söyleyin! Çabuk olun, çabuk!"

Onlar koşturmaya başlarken, Francisco elimi tuttu. Güçlükle uzanıyor, oldukça güçsüz görünüyordu.

"İyiyim..." demeye çalıştığını fark ettim.

"Hayır Francisco, zorlama kendini. Dinlen. Hekimi bekle."

"İyiyim..." dedi yeniden ama oldukça zorlanarak. "Endişe etme..."

Bu sırada Reyna uyanmıştı. Ağladığını, bakıcısının onu susturmaya çalıştığını duyuyordum. Sabahları ilk işim Reyna'yla ilgilenmek olurdu ama bugün değil. Francisco her şeyin önündeydi bu sabah...

"Ne olur sevgilim, ne olur dayan! Hekim birazdan gelecek!"

Feri kaçmış gözlerini bana çevirdi.

"Ben iyiyim. Halsiz düştüm biraz. Büyütme..."

"Tamam. Şimdi sadece bekle. Hatta istiyorsan uyu. Hazırlamamı istediğin bir şey var mı?"

Başını salladı yine halsiz bir şekilde... Sonra gözlerini yumdu...

Hekim Luna'nın gerçek adı Jacop'tu ama vaftiz edilirken Luna ismi uygun görülmüştü. Bizim gibi Marranlardan olduğu halde, çok iyi bir hekim olması nedeniyle onu rahatsız eden, hedef alan fazla değildi. O da sadece işini yapar, hastaları ve özellikle saray çevresinden hasta olanları sessizce iyileştirir, sonra bir başka hastaya geçer, etliye sütlüye karışmazdı. Adeta ortalık yerde ama görünmez olmak gibi bir başarısı vardı.

"Bırakın istediği kadar uyusun..." dedi odadan çıkarken.

Kapıyı yavaşça çekip, bana döndü.

"Dona Gracia, siz de iyi görünmüyorsunuz. Sizi de bir muayene etmek isterim."

"Ben iyiyim. O nasıl? Neyi var, onu söyleyin."

"Halsiz düşmüş... Yaşını düşünecek olursak, olası bir durum..."

"Ama nasıl olur? Daha düne kadar çok sağlıklıydı. Gayet dinç bir insandır. Kolay kolay hastalanmaz!"

"Dün ne oldu?" dedi meraklı gözlerle.

"Kötü bir haber aldı..." dedim, söyleyip söylememekte kararsız. "Bir misafirimiz vardı. Üzücü bir haber aldı ama akşam iyiydi. Sadece biraz yorgundu..."

"Oldukça sarsılmış olmalı... İyi bakılmalı ve dinlenmeli. Kendisi için bazı ilaçlar hazırlayacağım. Yardımcılarınızdan birini gönderip, akşamüstü muayenehanemden aldırtabilirsiniz... İyi bir bakımla hızla iyileşecektir..."

Yine geldiği gibi sessizce gitmek niyetindeydi. Onu uyarmalı mıydım bilmiyordum. Evet, pek etliye sütlüye karışmazdı ama bir Marran'dı ve bugün değilse yarın, şimdi değilse gelecekte, belki bizden de önce, onun da canını yakacaklardı.

"Hekim Luna..." dedim usulca. "Francisco'yu üzen haber..."

Dönüp baktı dikkatle dinliyor gibi...

"Kral Juan, engizisyona izin verdi. İspanya'dan sonra engizisyon buraya da geliyor. Francisco'yu üzen haber buydu."

Bir an, hekimin de dudakları titredi ama çabucak toparladı kendini.

"Anlıyorum... Demek buna üzüldü..."

"Siz de dikkatli olun! Olmalısınız yani... Geçmişte yaşanan üzücü olaylar unutulmamışken, şimdi yeni bir bela yaklaşıyor."

"Aslında bekliyordum..." dedi üzerinden ağır bir yük kalkmış gibi. "Epey bir zamandır gelişi belliydi..."

Elindeki tıbbi malzemelerle dolu deri torbayı küçük sehpanın üzerine bıraktı. Aniden yorulmuş gibi çöktü koltuğa.

"Bir kadeh şarap getirtmemi ister misiniz?"

"İyi olur Dona Gracia. Benim de biraz kendimi toplamaya ihtiyacım var."

Seslendim:

"Hekim için şarap getirin!"

Bir kadeh soğuk şarap getirilip önüne konuldu. İçmesini bekledim. Bitirince sordu:

"Ne yapmayı düşünüyorsunuz?"

"Önce Francisco iyileşmeli... Sonra uygun bir karar verecektir."

"Evet. En doğrusu bu: Onun vereceği karar..."

"Anvers'te şubemiz olması iyi oldu. Belki bu sayede bir başka yere geçişimiz daha kolay olur. Beni dinlerseniz, siz de başka bir yere gitmeyi düşünmelisiniz."

"Nereye?"

"Anvers'e mesela... Orada Marranların rahat olduğu, baskı görmediği söyleniyor. Lyon, Venedik gibi yerlerin de rahat olduğunu duymuştum. Belki daha uzaklara... Buradaki çevrenizi orada da bulursunuz. Hem böyle iyi bir hekimken..."

"Düşünmem lazım ama ben yaşlandım. Artık kaçmaktan yoruldum desem... Hem nereye kaçacağım ki? Kendimden kaçamadıktan, kendimi, Musevi Hekim Jacop'u da yanımda götürdükten sonra... Tabii ki Marran Luna olarak! İnancını gizlemiş biri olarak..."

Gözlerindeki umutsuzluğu görüyor, şimdi onun için de içten bir şekilde üzülüyordum.

Francisco'nun ilaçlarını akşama gönderdi. İçmesi için bir şurup hazırlamıştı. Sırtına sürülmek üzere bir ecza ve birkaç şey daha...

Francisco'ya en güzel çorbaların, et yemeklerinin hazırlanması talimatını verdim. En leziz şaraplardan getirttim ama çok az yiyebildi. Yediklerinin hepsinin koşere* uygun olması konusunda her zaman dikkatliydik. Evin içinde buna dikkat edilirdi ama sorduğu şeylerden birinin bu olması iyice tadımı kaçırdı.

Ertesi gün biraz daha iyiydi. Hekim Luna kontrol için gelip gitti. Akşama doğru durumu artık rahat rahat konuşacak kadar iyileşmiş göründü.

"Ana ne yapıyor?" diye sordu.

---

* Koşer: Helal yiyecek.

Artık yanımızda birilerinin olup olmamasına aldırmıyor, "Ana" da diyordu.

"İyi. Belki hastalık bulaşıcıdır diye onu sana yaklaştırmıyorum. Yine de görmek istersen getirtebilirim."

"Yo, iyi düşünmüşsün."

Yastığı işaret etti.

Yaklaşıp arkasındaki yastığı yükselttim. Yatağın içinde oturur gibi oldu.

"Çok üzgünüm Gracia..." dedi. "Kızımın büyüdüğünü göremeyeceğim!"

"Öyle söyleme!"

"Ne yazık ki gerçek bu... Hissediyorum. Artık zamanım sınırlı. Geride kalanları kurtarmam lazım. Vasiyetnamemi düzenlemem lazım..."

Gözyaşlarımı tutamadım.

"Francisco, beni neden daha fazla üzmeye çalışıyorsun? Senden önce benim ölmemi mi istiyorsun?"

"Meleğim... Seni üzmeye çalışmıyorum. Tam tersine, yokluğumda seni, Ana ve Diogo'yu hatta diğerlerini karmaşık bir durumda bırakmamak için vasiyetnamemi hazırlamak istiyorum. Beni iyi dinle meleğim, sen mükemmel yetiştirilmiş bir kadınsın. Bir eş ve anne olduğun kadar, ticareti de en az biz erkekler kadar iyi biliyorsun. İşleri rahatlıkla idare edebilirsin."

"Sen yoksan ben ne yapayım işleri? Bana sen ve kızım lazım!"

"Belki ben hep yanında olamam ama senin kızımız için ayakta kalman lazım. Onun senden başka kimsesi kalmayacak. Bunun için hazırlık yapmalısın Gracia... Diogo benim kardeşim. Ona sonsuz bir güven duyarım. O da bana duyar.

Ancak onunla sahip olduğumuz servetin hangi bölümünün kimin olduğuna ilişkin hiç konuşmadık. Mendes serveti hep ikimizin kontrolünde oldu. Bütün gücümüzü servetimizi büyütmek için kullanırken, bugünün bir gün geleceğini hesaba katmadık. Deli gibi çalışmaya verdik kendimizi Gracia... Üstelik yaklaşan ortamı iyi ki görmüşüz ki servetin bir bölümü de Anvers'e kaydırıldı. Diogo, umduğumdan daha başarılı oldu. Servetin önemli bir bölümünün yine onun kontrolünde olmasını istiyorum. Bu nedenle vasiyetnamemde, sahip olduğumuz servetin yarısının onun olduğunu belirteceğim. Kalan yarısının yarısı senin kontrolünde olacak. Kızım geriye kalan bölümün üçte ikisine sahip olacak. Eğer Diogo'nun çocuğu olmazsa, onun servetinin de yine Reyna'ya kalmasını önereceğim. Servetimden kalan bölüm ise cenaze masraflarına, fakirlere, Kilise'ye verilecek. Bundan başka bir şey kalırsa, yine ne varsa sana verilecek."

Gözyaşlarımı sessiz sessiz akıtarak dinliyordum.

"Gracia, bu dağılım Portekiz kanunlarına da uygun. Böyle açık bir vasiyetnameyle hukuki olarak da korunmuş olacaksınız. Diogo'nun ortaklığı resmileşecek, senin ve kızımızın hakları korunmuş olacak."

"Ah Francisco ah! Sanki yarın ölecekmiş gibi konuşuyor, beni de öldürüyorsun!"

"Gracia, meleğim... Bu açık ve hukuki vasiyetim. Herkesin bileceği... Ama bir vasiyetim daha var. Bunu yalnız sen bileceksin. Bir de bilmesi gerekenler... Artık bunu sen takdir edersin."

Dikkat kesildim.

"Dinliyorum."

"O günü görmeye ömrüm yetmeyecek. Bu artık kesin... Ama

hiç değilse, naaşım oraya gitsin istiyorum. İlk fırsatını bulduğunda, beni aile kabristanından çıkar ve Kudüs'e naklettir..."

İyi, inançlı bir Musevi'nin en temel isteğiydi bu: Kudüs'te yatmak... Tekrar dirilişin başlayacağı yerde o günü beklemek...

"Francisco, benim de sana söylemem gereken bir şey var..." dedim artık onun bilmesi gerektiğini düşünerek. "Bir sır."

Feri kaçmış gözlerini iyice açtı. Yeğeni, karısı, hayat arkadaşının bir sır sakladığına şaşırmış gibiydi.

"Bir sır mı?"

"Evet. Artık senin de bilmen gereken bir sır."

Kurumuş dudakları kıpırdandı ama bir şey söylemedi.

"Bana verilen bir sır, bir görev."

Kulağına eğildim. Usul usul, acele etmeden ve daha fazla heyecanlanıp, halsiz düşmesine sebep olmadan anlattım...

Sırrı söyleyip doğrulduğumda, yüzündeki gülümsemeyi gördüm. Gözlerini kırptı.

"Artık gerçekten içim rahat olarak ölebilirim meleğim..."

-11-

Kurtaramadım...

Ne kadar çabalasam, iyi bakılmasını sağlamaya çalışsam da olmadı...

Francisco, bir süre daha hasta yattıktan sonra son nefesini verdi. Beni, dünyada kızımla bir başıma bırakıp, ebediyen aramızdan ayrıldı.

Önce kilisede tören yaptık onun için. Sonra gizlice kendi aramızda, gerçek inancına uygun olarak...

Alnına öpücük kondurup, söz verdim:

"Rahat uyu. Seni mutlaka Kudüs'e taşıyacağım!"

•

Yirmi beş yaşında, genç bir dul ve anneydim Lizbon'da...

Artık Portekiz'de kalmamın bir anlamı da yoktu, akılcı tarafı da...

Ortalığı boş bulan bağnaz Hıristiyan din adamları, Museviler ve Marranlara karşı saldırılarını artırmışlardı. Musevilik alenen aşağılanıyor, içten içe üzülsek de sesimizi çıkaramıyorduk. Zaten sesimizi çıkarabilsek hemen gizli Musevilikle suçlanır, kâfir ilan edilir ve türlü belalarla karşı karşıya kalırdık.

Oturup ağlamanın zamanı değildi. Zor ama gerekli bir planlamayla muhteşem malikâneleri geride bırakıp, kurtarabildiğimiz servetin bir bölümünü ve yanımıza alabildiğimiz yardımcıları da alıp, Lizbon'dan ayrılmaya karar verdim.

Francisco'nun ölümünün ardından üzerime aldığım yük, beni ister istemez daha güçlü olmaya itmişti. Saray çevresindeki dostlarımızdan bilgi alabiliyor, hazırlığımı mümkün mertebe gizli tutuyordum. Eskiden Francisco'ya haber getirenler artık beni buluyor, kendilerini tanıtıp, kocamın hizmetinde olduklarını, bundan sonra benim hizmetimde olmaktan mutluluk duyacaklarını söylüyorlardı. Hepsine aynı şeyi söylüyordum:

"Kocam iyi bir Hıristiyan'dı. Biz de iyi Hıristiyanlar olarak, Kutsal Roma-Cermen İmparatoru ve Kral Juan'a sadakat içinde, işlerimizi aynen devam ettireceğiz. Amacımız Tanrı'nın Krallığı ve Kral Juan'ın hükümranlığının ebediyete kadar sürmesidir..."

•

Söylediğim onca söz yetmedi. Kral Juan'ın servetimize göz koyduğu haberi fazla zaman geçmeden geldi. Saray çevresinden bir dostumuz, Juan'ın yeniden umutlandığını söyledi:

"Dindar, Mendes servetini ele geçirmek için yeniden iştahlandı. Francisco'nun ölümünün ardından, muhteşem servetinin devlete geçip geçemeyeceğine ilişkin inceleme yaptırıyor. Eğer hukuki bir açık bulabilirse, servetin üzerine oturacak."

Aslında bunu yapması hiç de zor değildi. Artık Portekiz'de engizisyon vardı. Mesela Kilise'nin bizi heretik olmakla, gizli Musevilikle suçlaması, kâfir olduğumuzu ilan etmesi yeterliydi. Bunun için isimsiz bir ihbar bile kâfi gelirdi. Ondan sonra türlü işkencelerle canımızı bile kurtaramazken, elbette servetimize de el konulması kaçınılmazdı.

•

"Dona Gracia, bizi İngiltere'ye, oradan da Anvers'e götürecek gemi hazırlandı..." dedi Lazar.

Francisco'nun en güvendiği adamlarından biriydi. Bir Marran olmamasına rağmen, içindeki hümanizm ve dost bildiği ailemize duyduğu hisler, her zaman yardımcı olmasını sağlıyordu.

"Ne kadar daha transfer edebildik?"

"Çok göze batmayan bakiyelerle ne var ne yoksa aktarıyoruz. Küçük bakiyeler kalacak gibi..."

"Söyle bana Lazar, Anvers'te durum daha mı iyi olacak?"

"Hanımefendi, inanın bilmiyorum. Bay Diogo oranın daha iyi olduğunu hep söylüyor. Yaptığı ticaretin hacmine bakacak olursak, bu konuda haklı görünüyor. En azından Marranların yaşamlarının buradakinden daha iyi olduğu kesin. Engizisyon orada yok..."

Samimi olarak bizim gidişimize üzüldüğünü hissediyordum. Bizden ayrılmayı istemiyordu. Teklifimi yineledim:

"Lazar, sana kapımız her zaman açık. İstersen bizimle gelebilirsin. Orada da işin ve yerin her zaman hazır olacak. Bunu biliyorsun değil mi?"

Duygulandı:

"Teşekkür ederim Dona Gracia. Ancak annem, babam, onun babası ve onun babası... Biz hep bu şehirde yaşadık aile olarak. Şimdi sıra benim çocuklarımda. İstesem de buradan ayrılamam. Ailem ayrılmak istemez. Yine de teşekkür ederim. Hem Bay Francisco'yu hem de sizi hep sevgiyle anacağım."

"Biz de seni unutmayacağız Lazar."

"Sizi takip ettiklerini unutmayın Dona Gracia! Gözleri üstünüzde... Bunun için sanki benimle randevulaşıyor gibi yapacaksınız. Ertesi gün önemli bir toplantı yapacağımızı duyuracağız ama siz, gece limandan ayrılmış olacaksınız... Bay Diogo'nun geniş bir muhiti var. Üst seviyeden bir çevre oluşturdu kendisine. Sizin de kolayca intibak etmenizi sağlayacaktır."

-12-

Müfettişi ikna etmek kolay olmadı. Yukarıdan talimat almış biri olarak, ülke dışına servet kaçırmaya ya da çıkış yapmaya çalıştığımızdan şüpheleniyor, engel olma görevini yerine getirmeye çalışıyordu. Geride bir tek aile üyesi bile kalsa, onu şantaj için kullanacaklarından şüphem yoktu.

"Şehirden neden ayrılmak istiyorsunuz?"

"Kocamın erkek kardeşi Diogo Mendes'le miras işlerini halletmem gerekiyor."

"Peki, kardeşin Brianda..."

"Diogo Mendes'le evlenecek. Düğün hazırlıklarını görüşeceğiz."

"Reyna Nasi ve Jozef Nasi..."

"Onlar eğitim için gidiyor. Reyna Nasi iyi bir kilise okulunda, Jozef Nasi Louvain Üniversitesi'nde eğitim görecek."

"Gelecek ay gitmek istiyorsunuz öyle değil mi? Neden o halde şimdi yapıyorsunuz işlemleri?"

"Okullar için hazırlıklar yapmamız gerekiyor. Ancak tamamlayabiliriz..."

Elbette inanmıyor, bir bahane arıyordu talebimizi reddetmek için. Elinde olsa hemen bir bahane bulacak ve yurtdışına çıkışımızı güç kullanarak engelleyecekti. Hiç değilse, geri dönebilmemiz için birkaçımızı rehin tutacaktı ama avukatlarımızla birlikte, sağlam gerekçeler ve belgeler hazırlamıştık. Açık nokta bulamıyordu. Bizleri inancımızı yaşamamaya hatta inancımızı saklamaya, değiştirmiş görünmeye zorlayabilirlerdi ama çalışkan olmamızı, başarılı olmamızı önleyemezlerdi. Hâlâ Portekiz'in en iyi tüccarları, hekimleri, hukukçuları, mimar ve mühendisleri Marranlar arasından çıkıyordu. Onların bilmediği şuydu: Biz başarılı olmak için çok çalışmalıydık. Onlar bir saat çalışıyorsa, bir Marran iki saat, onlar iki saat çalışıyorsa, bir Marran dört saat çalışmak zorundaydı. Yoksa aramızda daha doğuştan koydukları eşitsizlikleri aşmak mümkün olmazdı... Bu yüzden Marranlar mümkün olan en iyi okullara gönderiliyor, en iyi uzmanlardan dersler alıyor, kız erkek demeden hem iyi eğitilip hem de çok çalışarak bu açığı kapatıyorlardı. Tembellik gibi bir lüksümüz hiç olmadı...

•

Francisco'nun son nefesini verdiği yatak odamızda bir başıma kaldığımda uzun uzun dua ettim:

"Sevgili Rabbim, sesimizi duy! Bizleri sahipsiz bırakma. Bizleri Mısır'da, İran'da kurtardığın gibi kurtar. Bizleri engizisyonun eline, insafı olmayanların insafına bırakma! Bizleri, zoraki de olsa, inancımızı bırakmış gibi göründüğümüz için cezalandırma! Bizleri zorunlu kalıp işlediğimiz günahlar için affet. Bizim yanımızda ol. Gerçek inanç sahipleri senden ümidini kesemez. Bizim de ümitlerimizin boşa çıkmasına izin verme..."

•

Lazar gelip haberi verdiğinde artık neredeyse tüm hazırlıklarımız tamamlanmıştı. Sadece hareket günümüz ve saatimiz belli değildi ki bu da tedbir amaçlıydı.

"Dona Gracia, Bay Diogo'nun gönderdiği gemi, sizi almak üzere hazır bekliyor. Ticaret gemisi olarak limana demirledi ve yükünü boşalttı. Sizin hangi gemiyle çıkış yaptığınız anlaşılmasın diye, ticaret gemisi olarak kaydını yaptırdık. Yeniden yük alacağı ve hareket edeceği sanılıyor."

"Çok iyi..." dedim. "Umarım kimsenin ruhu bile duymadan bu ülkeden ayrılırız."

"Bizim de bütün çabamız bunun için Dona Gracia... Ancak şimdi size söyleyeceğim bilginin, ailenizle de paylaşılmaması gerekiyor. Kızınız ve kardeşiniz dahil, mümkünse kimse bilmesin!"

"Fakat onlardan gizlenecek ne söyleyebilirsiniz ki bana? Ailemden gizli bir şeyim olamaz!"

"Bay Diogo'nun kesin talimatı var: Onlar bile bilmeyecek!"

İçimden "Yeni bir sır daha mı?" diye geçirdim.

"Dinliyorum."

"Ticaret gemilerinin arkasında koruma gemisi oluyor. Sizin yolculuk yapacağınız geminin arkasından da koruma geminiz gelecek ama yine de açık deniz tehlikelerle dolu. Fransızlar, Kutsal Roma-Cermen İmparatorluğu'yla savaşta olduğu için, denizlerde karşılaştıkları gemilere saldırıyor ve yağmalıyorlar.

Bu nedenle önceden kararlaştırıldığı gibi önce Anvers'e değil, İngiltere'ye gideceksiniz. Ancak Londra'ya değil, daha tenha olan Bristol Limanı'na götürüleceksiniz."

Yüzümü buruşturdum.

"İngiltere mi?"

•

Üzerinden yüzyıllar geçse de 1190'da yapılan York Katliamı unutulmamıştı. Musevi sayısı İngiltere'de azdı. York Kalesi'ne davet edilen Museviler, 3. Haçlı Seferi'ne yapılan hazırlıklar sırasında Hıristiyan olmaya zorlanmışlar, hahambaşı dinden dönmek yerine ölmeyi tercih etmelerini istemişti.

"Kocalar önce karılarını sonra çocuklarını öldürsün. Sonra ben onları öldürecek ve intihar edeceğim..."

Hahambaşının tavsiyesini dinlemeyenler için de durum farklı olmamış, gözü dönmüş kitle tarafından kale çıkışında katledilmişlerdi. İngiltere kralının yapılanları eleştirmesine rağmen, hiçbir suçluyu cezalandırmamış olması unutulmadı.

1290'da Londra'da katliamlar yaşanmış, yine Museviler katledilmiş, Kral Edward'ın* fermanıyla taşınmazları kralın hazinesine ilhak edilen Museviler, ülkeyi terk etmek zorunda bırakılmıştı.

İngiltere'den, İspanya'dan ve şimdi Portekiz'den hep aynı dersi alıyorduk: Önce davet, sonra ticaret, ardından el koyma...

Anvers'te Marranların oluşturduğu zenginlik, İngiliz krallarının da ağzını sulandırıyor olmalı. Hatalarını anlasalar da Musevilerin yeniden İngiltere'ye güvenmesi ve dönmesi zordu.

---

* III. Edward

Museviler asırlarca çekmişlerdi. Onları ayakta tutan umutlardan biri, Mesih'in gelmesi, cefa çeken Musevilerin başına geçmesi ve onları kurtarmasıydı. İngiltere bunu da kullanmak istiyor, "Mesih'in gelmesi için Musevilerin tüm dünyaya yayılması şartı var. Rab inancı tüm dünyaya yerleşmeli. İngiltere'de Musevi yok ve bu durum Mesih'in gelişini engelliyor. Museviler tüm dünyaya dağılmaz ve her yerde olmazlarsa, Mesih gelmez!" propagandası yapılıyordu.

•

"Diogo'nun İngiliz kraliyet ailesiyle ilişkileri gayet iyi..." dedi Lazar beni rahatlatmak için. "İngiltere'de güvenliğiniz için bir endişe görmüyor. Bristol'de yerleşmiş küçük bir Marran topluluğu da var. Şabat akşamında mumlarını yakıp dua ediyor, Pesah Bayramı'nı huzur içinde kutluyorlar. Matsa* pişirip sözde Ortodoks bir cemaat gibi yaşıyorlar. Yine de tam bir özgürlük değil elbette... Küçük oldukları için tehlike olarak görülmüyorlar ama gelecekte ne olacağını kim bilebilir? Bugün için Bristol güvenli."

Başımı salladım.

"Hiçbir zaman tam güvende olmayacağız..."

"Ama bir engizisyon mahkemesi korkusu da olmayacak! Musevilerin sayısı o kadar az ki kimsenin aklına Bristol'de bir engizisyon kurma fikri gelmez."

Bununla teselli bulacağımı düşünüyordu. Aldırmadım.

•

---

* Hamura maya katılmadan yapılan ekmek.

Reyna'nın odasına girdiğimde bebeğim uyuyordu. Bakıcısını uyandırmamaya çalışarak, usulca süzüldüm. Neyse ki uykusu derindi. Fazla sarsmadan aldım ve elimdeki örtüye sarıp, yine sessizce odadan çıktım.

Brianda ve diğerleri beni bekliyordu. Fısıldadım:

"Tamamız..."

Kapıda atları koşulmuş ve sürücüsü yerini almış bir araç bizi bekliyordu. Atların bütün çıngırakları çıkarılmış, gürültü yapmamaları için nalsız olanları tercih edilmişti.

Çok güvendiğimiz iki hizmetçimiz dışındakilere izin vermiştik. Reyna'nın bakıcısı ise uykudaydı. Arabacı da yine güvendiğimiz adamlarımızdandı. Valizlerimiz önceden götürülmüş, sessizce gemiye yerleştirilmişti. Diogo'nun gemide her türlü konforu hazır ettiğini, taze sebze meyve bile yüklettiğini biliyordum. Bu nedenle valizlerimizi hafif tuttuk ve küçük çantalar hazırlamakla yetindik.

"Hadi Brianda!" dedim. "Siz arabaya binin. Reyna'yı da al."

Brianda, Reyna'yı incitmemeye çalışarak kucağımdan aldı ve diğerleriyle birlikte arabaya geçip oturdu. Hâlâ uzun ve yüksek merdivenlerin başında emirlerimi bekleyen iki yardımcımıza döndüm.

"Biz biraz şehir dışında olacağız. Biz yokken evin idaresi sizlere emanet. Vasiyet ve düğün işlerini hallettikten sonra döneriz. O zamana kadar evimize, eviniz gibi bakın. Rahat rahat oturun..."

Onlara daha açık konuşmak, bu eve bir daha dönmeyeceğimizi, dönemeyeceğimizi söylemek istiyordum ama ne mümkün! İki cümle daha etsem ben de ağlayacaktım, onlar da... Belki belli etmiyorlardı ama onlar da anlamışlardı bir daha dönüş olmadığını...

"Güle güle gidin..." dedi yaşlı olan. "Sizi neredeyse annenizin yanındaki günlerinizden beri tanıyor ve hizmet ediyorum. Dilerim her şey istediğiniz gibi olur."

Diğeri de başıyla onayladı.

Arkamı döndüm. Engel olamadığım iki damla yaşı görsünler istemedim.

"Böyle yapmayın!" dedim kızgınmış gibi yaparak. "Nasıl olsa yine görüşürüz..."

Yalan söylemek kötüydü biliyorum ama ne olacağı belli olmaz. Varsın, döneceğimizi düşünsünler...

"Hadi Tanrı'ya emanet olun."

Arabaya bindim. Daha adımımı atar atmaz arabacının kırbacı şakladı.

"Yavaş!"

Neredeyse devrilecektim. Reyna sesime uyandı. Ağlamaya başladı. Araba ilerledi. Uzanıp kızımı alırken, Brianda'nın da ağladığını gördüm.

Duruma hâkim olmazsam, herkes feryat figan etmeye başlayacaktı. Sesimi yükseltmeden ama olabildiği kadar azarlayıcı konuştum:

"Brianda, zaten içim bin parça! Ancak bir hata yapar da başta Reyna olmak üzere hepimizi tehlikeye atarsan, başkasına gerek kalmadan ben senin hesabını görürüm, haberin olsun!"

Sesimdeki kararlılık anlaşılıyor olmalı. Sustu.

Geriye dönüp, arabanın arkasındaki küçük pencereden baktım. Evim, çocuğumu doğurduğum, evlendiğim, mutlu günler geçirdiğim yuvam arkamda kalıyor, bir daha dönemeyeceğim şekilde ayrılıyorum. İnsan, kendi vatanından usanıp, kaçmak isteyebiliyormuş demek ki...

Atların hafif ayak sesleri tıkırdıyordu sürekli.

-13-

Önce körfezi, sonra Cebelitarık'ı aşıp, Atlas Okyanusu'na ulaşana kadar yüreğimdeki telaş dinmedi. Kalbim, her an peşimizden gelecek bir imparatorluk gemisi, bizi batıracak bir kalyonun korkusuyla çarptı durdu. Neyse ki arkamızdaki tek gemi, bizi korumak için görevlendirilen gemiydi.

Sürekli sallanmaktan midem bozulmuş, başıma ağrılar saplanmıştı. Geminin mürettebatı, bizim patron olduğumuzu biliyor, Diogo'nun da tembihlediği gibi bizi el üstünde tutuyordu ama kamaralarımızdan doğru dürüst çıkamıyorduk.

Geminin içinden bir yerlerden canlı hayvan sesleri geliyordu.

Nihayet ilk geceyi atlayıp, artık kendimi daha güvende hissettiğimde, hiç değilse biraz hava alıp rahatlamak istedim. Reyna ve Brianda'ya kamarada bırakıp, tek başıma güverteye çıktım.

Lizbon'da havanın açık olduğu günlerde, gökte yıldızları seyreder, Samanyolu'nun binlerce ışığını görürdüm ama burada, kapkara uzanan denizin üzerindeki gökyüzü, başka hiçbir yerde görmediğim kadar çok yıldızla dolu gibiydi. Sarı, beyaz, parlak, irili ufaklı binlerce yıldız...

Serin, iyot kokulu rüzgâr yüzüme çarpıyor, nihayet biraz açılıyor, rahatlıyordum. Başımı yukarı kaldırdım. Tam üzerimizde parlak bir yıldız duruyordu.

Issız ummanda, biz ve arkamızdan, bizi korumak için gelen gemi dışında hiçbir canlı yok gibiydi.

"İyi akşamlar Dona Gracia!"

Dönüp baktım. Kaptan...

"Size de kaptan."

"Uyku tutmadı sanırım..."

"Biraz hava alayım dedim. Aslına bakarsanız, bugün rahat uyuyacağım kaptan. Günler sonra, nihayet..."

Anlamış gibi gülümsedi.

"Sevindim."

"Artık peşimizden gelmezler değil mi?"

"Sanmam... Hem, gelen olsa bile gemimiz hızlı. Bizi yakalamaları zor!"

"Keçi sesi gibi bir ses duydum. Gemide keçi mi var kaptan? Nereden geliyor bu ses?"

"Ambarlarda canlı hayvanlar var Dona Gracia... Bay Diogo, sizin için her türlü konforun sağlanmasını istedi. İstersek uzunca bir süre, rahat rahat denizlerde gezinebiliriz."

"Bir an önce karaya ayak basmak istiyorum!"

"Bizim de amacımız bu Dona Gracia."

Kaptan biraz daha havadan sudan konuşup, uzaklaştı. Güvertede tek başımaydım. Çevremde tayfalardan biri varsa da patronları olduğumu düşündüklerinden olsa gerek, görünmüyorlardı.

Sakince oturdum. Henüz gençtim. Genç kızlıktan daha çıkmamış, genç bir dul anne olarak çocuğumla birlikte kalmıştım. Üstüne üstlük bir de evimden kopmuş, göçmen durumuna düşmüştüm...

"Artık kapımızı korku çalmayacak!" diye düşündüm. "Artık sürekli endişe içinde yaşamayacağız. Kötü beklentiler geride kaldı..."

Oysa, gelecek beklediğim gibi olmayacak, kaçışımız epeyce uzun sürecekmiş. Güvertede göğsümü rüzgâra vermiş, yıldızları seyrederken, bilmiyordum...

-14-

Günler sonra Bristol Limanı'na demirleyen gemiden inip, karaya ayak bastığımızda, Diogo'nun ayarladığı bir başka adamı karşıladı bizi.

Onun peşinden giderken, yeniden karaya ayak bastığım için şükrediyor ama diğer yandan içimde garip hisler duyuyordum. Ailemden hayatta kalanlar çok şükür ki yanımdaydı. Dünyadaki en değerli varlığım, biricik Reyna'm benimleydi. Nihayet Portekiz'de uç veren açgözlülükten, bağnazlıktan kendimi kurtarmıştım ve nispeten daha rahat topraklara ayak basmıştım ama kendimi garip hissediyordum. Dünyada tek başıma kalmış gibi garip, yerinden yurdundan sürülmüş gibi boynu bükük. Eğer bu ailenin önündeki büyük ben olmasam, onların da yıkılacağını, umutsuzluğa düşeceğini bilmesem, oturup hüngür hüngür ağlardım.

"Ayakta kalmalısın Dona Gracia! Ayakta kalmalısın! Senin yıkılmaya, üzülmeye hakkın yok! Sen çökersen, ailen de çöker!

Senin gibi şanslı olamayanlara da kimse yardım edemez! Portekiz mi? Ne kaldı ki orada?"

Orada ne kaldığını ve mahzunluğumun en önemli sebeplerinden birinin de bu olduğunu biliyordum: Geçmişim, hatıralarım, çocukluğum, genç kızlığım ve Francisco'nun toprağın altında bir tabut içindeki naaşı...

İçimden, beni duyabileceğini bilerek seslendim:

"Francisco! Seni oradan mutlaka kurtaracağım! Mutlaka seni Kudüs'e taşıyacağım. Bundan hiç kuşkun olmasın! O zamana kadar huzur içinde yat..."

•

"Dona Gracia, benimle gelin..." dedi Diogo'nun görevlendirdiği adam.

Giyimi, İngiliz olduğunu düşündürdü.

"Adım Eric. Bay Mendes sizin için uygun bir konak hazırlattı."

"Teşekkür ederim..."

Onun hazır beklettiği arabaya binip, limanın kalabalığını, nemli havasını, küfürlü konuşmalarını geride bırakarak çıktık.

Bristol de benzer şehirler gibi liman çevresinde büyüyen şehirlerdendi. En canlı yerin liman olduğu, şehrin geri kalan bölümlerinin daha sakin olduğu su götürmezdi. Hemen limandan başlayan meyhaneler, hanlar görüyordum ilerledikçe. Biraz daha ilerleyince işyeri olduğunu tahmin ettiğim, yanlarında depolarla diğer binaları gördüm. Sonra sokaklar tenhalaştı. Tek tük insanların göründüğü yollarda ilerledik.

Epeyce sonra Eric konuşmaya başladı. Anlaşılan benim

konuşmamı beklemiş, belki deniz tutmuş olduğunu düşündüğünden belki hasta olduğumu, rengimi filan beğenmediğinden olsa gerek, umudu kesip konuşmaya başlamıştı.

"Bayan Mendes, Sayın..."

"Dona Gracia demen yeterli."

"Teşekkür ederim. Bay Diogo Mendes, sizleri uyarmamı istedi. Bristol'de yerleşeceğiniz yer, kendisinin mülküdür. Ancak bilmeniz gerekir ki kâğıt üstünde İngiltere'de Musevi yaşaması yasaktır."

Hayretle baktım.

"Nasıl olur? Peki biz..."

Elini kaldırdı.

"Endişelenmeyin! Elbette bu kâğıt üstünde bir yasak... Musevi ve Marranlar, az sayıda da olsa, İngiltere'de yaşamayı sürdürüyor. Hatta birçok yerde yasak olduğu halde burada dini vecibeleri açıktan yerine getirebilirsiniz. Yine de Don Mendes dikkatli olmanızı istiyor."

Bu defa Brianda, aklı her zaman havada olan kardeşim konuştu:

"Söyler misiniz, niye Londra'ya değil de Bristol'e geldik? Benim düğün hazırlıklarımın böyle olacağı söylenmemişti!"

Dönüp ters ters baktım. Sustu ama anladım, artık Anvers'e varana kadar söylenmeyi sürdürecek...

"Sizi dinliyorum Bay Eric..."

"Evet Dona Gracia, dikkatli olmanızı istiyor. İngilizler, Marranlar vasıtasıyla, rekabet halinde oldukları İspanya ve Portekiz hakkında bilgiler alabiliyorlar. Bu nedenle şimdilik onlar için bir tehdit değiliz. Yine de dikkatli olmanızı, açıktan Musevi inancının vecibelerini yerine getirmek yerine gizli yapmayı tercih etmenizi öneriyor."

Başımı salladım. O anlatmayı sürdürdü ama benim artık dinlediğim yoktu. Yirmi altı yaşına giriyordum fakat kırk yaşını aşmış biri kadar bilgim, tecrübem olmuştu Musevi olmak konusunda. Hep tehdit altındaydık, her zaman tetikte, her zaman dikkatli olmamız gerekiyordu.

Küçükken oynadığımız bir oyun geldi aklıma. Birinin gözlerini bağlar, bahçenin ortasına bırakırdık. Sonra diğer çocuklar, sağdan soldan hızlı bir şekilde yaklaşarak, ona vurup kaçarlardı. Gözleri bağlı olan, saldırının nereden geleceğini bilemez, ayak seslerinden, soluk seslerinden darbenin yönünü tahmin etmeye çalışırdı. Ama kimi zaman biri ayaklarının ucuna basarak sinsice yaklaşır, kimi çok hızlı davranır, bir şekilde ortada kalan, darbelerin hedefi olurdu. Bu, bizim durumumuza benziyordu.

Tehlikenin ne yönden geleceği belli değildi ve hep ortadaydık.

"Bay Diogo'nun, Bay Cromwell'la yakın ilişkileri burada önemli bir modernizasyona sebep oldu. Aristokrat ve ruhban sınıfının etkisi kırıldı. Krallık güçlendi ama biz de bundan bir şekilde faydalanmayı başardık. Tudor hanedanının yükselişi, bizim gibi ticaretle uğraşan insanların da önünün açılmasını, etkinliğinin artmasını sağladı."

"Ha..."

"Tudorlar diyorum..."

"Evet..."

Tudorları biliyordum. Henry,* karısı ve Kutsal Roma-Cermen İmparatoru Şarlken'in teyzesi, Aragonlu Katrin'den boşanıp, Boleyn kızı ile evlenmek için Katolik Kilisesi'nden ülkesini ayırmış, Protestanlığa yakın olan Anglikan Kilisesi'ni kur-

---

* VII. Henry

durmuştu. Katoliklerin boşanmaya izin vermemesi, Roma'nın İngiltere'yi kaybetmesine yol açmıştı ki Museviliğe karşı tavrını iyi bildiğimiz papanın etkisi ne kadar azalırsa, dünya bizim için o kadar yaşanabilir bir yer oluyordu. Boleyn kızları Mary ve Anne'e müteşekkirdim şu anda...

"Thomas Cromwell, Henry'yi etkiledi ve Kilise'nin bütün servetinin krala geçmesini sağladı."

"Dört yıl önce..." dedim. "Duymuştum."

"Henry, Hıristiyanlığından vazgeçmedi tabii. Eski ve Yeni Ahit'i İngilizceye tercüme ettirdi. Artık pazar ayinlerinde okunanlar anlaşılıyor. Roma bundan memnun olmadı çünkü Latince yazılmış şeyleri halkın anlamaması çok işlerine geliyordu. Çok önemli şeyler dinlediklerini sanıyor, kendilerinden geçiyorlardı. Sonra..."

İçimden "Tahtalar ve taşlar!" diye geçirdim...

"Dinledikleri şeylerin ne anlattığını anlayabilir oldular. Henry, Papalık tarafından aforoz edildi. Biliyorsunuzdur."

"Umurumda bile değil! Bir an önce Anvers'e geçmek istiyorum."

Anlatmayı bıraktı. Bir süre sessiz kaldık. Sonra yeniden konuştu:

"Anvers'e giden güvenli yol, Calais'ten geçiyor. İngiltere ile kıtanın en kısa ve en az riskli yolu Dover ve Calais limanları arasında. Dover'a ulaşmanız için karadan seyahat etmeden önce biraz dinleneceksiniz. Sonra Calais'e geçecek, oradan yine karadan Anvers'e ulaşacaksınız."

"Yollar bitmeyecek..."

İç çekerek söylemiştim. Bana acıyarak baktığını fark ettim.

"İyiyim!" dedim. "Hepimiz iyiyiz."

-15-

İngiltere'de rahat ettik. Diogo hiçbir eksiğimizi bırakmamış, her türlü konforumuzu dört dörtlük ayarlamıştı. Kuşkusuz bunda Mendes Müessesesi'nin Avrupa'nın her yerine yayılmış şubelerinin büyük etkisi vardı. Çok çalışmamızın karşılığını böyle alıyorduk.

İngiltere'de uzun kalmadık neyse ki... Jozef'in dostlarından Şövalye Rodrigez Pinto'nun Londra'daki nüfuzunu kullanıp, kendimizi Calais'e atabildik. Saray'a yakın bir isim olan John Husse'nin Calais valisi ve eşi Leydi Lisle ile yakın ilişkileri vardı. Valiye bu sayede ulaştı ve bizim asillere yakışır bir şekilde karşılanmamızı, rahat etmemizi sağladı.

Londra'dan bu kadar hızlı kaçmamızda kuşkusuz veba salgının da etkisi vardı. Francisco'dan sonra bir yakınımı daha kaybetmeyi yüreğim kaldıramazdı. Brianda ise bir an önce Anvers'e ulaşmak, Diogo'yla evlenmek ve çocuk yapmak istiyordu.

Uzun, yorucu ve savaş sonucu yıpranmış yollardan geçerek Calais'ten Anvers'e ilerledik. Flamanların yaşadığı bu topraklardaki savaşlar, tarih boyunca hiç bitmiyordu. Fransızlar ve Cermenler zaman zaman da İngilizler, savaşmak için burayı buluyor, Hollanda ve Avusturya da kimi zaman bu savaşlara dahil oluyordu.

Yolculuğun sadece oturup pinekleyerek bitmeyeceğini bilecek kadar tecrübe edinmiştim. Mademki artık ailemin önündeki isimdim, her şeyi bilmeye her zamankinden daha çok ihtiyaç vardı. Yol boyunca sorup, dinleyip, öğrendim.

Anvers, Avrupa'nın en büyük limanlarından biriydi ve bunda biz Marranların önemli payı vardı. Bu bölgede yaşayanlar, bize "Marran" değil "Sinjoren" diyorlardı. Yani "Sinyorlar"... Neyse ki "sinyor" kelimesi rahatsız edici bir kelime değildi. Bölgenin Hıristiyanlarının çoğunlukla Protestan olması, mütevazı insanlar olmaları, bizim gibi sonradan gelen insanların ise şık giyimli ve varlıklı olmaları, bu ismin verilmesinin sebebi olmalı...

Brugge Limanı daha sığ olduğundan, büyük yük gemileri Anvers Limanı'nı tercih ediyordu. Bu tercihin bir nedeni de şehir yöneticilerinin kendilerini dini akımların, çatışmaların dışında tutmalarıydı. Burada hiçbir din ve mezhep üstünlük taslamıyor, tüccar ve işadamlarının gelmesi teşvik ediliyordu. Limanın lojistik imkânları iyi, büyük depoları ve işgücü çekiciydi. İstikrar vardı ve işadamları malları ile paralarına zarar verilmeyeceğine ikna olmuşlardı. Avrupa'nın önemli sermayedarları Fugger, Welsers, Affaitati ailesi ve biz Mendesler burada düzenimizi kurmuştuk. Senede iki defa finans işiyle uğraşanlar Anvers'te buluşuyor, senet tahsilleri, sermaye ve ürün değişimleri yapıyorlardı. Francisco, Diogo'yu gönderip burada bir şube açtırmadan bir yıl önce, İngilizler de gelsinler diye onlara Anvers Belediyesi tarafından bina tahsis edilmişti. Şehrin tek sıkıntısı, zenginlikle birlikte hızla artan ve yüz bine yaklaştığı söylenen nüfus, buna bağlı olarak çok yükselen gayrimenkul fiyatlarıydı...

Doğuda, Avrupalı bütün kralların düşman olarak bildiği Türkler vardı. Bunlarla savaş için sürekli bütçe bulmak zorundaydılar ve Anvers, kralların da borç para bulabildikleri yerlerin başında geliyordu. Avrupa'ya dağılan para sistemi sayesinde, buradan alınan bir borç, krala en yakın başka bir şubeden tahsil edilebiliyordu. Banker ve tüccarların itibarı çok yüksek, kâr oranları iyiydi.

Francisco ve ondan önceki Mendesler sayesinde epey bir servet edinmiştik ama bunu kullanacak yer neresi olacaktı? Ticarete daha fazla yatırım yapamıyorduk. Artan parayı bir yerde değerlendirmek gerekiyor, bize yeni alanlar lazım oluyordu. Diogo, Juan'la yaptığı anlaşmayla baharatın tekeli haline gelmiş, rakipsiz kalmıştı. Tekel olmanın, fiyatı yüksek tutmak, kârı artırmak konusunda büyük faydası vardı. Bu iki taraflı bir kazançtı. Portekiz Hazinesi de bu sayede zenginleşiyordu. Eskiden aristokratların mutfaklarında bulunan baharatın halk tarafından kullanımı yaygınlaştıkça kârımız artıyordu. Bu şekilde elde edilecek kaynağı kullanabileceğimiz yeni yatırım alanlarını bulmak istiyordum Anvers'te... Diogo'yla el ele verdiğimizde, bunu yapmak zor olmayacaktı.

Anvers'e daha ayak basmadan biliyordum: Dünyanın en zengin şehri burasıydı. Daha da zenginleşecekti. Rahmetli eşimin ne kadar ileri görüşlü olduğunu bir kere daha görüyordum. Yıllar önce buraya yatırım yaparken, sanki bugünleri görmüştü. Ne Brugge ne de Venedik Anvers'le boy ölçüşebilirdi ve bu şehir daha da büyüyecekti. Hindistan'dan gelen baharat buradan dağıtılıyordu. Yenidünya ve Sevilla üzerinden gelen gümüş, burada kendisine alıcı buluyordu. Tekstil burada gelişmeye uygundu ve dokumayı, kumaş ticaretini bilen Marranlar için avantajdı. Kıyafetler artık kişilerin kendini ifade etme yolu haline gelmişti. Türk kumaşları ve elbiseleri Haçlılar tarafından tanındıkça, Türkler Avrupa ortalarına doğru akın ettikçe, giyimin de bir statü sağladığını, kalitesinin olabileceğini Avrupa'da yaşayanlar anlamıştı. Gelişmelerden sonra kumaş ve giyim konusunda her yerde yeni pazarlar oluşuyordu.

Brabant Dukalığı'nın idaresindeki Anvers'te inancımızı da rahatça yaşayacağımızı, Hıristiyan'mış numarası yapmaya zorlanmayacağımızı umuyordum.

•

Nihayet Anvers'e vardık. Buraya boşuna "Kuzeyin Floransa'sı" demiyorlarmış... Bugüne kadar geçtiğimiz kuşkusuz tüm şehirlerden daha canlıydı Anvers... Limanına gemiler yanaşmış, yük ve yolcu indiriyor, liman işçileri kovandaki arıları andıran bir uğultu içinde çalışıyorlardı. Limanın hemen karşısındaki bölümde güvenliği sağlayan askerlerin bulunduğu binanın önünde iki asker sürekli nöbette duruyor, onların hemen yanındaki genelevlerin önündeki kadınlar, açık saçık giyimleri ve küfürlü konuşmalarıyla müşterileri içeriye çekmeye çalışıyorlardı. Limana çıkan çok sayıda cadde ve sokak da limanın kendisi kadar hareketli, kalabalıktı. Erken saatte bile meyhanelerin dolu olduğundan şüphe yoktu. İnsan çeşitliliği akıllara zarar boyuttaydı. Beyaz entarisini burada bile çıkarmamış bir Arap'ın yanı başında kuzeyden geldiği belli, yarım yamalak giyinmiş, iriyarı bir denizci görülebiliyordu. Bellerinde kalın kuşaklarıyla Doğulu tüccarlar, başlarında sivri, külahı andıran şapkalarıyla, geniş yakalıklarıyla zengin tüccarlar, Yenidünya'dan koparılıp getirilmiş gibi görünen yerliler, turuncu saçlarıyla Britanyalılar, simsiyah tenleriyle Afrika'dan gelenler hatta Uzakdoğu'dan, Marco Polo'nun gittiği yerlerden gelen çekik gözlüler...

Her yaştan binlerce insan... Küçük çocuklardan tiridi çıkmış yaşlılara, gençlerden artık saçı sakalı ağarmış olanlara kadar herkes...

İnsanlarla ilgili bir şey öğrendiysem, onların çok iyi koku aldığıdır. Bir insan en keskin burunlu tazıdan bile daha iyi koku alır. Tavşanın ya da bıldırcının kokusunu değil, çıkarın kokusunu çok hızlı alıyor insan burnu. Bunca insanın burada çıkarı olmasa, asla böyle birikmeyeceklerini anlıyordum. Demek ki Anvers, Lizbon'dan çok çok daha bereketli ve imkânları fazla olan bir şehir...

•

Diogo bizi yolumuza halılar sererek karşılattı. Sanki limana bir kraliçe geliyor gibi davranmış, hizmetkârları seferber etmişti. Bu karşılamayı gören, eğer tanımıyorsa da bizi merak edip, sormuştur.

Bizim için hazırlattığı eve yerleştik. Önünde büyük bir bahçe yoktu. Daha çok yan yana, sıkıştırılmış gibi duran ve sivri çatıları olan yüksek binalardan biriydi. Şükür ki gayrimenkulün bu kadar pahalı olduğu bir şehirde, geniş ve rahattı.

Reyna'nın yatağını benim odama hazırlamalarını istedim. Küçük kızım epeyce yorulmuştu bu yolculuklarda. Bir anne olarak hep yanında olmaya çalışıyordum ama yeteri kadar sevgi gösterebildiğimden emin değildim.

Brianda diğerleriyle aynı odada kalmak istemedi. Düğün için hazırlıkların bir an önce başlamasını istiyordu. Bizimle gelen yardımcılarımız, alt katımızdaki odalara yerleştiler. En alt katta bulunan mutfağa ve kilere yakın olmaları, evin giriş kapısını açıp kapatabilmeleri, misafirleri karşılamaları kolay olacaktı.

Odama yerleşip, Reyna'yı da küçük yatağına yatırdıktan sonra gidip pencereyi açtım. Hava güzel ve ışıl ışıldı. Temiz ve geniş sokaklar, daha arkalarında geniş su kanalları, nehirler, üzerinde köprüler hatta küçük kayıklar... İnsanlar mutlu görünüyordu. Kibar kıyafetleriyle geçen kadınlar, onlara şapkalarını çıkarıp selam veren adamlar gördüm.

Diogo bizi Anvers'in en nezih semtine getirmiş olmalı...

Nihayet biraz rahat edeceğimizi hissediyordum ama yine de içimde bir burukluk vardı. Francisco hâlâ oradaydı. Boğucu havasıyla Lizbon'da...

"Dilerim engizisyon bir gün buraya da ulaşmaz!"

-16-

"Benim düğünümü neden geciktiriyorsun? Benim artık bağımsız olmama izin vermelisin!" dedi Brianda.

Salonda oturmuş likör yudumluyorduk. Reyna, bakıcısının kucağında, belli belirsiz sesler çıkarıyor, arada bir iri, güzel gözleriyle bize bakıyordu.

Oturduğum koltukta şöyle bir kıpırdandım.

"Brianda, bu acele neden? Daha Francisco'nun yasını bile tutamadık. Üstelik onca yolu geçtik, buraya geldik. Doğru dürüst yerleşemedik bile!"

"Bence yeteri kadar zaman geçti. Zaten niye bekliyoruz ki?"

Kapı açıldı. Diogo geldi.

"Selam hanımlar..." dedi gülümseyerek. "Bugün nasılsınız bakalım?"

Yaklaşıp benim ve Brianda'nın elini öptü.

Onda bir parça Francisco'yu görüyordum. Ama daha

genç, daha yakışıklı, daha sıcakkanlı... Kendini iyi yetiştirmiş, Avrupa'nın en büyük tüccarlarından biri olmuştu. Mendes ailesinin gözbebeğiydi ve Brianda'nın onu gerçekten anlayabildiğinden ciddi şekilde kuşkuluydum. Acaba Diogo'nun her zaman en iyi kumaşlardan kıyafetler giydiğini, şıklığına özen gösterdiğini, aile bağlarını çok önemsediğini ama tam bir işkolik olduğunu fark etmiş miydi?

"Abla kardeş sohbet ediyorsunuz galiba..."

"Ah, sorma! Bu Brianda yine beni kızdırmaya çalışıyor."

Karşımızdaki koltuğa oturdu.

"Yine ne yaptı bakalım?"

Brianda gözlerini devirerek ona baktı.

"Düğünümüzü geciktirmeye çalışıyor!"

Diogo'nun da kızmasını bekliyordu ama umduğunu bulamadı:

"Brianda, küçük sevgilim, ablan öyle diyorsa haklıdır. Acele etmemize gerek yok. Nasıl olsa birbirimizin olacağız."

Brianda öfkesini saklamaya çalıştı:

"Sen de mi? Sen de mi böyle söylüyorsun Diogo? Neden bekleyecekmişiz? Artık neyi bekliyoruz ki? Tüm aile bir arada, senin işlerin yolunda... Benim de drahomam zaten hazır. Öyleyse..."

Onun böyle isterik davranması hoşuma gitmiyordu. Sesimi yükselttim:

"Brianda, hanımefendi gibi davran!"

Öfkeyle bana döndü:

"Ne yapmaya çalıştığını biliyorum Gracia! Benim hakkım olanı almamı engellemeye çalışıyorsun! Benim aile mirasını kontrol etmemi istemiyorsun! Her şey senin elinde olsun istiyorsun. Her şey senin olsun istiyorsun! Bu sebepten evlenip, kendi servetime kavuşmamı geciktiriyorsun! Ama bunu başaramayacaksın! Beni yönetemeyeceksin! Ben senin kızın değilim, anlıyor musun? Ben senin kardeşinim. Seninle aynı haklara sahibim. Neden sen patron gibi servetimizi yönetirken, ben böyle oturup bekleyecekmişim?"

Duyduklarıma inanmakta zorlanıyordum. Brianda'yı hep biraz saf, akılsız bulurdum ama sonuçta o da annemin ve babamın çocuğuydu. Bu kadar salak olmasına imkân yoktu...

"Ne diyorsun Brianda? Bunun konuyla ne ilgisi var? Sen neye istiyorsan sahipsin zaten. Neden benim bir şey engellediğimi düşünüyorsun?"

"Evet, her şeye sahibim! Ama senin istediğin şekilde, senin izin verdiğin kadarına!"

"Saçmalama! Ne söylediğini bilmiyorsun sen!"

Üzgündüm. Diogo, evleneceği kadını böyle görsün istemiyordum. Sonuçta o bizim dayımızdı, her halimizi biliyordu ama yine de artık farklı bir rolü olacaktı. Brianda'nın eşi olacak, onunla yuva kuracaktı.

"Ben artık senin gölgende kalmak istemiyorum!" dedi Brianda. "Kendi kararlarımı kendim vermek istiyorum. Bana daha fazla engel olma artık!"

Diogo araya girme ihtiyacı hissetti:

"Brianda, bir yere gitmiyoruz küçük kuşum. Zaten istesek de istemesek de zaman geçiyor. En kısa sürede evleniriz istersek."

Brianda ona döndü:

"Diogo, bu konuda benim yanımda yer almanı istiyorum. İtiraz etme!"

Diogo'nun zaten güzelliğiyle benden epeyce öne çıkan Brianda'ya tutkun olduğunu görmemek aptallık olurdu. Boşu boşuna kendi değerini azaltıyordu kardeşim. Diogo kızardı ama içinden geçenleri belli etmemeye çalıştı.

"Tamam, sakin ol..."

"Brianda, bütün keyfimizi kaçırdın! Böyle yaptığına inanamıyorum!" diye üzüntümü belirttim.

Reyna da huzursuz olmuş, ağlamaya başlamıştı. Bakıcıya onu götürmesini işaret ettim. Onlar çıkana kadar sessizce durduk.

"Bazen insanı çıldırtıyorsun!" dedim daha fazla dayanamayarak. "Ne zaman istiyorsan o zaman evlen! Hatta bekleme, hemen yarın düğün yap! Madem büyük sözü dinlemiyorsun, içi boş kafana göre hareket etmek istiyorsun, senin bileceğin iş!"

Diogo da daha fazla sohbet istemiyordu. Kalktı.

"Bana müsaade o zaman... Siz iki kız kardeş, düğünle ilgili hazırlıkları planlarsınız. Şirketimizin yönetimi konusunda ise hukukçularımız bir çalışma yapacaktır."

Ayağa kalktım.

"Kardeşimin kusuruna bakma Diogo. Sen uygun bir şekilde ayarlarsın..."

Brianda da kalktı. Kapıya kadar uğurlamak üzere koluna girdi.

"Kusur olacak bir şey yok. Müstakbel kocam ve ben aynı fikirdeyiz."

Diogo'nun çıkmadan önce dönüp bana baktığını ve başıyla belli belirsiz bir selam verdiğini fark ettim.

Biliyordum. O da benim kardeşimden daha zeki olduğumu görüyor, iş konusunda belli etmese de Brianda'ya değil, bana güveniyordu. Böyle olması kaçınılmazdı çünkü Diogo bir işadamıydı. Kâr ve zararı iyi hesaplamaya alışkındı.

•

O gittikten sonra Brianda'yla baş başa kaldık. Yine gelip karşıma oturdu. Benden küçüktü. Daha yirmi yaşına yeni giriyordu ama şimdiden istediği şeyler, yapabileceklerinin çok üstündeydi. Babam hayattayken ve bizi eğitmeye çalışırken, iş tecrübelerini masal anlatır gibi anlatırken, Brianda sıkılır, kısa sürede aklı başka yerlere giderdi. Hiçbir zaman gerçekten işle uğraşmak istememişti.

"Amacın ne?" diye sordum. "Neden böyle bir şey yaptın? Diogo da hoşlanmadı bu yaptığından..."

"Sanmam... Çıkarken beni öptü. Ayrıca tabii ki benim yanımda yer alacak. Sonuçta, karısı olacağım."

"Yine de öyle bir hanımefendiye yakışmayan sözler söylememeliydin. Servet kontrolü filan..."

Yine sesini yükseltti:

"Bu benim hakkım!"

"Brianda, sevgili kardeşim, hep aklın biraz havada oldu. Ancak sen bile biliyor olmalısın: Kontrol ettiğimize inandığın bu servet kolay yoldan elde edilmedi. Babam ve kocam dahil birçok insan bu servet uğruna hayatını kaybetti. Bu servetin korunması için sürekli çalışmak şart. Ama önemli olan bu da değil. Hayatım, biliyorsun ki sahip olduğumuz mallar, altın ve paralar keyfimize göre yaşamamız için değil. Hayatta lüks yaşamaktan başka amaçlarımız ve görevlerimiz de var. Zaten neyimiz eksik ki? Senin ihtiyaç duyup da bulamadığın ne var?

Ne istiyorsan bana söyleyebilirsin. Kardeşimden bir şey esirger miyim?"

"Saçma!" dedi insanı sinirlendiren bir kayıtsızlıkla. "Bu servet benim. Neden başka amaçlar için olsun?"

Artık ciddi ciddi sinirleniyordum ama hayatta, kızımla birlikte en yakınım olan kişiye kırıcı olmamak için tuttum kendimi.

"Brianda, şunu kafana iyice sok: Bizim amacımız daha fazla altına ve paraya kavuşup, onlarla sürekli keyif sürmek değil. Eğer öyle olsaydı yıllar önce çalışmayı bırakmamız lazımdı. Çünkü sevgili kardeşim, yıllar önce, hayatımız boyunca bitiremeyeceğimiz kadar kazandık zaten. Bizim amacımız, bütün Marranların, bütün Musevilerin rahata ermesi. Her inançlı Musevi gibi bizim de tek hedefimiz bu..."

İçimden babamın bana verdiği sırrı ona da açıklamak geldi ama tuttum kendimi. Bunu yaparsam, en az Brianda kadar aptal olurdum. Babamın güvenip ona açmadığı sırrı, benim vermem akıl kârı değildi. Annem de babam da inançlı insanlardı. Gizli saklı da olsa, bana dinimizi ve şeriatımızı çok iyi öğretmişlerdi. Brianda'ya da...

Anlaşılan şu anda başında hakikaten kavak yelleri esiyor...

"Aman! Sen de inanıyor musun buna?" dedi. "Bütün Marranlardan neden biz sorumlu olalım? Bizim gibi zengin bir sürü Marran var. Biraz da onlar düşünsün diğerlerini... Ben artık kendim rahat etmek istiyorum. Lizbon'da yeteri kadar sıkıntı çektik zaten."

Duyduklarıma inanmakta zorlanıyordum.

"Bunları inanarak söylüyor olamazsın! Gerçekten dindaşların için endişelenmiyor musun? Bugün başkaları için var olan tehlikelerin, mesela gerçek adımızı kullanamıyor olmamızın, inancımızı yaşayamıyor olmamızın üzüntüsünü yaşamıyor musun? Yarın aynı tehlikelerin bizi bulmasından endişelenmiyor, engizisyonun bir gün bizi bulmasından korkmuyor musun?"

"Endişeleniyorum elbette... Tabii ki bütün Marranları kurtarmak isterim ama ne yapalım? Benim elimden gelecek şeyler de sınırlı."

"Böyle söyleme! Mendes ailesi olarak bize düşen görevler var. Sofralarına oturabildiğimiz krallar, balolarına katılabildiğimiz bakanlar, içinde bulunduğumuz aristokratlar ve daha niceleri... Onlara bunca yıldır ödediğimiz bedellerin, verdiğimiz ödünlerin hepsinin bir amacı var: Senin, benim, Reyna'nın ve hatta belki senin çocuklarının özgür yaşayabilmesi... Saklanmak zorunda olmaması..."

Daha devam edebilirdim ama duvara konuşuyor gibiydim. Brianda'ya ne söylersem söyleyeyim, onun şu an anlayabileceğinden veya durumun ciddiyetini görebileceğinden kuşkuluydum. Boş boş bakıyor hatta alay eder gibi gülümsüyordu.

"Boş ver!" dedim içimden. "Nasıl olsa o anlamasa da Diogo anlıyor. İki koldan, Brianda'yı kontrol altında tutarız..."

Oysa Brianda'nın kontrol altında tutulmaya niyeti yoktu. O sırada, beni mahvedebilecek planlar yaptığı aklımın ucundan geçmezdi.

-17-

Peder Fernando'nun bize misafir olmak istediği haberi gelince, doğal olarak, "Buyursun..." dedim. "Kendilerini kabul etmekten memnun olacağım."

Peder Fernando, Portekiz'den geliyordu. Marranların çoğunun tanıdığı, bildiği bir rahip olduğu söyleniyordu.

Peder gelmeden önce evde Musevilikle ilgili ne varsa gizlemelerini sıkı sıkı tembih ettim. Artık Portekiz'de değildik, kendimizi eskisi kadar tehdit altında hissetmiyorduk ama yine de tedbirli olmak iyi olurdu.

Eve girer girmez haç çıkardı ve apartmanımızı kutsadı. Saygılı ve iyi Hıristiyanlar gibi, bundan memnun olmuş gibi davrandık. Minnettar bir vaziyette eşlik ettik pedere. Yumuşak yüzlü, usul usul konuşan bir adamdı. Dışarıdan bakan biri, onun iyi bir insan olduğunu, sevgi dolu olduğunu kolaylıkla düşünebilirdi.

"Muhterem peder, evimize ziyarette bulunmakla bizi mutlu

ettiniz. Çok özlediğimiz ülkemize olan hasretimizi sizinle bir nebze olsun gidereceğiz."

Diogo da saygılı bir şekilde, "Hoş geldiniz..." dedi.

Peder, ister istemez yemekteki dördüncü kişi olacak olan Brianda'ya döndü. Onun suskunluğunun uzaması hiç işimize gelmezdi. Aceleyle yetiştim:

"Kardeşim Brianda... Kendisi bizden daha fazla özlüyor memleketimizi."

Brianda eğilip adamın parmağındaki yüzüğü öptü.

"Sağ ol kızım..."

"Muhterem peder, sizin için hazırlattığımız sofra hazır..." dedim iyi bir ev sahibi olarak. "İsterseniz soğumadan geçelim ve sohbetimize yiyip içerek devam edelim. Portekiz'in muhteşem şaraplarını özlemişsinizdir. Bu gece hepsi mevcut... Üstelik size Yenidünya'dan gelen şu sebzeden, neydi adı, patatesten yemekler de hazırlattık. İlginç bulacaksınız."

Dilini şapırdattı.

"Elbette!"

Sofraya geçip oturduk. Hizmetçiler şarapları doldururken, Diogo sordu:

"Muhterem peder, sevgili ülkemiz nasıl? Portekiz'den bize ne haberler getirdiniz?"

Ben de ekledim:

"Ülkemizi, oradaki evimizi özledik. Ama ne yaparsınız ki kardeşimin düğünü var. Onun evlilik işlerinin ardından ancak dönebileceğiz. İnanır mısınız, balık pazarının kokusunu bile özledim!"

Peder göründüğünden daha genç olmalıydı. Ya da daha diri... Sesi çok canlı çıkıyordu.

"Her zamanki şeyler... Bildiğiniz gibi... Gemiler, keşifler,

Tanrı'nın mesajının götürülmesi gereken yeni yerler... Kral ve çevresindekiler, Kilise'nin önemini zaman zaman gözden kaçırsalar da, biz kutlu görevimiz için çok uzaklara gitmeye devam ediyoruz. Kimileri Yenidünya'ya gitmeye gönüllü oluyor, kimileri de işte Anvers gibi Yeni Hıristiyanların çok olduğu yerlerde görev almaya çalışıyor."

"Sizce hangisi daha faydalı peder?"

"Bana sorarsanız, dünyanın bir ucundaki kâfirleri yola getirmeye çalışmaktansa, Anvers gibi kalabalık şehirlerdeki insanlara yardım etmek daha önemli. Ama doğruyu Tanrı'dan başka kim bilebilir? Bizler her türlü şekilde onun mesajlarını iletmek durumundayız. Kayıp bir ruh bile kurtulsa, iyidir."

Yemek servisi yapılıyordu. Peder Fernando, önündeki servisin örtüsü açılıp da balığı görünce kısa bir an tereddüt yaşadı. Gözümden kaçmadı.

"Balık sevmiyor muydunuz peder?" dedim. "Belki başka bir şey yemek istersiniz... Anvers'te daha önce hiç görmediğimiz, lezzetli balıklar var. Fakat harika domuz pirzolası da var isterseniz. Hemen hazırlatabilirim..."

Bunu özellikle söylemiştim. Bizim domuz yemeyen Museviler olduğumuzu anlamasını istemiyordum.

"Hayır. Balık da iyidir. Tanrı'nın nimetlerine şükürler olsun... Ama şu patates dedikleri ne işe yarar, anlamadım. Bu gerçekten yeniliyor mu?"

Gülümsedik.

Dua etmeye başladı. Ellerimizi kavuşturup, bekledik. Duayı bitirdi.

"Âmin!"

Tekrarladık:

"Âmin!"

"Anvers'te dünyanın en güzel balıklarını yiyebilirsiniz Peder Fernando..." dedi Diogo. "Portekiz'de de balık bol ama burada kuzeyin soğuk sularında yetişmiş balıkları bulabiliyoruz. Ne yalan söyleyeyim, kendi ülkemizdekilerden daha lezzetti ve büyük oluyor."

"Hımmm..."

Peder, beyaz şarabından bir yudum aldı ve balığı yemeye başladı.

Koşer olmayan şeyleri mutfağımızdan çıkarmıştık. Haham gelip tüm mutfağımızı, kaplarımızı temizlemişti. Peder Fernando için bile olsa, yeniden mutfağımız pislensin istemezdim. Zaten ona da kapımı Francisco'nun tabutunu Portekiz'den alıp, Kudüs'e götürmekte ihtiyaç duyabileceğim için açmıştım. Artık Lizbon'a, engizisyonun zehrini akıtmaya başladığı şehre döneceğim yoktu ama iyi ilişkileri sürdürmeye her zaman ihtiyaç vardı.

"Ülkemiz burnumuzda tütüyor. Mecburiyetler bizi ayrı koydu ama evime dönmek ve yine balkonumdan Lizbon'un havasını solumak için sabırsızlanıyorum."

"Ne zaman dönmeyi planlıyorsunuz?"

"Brianda ile Diogo'nun düğününün ardından. Biraz da küçük Reyna'mızın –bu isim ona vaftizinde verilmişti– biraz büyümesi, toparlanması derken vakit alacak. Neyse ki sizin gibi hemşerilerimiz var artık yakınımızda. Hasretimizi sizlerle gidereceğiz."

Brianda gülümsedi.

Rahip Fernando, "Tebrik ederim kızım... Sizi de Bay Diogo" dedi.

Diogo, "Sizi buraya hangi rüzgâr attı Peder? Yoksa kayıp ruhları kurtarmak için mi görevlendirildiniz? Eğer öyleyse çok işiniz olacak demektir. Anvers'in nüfusu yüz bini çoktan aştı..." diye karşılık verdi.

"Kısmen öyle... Anvers'e İspanya, Portekiz ve daha başka yerlerden çok fazla göç oldu. Başlangıçta buranın yöneticileri durumdan memnundu ancak büyümenin önüne artık geçemiyorlar. Şehirde ahlaksızlık, sapkınlık almış yürümüş durumda. Bu yönde raporlar geliyor Portekiz'e de... Şehrinizin özgürlük ortamı, birtakım heretik görüşlerin yeşermek için uygun ortam bulmasına neden oluyor Bay Diogo!"

Duyduklarımdan endişelenmiş gibi baktım. Haç çıkardım.

"Tanrı günahlarımızı affetsin!"

Peder devam etti:

"Hedefimiz, burada bir gözlem yapmak ve Roma'ya, papa hazretlerine ve engizisyona rapor vermek."

Diogo biraz daha açık oynamaya karar verdi:

"Rahip Fernando, siz de iyi biliyorsunuz ki burada yaşayan kayıp ruhların kurtarılması öyle kolay değil. Şehirde önemli bir Protestan nüfusu var. Ayrıca öyle çok milletten insan var ki hangisinin Hıristiyan olduğunu anlamak bazen zor oluyor."

"Öyle. Bizi buraya çeken de bu oldu."

"O halde bir başka göreviniz daha var peder?"

Peder çatalını batırdığı balıktan iri bir parça kopardı. Ağzına atıp şarapla ıslattı.

"Sizin çok zeki olduğunuzu duymuştum Diogo Mendes... Haklılarmış... Sorun şu ki, bizi Anvers yönetimi davet ediyor. Buraya gelen, yerleşen ve zenginleşen ancak düşmanımız Osmanlı'yla işbirliği yapanlarla ilgili..."

"Osmanlı mı?"

Bunu soran bendim.

"Evet, Osmanlı..."

"Kıymetli peder, hangi iyi Hıristiyan, Osmanlılarla bir arada olmayı düşünebilir ki? Onlar bizim düşmanımız!"

Brianda da başını salladı katıldığını belirtmek için.

"Sevgili kızlarım, herkes sizin gibi inançlı ve samimi olamayabiliyor. Kimileri Anvers'e geliyor, gerçek Hıristiyanların arasında zenginleşmenin ve Tanrı'nın nimetlerini toplamanın bir yolunu buluyor. Sonra da o zenginliği yüklenip, Osmanlı ülkesine gidiyor. Son zamanlarda Osmanlı'ya gidenlerin çok olmasıyla ilgili şikâyetler arttı. Görevim, bu konuyu araştırmak. Yani Osmanlı'ya gidenler ve onların, deyim yerindeyse, kaçışını sağlayanları ortaya çıkarmak..."

Vücudumu ateş bastı. Osmanlı ülkesine gitmek isteyen Marranlara yardım edenler arasında olduğumuzu biliyor mu acaba? Bu bir yoklama mı? Ziyaret değil teftiş mi?

"Ama muhterem peder, Osmanlı ülkesinde bir Hıristiyan ne yapar? Müslümanların, Hıristiyanları şişe geçirdiğini, mallarına el koyduğunu, esir pazarlarında sattığını söylüyorlar..."

Söylediklerimi inanarak söylüyor görünüyordum. Pederin de ağzımdan çıkacak her şeye dikkat ettiğinden kuşkum yoktu.

"Öyle ama... Yine de kaçanlar oluyor."

"İnanmam!"

Diogo, "Dona Gracia..." dedi. "Az da olsa Peder Fernando'nun da dediği gibi Osmanlı ülkesine kaçanlar oluyor. Benim de kulağıma geliyor. Süleyman,* zenginlikleriyle gelmeleri durumunda hangi inançtan olursa olsun, kapılarını açıyor. Neyse ki sayıları çok fazla değil ama artmaması için önlem şart. Öyle

---

* Kanuni Sultan Süleyman

değil mi peder? Saf ve iyi niyetli insanların doğuya kaçışlarının bir şekilde önüne geçilmeli."

"Öyle... Dukalık, kaçışı önlemek istiyor. Anvers'te kazanılan zenginlik, Anvers'te kalır!"

Peder, masadaki en zayıf halkayı bulmakta çok zorlanmamıştı. Bir yudum şarap daha aldıktan sonra Brianda'ya döndü:

"Siz ne düşünüyorsunuz bu konuda kızım?"

"Fikrim yok..." dedi Brianda. "Müslümanlarla yaşamak istemezdim."

Peder başını salladı. Ağzından bir şey kaçıracak diye korkmuştum. Neyse ki Brianda'nın bu konuda gerçekten bir fikri yoktu. Araya girdim:

"Hıristiyanlığın korkulu rüyası olan bir ülkeyi ve sultanı, Anvers'ten gidenlerin zengin etmesi kabul edilemez! İmparator Şarlken de bunu kabul etmeyecektir peder... Peki, bunun önüne nasıl geçilecek, söyler misiniz? Nasıl engelleyeceğiz serveti kaçırmalarını?"

"Henüz kesinleşmedi ama sanırım bundan sonra Anvers'e yerleşen herkesin kaydı alınacaktır. Sonra, teferruatlı bilgi toplanacak, pansiyon ve hanlarda kalanların bile kaydının tutulması istenecek. Bence böyle yapılmalı... Sonra, kalıcı olarak bu şehirde yaşayanlar ile geçici olarak bulunanların ayrılması şart! Geçici kalmak isteyenlere, bir aydan fazla izin verilmemeli."

"Biz de diğer yeni Hıristiyanlar gibi, müesseselerimizle bu yolda hizmet etmeye hazırız Peder Fernando..." dedim heyecana kapılmış gibi. "Öyle değil mi Diogo?"

"Elbette! Bu bizim Kilise'ye borcumuz."

Peder bu defa daha ikna olmuş bir ifadeyle aldı şarabından yudumunu.

"Kaç yıldır bu şehirdesiniz Bay Diogo?"

"Zaman zaman ayrılmakla beraber, aşağı yukarı yirmi yıldır peder. Şubemizi ağabeyim Francisco ölmeden önce açtık ama ben çok daha eskiden beri burada yaşıyorum. Elli iki yaşında olduğuma göre, otuz yaşımdan beri diyebiliriz."

"Ailenize, Anvers'e girişte yapılan mutat sorgulamadan muafiyet sağlandığını duydum..."

"İşinizi gerçekten iyi yapıyorsunuz peder! Aileme herhangi bir yabancı gibi davranılmadı. Özellikle de evleneceğim kadına, Brianda'ya... Ama ben zaten yabancı değilim, öyle değil mi? Hayat arkadaşımın da benim gibi yabancı sayılmaması gerekir."

Romantik bir sevgili gibi Brianda'ya baktı. Brianda, beklemediği bu ilgi karşısında kızardı.

"Hayatınızı neye adadığınızı sorabilir miyim?"

"Elbette peder. Her inançlı Hıristiyan neye adıyorsa, ona. İyi bir Hıristiyan olmaya... Amacım, zorda kalan, haksızlığa uğramış, baskı görmüş olanlar dahil, tüm insanların iyi şartlarda yaşaması. Bunu sağlayıncaya kadar durmayacağım. Sürekli çalışacağım."

"Heretiklerle de karşılaşıyor olmalısınız?"

Diogo çatalı bıraktı.

"Tanrı korusun peder! Öyle insanlarla aynı havayı solumak bile istemem! Emin olun, öyle biriyle karşılaşırsam, zavallı sefil ruhunu kurtarasınız diye, size hemen bildirmekten çekinmem."

Peder duyduklarından memnun bir halde başını sallıyordu. Boşalan kadehi dolduruldu. Diogo devam etti:

"Ne dersiniz peder, burada da engizisyon kurulacak mı?"

Peder sır verir gibi sesini alçalttı:

"Ne için geldim sanıyorsunuz?"

-18-

Peder gittikten sonra bir süre daha birlikte oturduk. Çalışanların bir kısmı yatmış, el ayak çekilmişti. Gecenin karanlığını seyrederek, zayıflamış birkaç mumun ışığında, açık balkon kapılarından dışarıyı seyrediyor, içkilerimizi yudumluyorduk. Sanki üzerime bir öküz oturmuş gibi ağırlaşmıştım. Nefes alıp veriyordum ama göğsüm sıkışıyor gibiydi.

Peder, bugün değilse bile yakın bir zamanda engizisyonun Anvers'te de kurulacağını söylediğinde sevinmiş gibi yapmıştım ama o anda karar vermiştim:

"Buna engel olamayacaksım, Anvers'te de kalmayacağım!"

Diogo'nun gözlerine kaçamak bir bakış atmış ve aynı anda onun da benzer şeyler düşündüğünü anlamıştım.

"Cezamızı çekiyoruz Diogo..."

Diogo düşüncelerinden sıyrılıp, sallanan sandalyesini durdurdu.

"Neyi kastediyorsun Gracia?"

Brianda sessizce dinliyor ama duyduklarından onun da memnun olmadığı belli oluyordu.

"Gerçek dinimize yaptığımız ihanetin cezasını çekiyoruz. Apostazinin,* Museviliği inkâr etmenin, kolay hayatı seçmenin cezasını... İşlediğimiz günahlar nedeniyle geliyor bu ceza başımıza. Engizisyon, bizi takip ediyor... Korkarım nereye gidersek, peşimizden gelecek!"

"Bunları düşünme Gracia! Rahip Fernando'nun elinde hiçbir bilgi yok. Sadece kırıntılar... Zaten yeteri kadar bilgisi olsa, bizi canlı canlı yaktırmak için çoktan elinden geleni ardına koymazdı. Bu akşamdan itibaren şüphesi de kalmadı sanırım... Dindar Juan ve akıl hocaları, geri dönmeyeceğimizden, Osmanlı'ya kaçmak isteyenlere yardım ettiğimizden şüpheleniyor olsalar da Peder Fernando, tersi yönde bir rapor verecektir."

Birden endişelendim. Diogo benimle birlikte hareket ediyordu. Gemilerimizin Osmanlı'ya gitmek isteyenlere yardım ettiği doğruydu. Böyle bir durumda, onu da mahvetmek için bunu kullanmaktan çekinmezlerdi. Ticari rakipleri bile onu ihbar etmek için fırsat kolluyor olmalıydı. Şu ana kadar hep beni yakalamak istediklerini düşünmüştüm ama şimdi görüyordum ki Diogo da en az benim kadar hedef.

"Ya aslında senin peşindelerse? Daha önce bir kez denediler, öyle değil mi? Ya yine seni hedef aldılarsa?"

Brianda da korkmuştu bu ihtimalden:

"Tanrım! Gerçekten mi?"

Ama Diogo rahattı:

"Hayır... Sanmıyorum. En azından şu aşamada değil. Rahip şu ya da bu şekilde Portekiz'e dönecek ve raporunu verecektir.

---

* Apostazi: Din değiştirmek.

Fakat bizim için ve tüm Marranlar için en önemli tehdit, engizisyon mahkemeleri. Bu mahkemelerin Anvers'e sızmaması için çalışmaya devam etmeliyiz."

Brianda, "Keşke Musevi olarak kalsaydık!" dedi. "Engizisyon, Musevilerle uğraşmıyor. Bizim gibi gizli Musevilerle uğraşıyor."

"Saçma sapan konuşma!" diye azarladım onu. "Biz daha doğmadan önce Portekiz'deki bütün Musevilerin zorla Hıristiyanlaştırıldığını unuttun mu?"

Sessiz kaldı.

Diogo, "Onlar daha çok Osmanlı'ya gidenlerin yolunu kesmek derdindeler şu ara" dedi. "Osmanlı'ya servetle birlikte bilgi de gidiyor. Asıl istedikleri buna bir son vermek. Madem Osmanlı yolunu kesmek için harekete geçtiler, liberal, Hıristiyan prenslerin kontrolündeki küçük şehir ve ülkeler de var. Kaçmak isteyenleri bu yerlere yönlendirebiliriz bir süre... Tedbir olarak, Fernando Anvers'ten ayrılıncaya kadar işleri durduracağım. Ortalık yatışınca yine, yeni bir hayat kurmak isteyenlere yardım edebiliriz."

Brianda, "Kendi başlarının çaresine bakamazlar mı?" diye sordu Diogo'ya.

"Kaçmaya çalışırken soyulanlar, canlarını zor kurtaranlar oluyor. Güvenilir olmayan bir gemiye binenler, asla bir limanda inemiyor! Soyulduktan sonra denize atılanlar, köle pazarlarında satılanlar, tecavüze uğrayanlar ve daha neler neler... Güvenilir olmayan bir gemiyle denize açılmak... Akıllı biri bunu denemez bile!"

"Diğerlerini de bundan haberdar etmelisin Diogo..."

"Öyle yapacağım. Ortak bir fon oluşturmak konusunda görüş birliği yapmıştık. Bu fon sayesinde zor durumda olan daha fazla Marran'a yardım edebiliriz." Sonra kıpırdandı. "Ben de artık yatsam iyi olacak. Bu arada, Jozef'le ilgili bir konudan bahsetmiştin değil mi?" Ayağa kalktı. "Hekim kardeşim, onun da ticaretle uğraşmasını istiyor. İleride aile şirketimize katılabileceğini düşündüm. Son derece kültürlü, zeki, güvenilir biri. Louvain Üniversitesi'nde eğitimini tamamlayacak. Burada çok işine yarayacak dostluklar edinecektir. Unutma ki o da senin yeğenin."

"Bence de iyi olur."

"Sen de onun iyi yetişmesi için elinden geleni yap Diogo. Tecrübelerini onunla paylaş, kendini geliştirmesine yardımcı ol. Baharat ticareti işini çok sevmiyor, para işlerini daha çok önemsiyor. Doğrudan para işleri yapılması durumunda, çok daha fazla kazanılabileceğine inanıyor. Üstelik risklerinin de daha az olduğunu söylüyor."

"Bak sen şuna! Baharatın ne olduğunu bilmiyor da ondan... Baharat olmasaydı sürekli ya tuzlanmış ya kokmuş et yemek zorunda kalırdı. Güzel kokular da olmazdı. Baharatın zenginler arasında hediye olarak alınıp verildiğini bilmiyor mu? Baharat sayesinde sevgililerin birbirlerine aşk oyunları yapabildiğini bilmiyor mu?"

"Bunları da biliyor, senin Avrupa'nın baharat kralı olduğunu da, deniz ticaretiyle zenginliğimizin çok arttığını da..."

Jozef bunları biliyordu. Ayrıca baharat dışında madenlerle, şarap ticaretiyle uğraştığımızı, borca ihtiyacı olan asilzade hatta hükümdarlara kredi bulduğumuzu da... Ailenin bir kolu olarak biz ticarete devam ederken diğer kolu hekimliğe devam etmiş, Portekiz'den ayrılıp, Osmanlı ülkesine taşınmışlardı. Jozef, bu kolun en genç üyesi olarak yeniden bizim aramıza katılmıştı.

"Eh, o halde onu baharat işinden başlatmak lazım!" dedi Diogo. "Sevmediği bir işte başarılı olursa, sevdiği işte haydi haydi başarılı olur. Dinlenmeye çekiliyorum." Bir şey unutmuş gibi döndü. "Yarın akşamki Portekiz Konsolosu Damiao de Goes'in davetini unutmadınız değil mi? Coğrafyacı ve hümanist bir adam ve Anvers'e gelenlere çok yardımcı oluyor. Daveti bu sıralarda şehirde bulunan Castel Rodrigues de Castel Branco onuruna veriyor. Ya da bizim bildiğimiz adıyla, Amatus Lusitanus onuruna."

Elbette Lusitanus'u iyi biliyordum. Salamanca, Santarem ve Lizbon üniversitelerinde okumuş, ailemizin hekimi ve yakın dostumuzdu. Lizbon'dan kaçmış ve Anvers'e gelmişti. Ancona'ya gitmek istiyordu ve yüzlerce tıbbi olayın teşhisi ve tedavisini yazmıştı şimdiden... Onun hayali de bir gün özgürce inancını yaşamak ve insanlara ücret almadan şifa dağıtmaktı. Kalan ömrünü insanları tedavi ederek ve araştırma yaparak geçirmek istiyordu.

"Unutmadık. Seninle geleceğiz" dedim.

"Evoralı Diogo Pires de şehirde bu aralar. O da davetliler arasındaymış. Gelirse Latince şiirlerinden okuyacaktır. O da gerçek adına, Isaiah Cohen'e dönmek ve Musevi olarak yaşamak istiyor. Bir de şansımız yaver giderse ressam Albert Dürer de orada olacak."

"Sana, bir sipariş verip vermeyeceğini soracak..." dedim bu sefer de.

"Dona Gracia, resim sevmediğini sürekli hatırlatıyorsun ama ben Albert'i seviyorum. Hadi size iyi geceler."

"Ben de yatıyorum..." diyen Brianda da peşinden gitti.

•

Odada yalnız kalmıştım... Portekiz'de, böyle yalnız olduğum akşamlarda balkona çıkar, nihayet serinleyen havayı yüzümde hissederek, şarkı söyleyen çalışanları dinlerdim... Burada öyle bir şansım yoktu. Balkona çıktığımda, caddeden gecenin bir yarısında bile hâlâ gelip geçen insanları görüyordum. Portekizce şarkılar, çalgıların hüzün yüklü melodileri yerine küfürlü sözler, çeşitli dillerde yüksek sesle, çevreyi rahatsız etme kaygısı taşımadan konuşanları duyuyordum. Gündüz hiç değilse caddeden gelip geçenler daha görgülü oluyor, daha dikkatli konuşuyorlardı ama geceleri ortalık arsız, çevreyi rahatsız etmekten de uluorta küfretmekten de çekinmeyen tiplere kalıyordu.

Diogo'yu düşünüyordum. Farklı şekillerde karşılaşmış olsak, muhtemelen birbirimiz için en uygun adaylar olurduk. Zenginliklerimiz denkti, dinlerimiz aynıydı, hayata bakışımız, iş yapma anlayışımız ve daha birçok özelliğimiz aynıydı. Üstelik Diogo yakışıklı, yaşına göre dinç bir adamdı. Ölen ağabeyinin dul karısıydım. Eğer Reyna olmasaydı, zaten benimle evlenmek zorunda kalırdı. Tevrat, ölen kardeşin eğer adını devam ettirecek bir çocuğu yoksa, karısının eş olarak alınmasını emrediyordu. Yoksa cemaati içinde hakaret görüp kötü duruma düşerdi.

"Gerçekçi ol Gracia! O, Brianda'yı seviyor. Marranlardan kendine uygun istediği eşi bulabilir ama Brianda'nın güzelliği onu çok önceden büyüledi. Aklı onda..."

Diogo, iş konusunda hemen her konuda bana danışıyor, fikrimi alıyor, bilgi veriyordu ama Portekiz'den geldiğimizden beri Brianda'dan gözünü ayırmıyordu.

"Onun hayatı hafife alan, gününü gün etmeyi seven yapısı cezp etmiş olmalı. Evet, benimle sohbet etmeyi seviyor ama birlikte uyumak isteyeceği kişi Brianda... Bir ortaklık daha kuracak olsa yine benimle kurar ama evlenmek isteyeceği kişi, Brianda gibi biri... Şuh ve alımlı..."

Soluk alıp verdim. Geceyi içime çekiyor gibi oldum. Hoşuma gitti. Epeydir ben de yalnızdım. Francisco öldüğünden beri...

"O da evlenme teklifini duyar duymaz uçtu zaten... Haksız da değil. Ne kadar seçeneğimiz var ki?"

Aşağıya, sokağa baktım. İrikıyım biri geçiyor, kıyafeti İspanyolları andırıyordu.

Ne kadar hoşlanırsam hoşlanayım, sıradan biriyle evlenme şansım yoktu. Brianda'nın da yok... Kendimiz gibi biriyle evlenmek zorundayız. Bir Musevi, belki Marran. Zengin, denk bir aileden ve mümkünse servetin bölünmemesi için, akrabalarımızdan biri. Mümkün olduğu kadar da yakın akraba...

Reyna geldi aklıma... Onun için de bir kısmet düşünmeliydim şimdiden. Belki daha bir bebek ama gün gelecek, genç ve güzel bir kıza dönüşecek, o zaman kısmeti olarak düşündüğümüz kişi ile benim ve teyzesinin yaptığı gibi bir evlilik yapacak.

Uzaklarda bir geminin fenerini gördüm. Olduğu yerde sallanıyor gibi geldi. Serin bir rüzgâr esip, içimi doldurdu. Göğsümün şehvetle şiştiğini hissediyordum.

"Eğer kendimi adadığım şeyler olmasa, bana emanet edilen sır olmasa, Marranların kurtulmasına, inancından dolayı acı çekenlerin yardımına koşmak zorunda olmasaydım, her şey benim için ne kadar da kolay olurdu..."

Göğsüm kabarıyor, yanımda bir erkeğin sıcaklığını, ilgisini özlediğimi fark ediyordum.

Sahip olduğum zenginlikle, kiminle istersem rahatlıkla evlenebilir, masallardaki gibi bir hayat yaşayabilirdim. Birçok kadının kendine ait bir mutfağının bile olmadığı bir şehirde, pek çok erkekten daha zenginim. Daha da zenginleşiyorum gittikçe ama olmaz!

"Olamaz..."

Kim bilir, belki Marranların sorunları da bitecekti bir gün. Özgürce, baskı ve tehdit olmadan yaşayacaklar, Musevi olduklarını saklamak zorunda kalmayacaklardı. Belki o zaman yeniden evlenmeyi düşünebilirdim.

"Kim bilir belki sıradan biriyle evlenirim. Sadece sevmem yeterli olur. Belki o zaman bana kur yaparak çevremde dolaşan erkeklerin içinden, dilediğimi seçerim..."

Biliyordum. Bunun olması geminin feneri kadar değil, gökteki yıldızlar kadar uzak. Sadece benim için değil, Reyna için de...

Aklıma Jozef geldi. Gelecekte, Reyna için iyi bir koca adayı olabilirdi. Bunu alttan alta hissediyordum. Belki de bu sebeple, onunla epey yakından ilgileniyordum. Halası olduğum gibi, kaynanası da olabilirdim bir gün...

"Ah Diogo! Keşke aynı çatı altında yaşamak zorunda kalmasaydık!"

İkinci kez, artık Anvers'te durmayacağımı hissettim.

Rahip geldi aklıma... Uğursuz bir baykuş gibi ötmüştü tüm akşam... Kendince bir şeyler gevelemiş, içtiği şarabın miktarı arttıkça daha fazla saçmalamıştı. Kayıp ruhları kurtarmak istiyordu ama kendi ruhunu kemiren bağnazlıktan bihaberdi. Kendi gibi olmayana düşman... Evimize, bizi yoklamaya gelmişti...

-19-

Aylar sonra bir gece, gürültüye açtım gözlerimi. Kapı kırılmaya çalışılıyor gibi vuruluyordu. Tüm bina adeta gümbürdüyor, sarsılıyor gibiydi. Hizmetlilerin neden koşup açmamış olduğunu merak ettim. Üst katlarda ben bile uyandığıma göre, onlar çoktan uyanmış olmalıydı.

Üzerime sabahlığımı alıp, Reyna'nın yanına koşturdum. Uyanmadan yetişmek istiyordum ama olmadı. Ağlamaya başlamıştı bile. Artık dayanamadım bastım çığlığı:

"Eeeh! Gecenin bir yarısı kim bu kahrolası? Ne demeye herkesi ayağa kaldırıyor?"

Bir yandan Reyna'yı kucağıma bastırıp susturmaya çalışıyor, diğer yandan sesleniyordum:

"Neden bu kapıya hâlâ bakılmadı? Kapıya da mı ben bakayım artık?"

Diogo ile Brianda da çoktan uyanmışlar, kapılarını açmış, şaşkın gözlerle olan biteni anlamaya çalışıyorlardı.

Aşağıdan kapının açıldığını duyduk. Hizmetçilerden biri, nihayet kapı kırılmadan uyanıp yetişebildi.

Gürültüler yerini mırıltılara bıraktı.

"Ne oluyor Diogo?"

Brianda artık belli olan göbeğini tutuyor, karnındaki bebeğe bir şey olacak diye korkuyordu.

Diogo elindeki feneri yukarı kaldırdı.

"Biz de anlamadık ki Gracia... Bir anda gümbür gümbür çalınmaya başlandı."

Merakımız uzun sürmedi. Aşağıdaki hizmetlilerden biri, merdivenleri söylene söylene çıktı. Üçümüzü bir arada görünce kendine biraz çekidüzen verip durumu anlattı:

"Bay Diogo, sizi gözaltına almak için gelmişler. Giyinip aşağıya inmenizi istiyorlar."

•

Peder Fernando'nun ziyareti, elimi çabuk tutma konusunda benim için ciddi bir uyarı olmuştu.

"Mademki bu şehirde de uzun süre oturamayacağız, bari düğünü aradan çıkaralım..."

Hazırlıkları uzun zamandır devam eden bir düğünü yapmak zor olmadı. Diogo ve Brianda'nın kilisede kıyılan nikâhı oldukça kalabalıktı. Hem iş çevresinden hem de aile dostlarımızdan nikâha gelenler yanında, Portekiz'den beri tanıdığımız Marranların çoğu da kilisede toplandı.

Brianda sevinçten uçuyor, ayakları yerden kesilmiş bir vaziyette dolaşıyordu. Sonunda sevdiği adamın karısı olma zamanı gelmişti.

Etraflarında bulunuyor, çalışanlara sürekli talimatlar veriyor, bir yandan Reyna'yı da ihmal etmeden, hiçbir şey eksik kalmasın istiyordum. Annelerimiz ve babalarımız başımızda olmadığından, düğünde evin büyüğü olarak her şey kontrolümdeydi. Hem kardeşimin düğünü olduğu için mutluydum hem Diogo'nun düğünü olduğu için buruk. Bir yanım artık Brianda söylenmeyi bırakacağı için rahat, bir yanım aynı çatı altında Diogo ile Brianda birlikte olacağı için rahatsız...

Evde yine gizli bir nikâh yapmayı ve Musevi âdetlerine uygun bir evlilik olmasını sağlamayı ihmal etmedik.

Birkaç ay sonra ise Brianda bir sabah bize müjdeyi verdi:

"Ailemize yeni bir üye geliyor. Hamileyim!"

Sevinçten uçtum. Kendi kızım kadar sevebileceğim yeni bir Mendes... Yüzündeki tebessümden, Diogo'nun durumu benden önce öğrendiğine ve çok mutlu olduğuna emin oldum.

"Brianda, olamaz! Ben, mutluluktan ağlayabilirim..."

Kardeşim benden önce ağlamaya başlamıştı bile. Dayanamayıp ona katıldım.

Diogo, "Bu kadar mı üzüldünüz?" diye takıldı.

Erkekler işte... Asla bir kadının niye gözyaşı döktüğünü anlayamazlar. Sadece anladıklarını sanırlar...

Brianda'nın elini tuttum.

"Öyle mutlu... öyle mutluyum ki!"

Uzun zaman sonra, içimizi mutlulukla dolduran ilk haber buydu.

•

Ciddi mi diye baktım. Uykuluydu, ayakta uyur gibi ama gayet ciddiydi.

Brianda çığlık attı:

"Ah Tanrım!"

"Ne diyorsun sen?" dedim.

Reyna yeniden ağlamaya başladı. Kucağıma bastırıp sırtını tıpışladım.

Diogo sakindi:

"Sebep söylediler mi?"

"Hayır efendim."

"Peki. Söyle onlara, giyinip iniyorum. Sessiz olsunlar. Sevgili karımın hamile olduğunu ve onu daha fazla rahatsız etmemelerini de söyle!"

Benim ve Brianda'nın şaşkın bakışlarına aldırmadan odaya döndü. Giyinip hazırlanmaya başladı.

Brianda ağlıyordu:

"Diogo, seni neden gözaltına alıyorlar? Nereden çıktı şimdi bu? Ne zaman geri döneceksin?"

Diogo çabucak hazırlandı.

"Bilmiyorum aşkım. Ama anlayacağız... Uşaklardan birini gönderip, avukatımı haberdar edersiniz. Endişelenme ve yavrumuza iyi bak."

Brianda'nın karnını şefkatle okşadı. Yakında çocuk sahibi olacaklardı. Bu, hiç beklenmeyen bir gözaltıydı.

•

Sabah ilk işim, Diogo'nun tutulduğu karakola gitmek oldu. Hemen amiri görmek istediğimi söyledim. Üst makamlarla dostluğumuzu bildiklerinden, fazla bekletmeden yanına aldılar.

Van Der Giel isimli yüzbaşıyı tanıyordum. Daha önce karşılaşmalarımız, ayaküstü sohbetlerimiz olmuştu.

"Komutan, saygın bir işadamını neden gözaltına alabildiğinizi sorabilir miyim?" dedim güceniklik ile öfke arası bir sesle. "Hem de gece yarısı! Hem de hamile eşini hiç düşünmeden!"

Ben oturuncaya kadar ayakta bekledi. Saygısını göstermeyi ihmal etmiyordu.

"Lütfen buyurmaz mısınız? Sakin olun. Oturun, anlatayım..."

Gösterdiği koltuğa geçip oturdum. O da yerine oturunca yeniden söylenmeye başladım:

"Bugünleri de görecekmişiz meğer! Bizi bir adi suçlu gibi gece yarısı tutuklamaya geldiniz! Kapımızı kırmaya kalktınız!"

"Öncelikle askerlerimin kabalığı için özür dilerim. Ancak gözaltı kararını biz değil, savcı verdi. Bilirsiniz ki biz de emir altında çalışıyoruz."

"Savcı hangi suçlamada bulunuyor acaba?"

Bu soruya yanıt beklemiyordum. Diogo'nun suç işlemeyeceğini herkes bilirdi. Zaten bunu alay etmek için sormuştum.

Bir süre sessiz kaldı. Sonra müşkül bir durumu anlatmak ister gibi konuştu:

"Bay Diogo, 'Musevi âdetlerini devam ettirmekle' suçlanıyor."

Başımdan aşağı kaynar sular dökülür gibi oldu. Ağzım şaşkınlıktan açık kaldı.

"Sizi de şaşırttığını görüyorum Bayan Mendes ama durum böyle."

"Ben... ben... ben ne diyeceğimi bilemiyorum!"

Şaşkınlığım, atılan iftiradan çok, bunun sorun olması, gözaltı sebebi sayılmasınaydı. Anvers'te, engizisyondan uzakta, özgür sayılabilecek bir şehirde bu tutuklama, tuhaftı.

"Onu hemen bırakmalısınız!" dedim isyan ederek. "Bizim Hıristiyan olduğumuzu herkes biliyor. Kiliseye gidiyor, yüklü bağışlarda bulunuyoruz. İyi bir Hıristiyan'ın ne yapması gerekiyorsa hepsini yerine getiriyoruz. Bu iddia saçmalık!"

"Buna mahkeme karar verecek ancak savcının suçlamaları ciddi. Pazar günleri kiliseye gitmediğiniz, domuz yemediğiniz hatta yurtdışına kaçmak isteyen Marranlara yardım ettiğiniz hatta..."

Devam etmedi.

"Saçma! Pazarları kiliseye gidiyoruz. Gidemediğimiz zamanlarda da kendi evimizde küçük bir şapelimiz var. Orada da olsa Tanrı'ya duamızı yapıyoruz. Domuz ya da başka bir şey, sürekli soframızda bulunur. Bunu misafir olanlar da biliyor..."

"O halde endişelenecek bir şey yok. Misafirleriniz size şahitlik edecektir."

Gülümsemişti. Küçümseyen, adeta "Yalan söylediğini biliyorum..." diyen bir gülümseme. Alay eder gibi.

Sinirlendim. Elimde olsa her şeyi kırıp dökerdim ama bunun Diogo'ya faydası olmayacağı gibi, belki benim de parmaklıklar ardına atılmama neden olurdu.

"Hepsi buysa sorun yok..." dedim sakin görünmeye çalışarak.

"Daha ağır bir suçlama da var ama... Bilmem ki..."

"Tanrı aşkına! Bundan daha ağır ne olabilir?"

"Bay Diogo'nun Türklerle işbirliği yaptığı da iddia ediliyor."

"Bu kadarı da fazla!" dedim ayağa kalkarak. "Hemen Diogo ile görüşmek istiyorum. Buraya avukatlarımızı yığmadan önce şu saçmalığa bir son verin! Yoksa hemen gidip dük hazretlerinin kapısını çalacağım!"

Avukatımız Papen çoktan gelmiş, aslında dışarıda Jozef'le bekliyordu. İyi bir avukattı. Ondan, beş dakika yalnız görüşme için izin istemiştim.

"Tamam. Sizi görüştüreceğim ama kısa olsun lütfen."

Yanıma verilen askerle birlikte Diogo'nun tutulduğu nezarethaneye doğru ilerlerken, Brianda'yı düşünüyordum. Sabah onun da benimle gelmesini söylemiş ama ummadığım bir cevap almıştım:

"Çok uykum var. Sen git ve dönünce bana durumu anlat..."

Ben bütün gece ayaktayken, gözüme uyku girmezken, yatıp uyumuştu. Diogo şimdi onu soracaktı ve ne diyeceğimi bilmiyordum.

Nezarethanenin kalın, paslı demirleri vardı. Nem yüzünden yer yer çürüyen demirden kahverengi pullar dökülüyordu.

Diogo da uyumamış olmalı. Beni görür görmez hemen parmaklıklara yanaştı. Görevli asker biraz geri çekildi.

"Gracia!"

"Diogo! Geceyi nasıl geçirdin? Burada mı tuttular seni? Kötü davrandılar mı?"

"Hayır hayır... İyiyim. Buraya getirip bıraktılar. Daha ifadem bile alınmadı. Brianda nerede? Neden gelmedi? İyi mi?"

Aklım hızlı çalıştı:

"Bebeği düşünerek gelmesini istemedim. Zaten perişan oldu. Bir de buraya gelip, iyice üzülmesi, bebeğe zarar verir diye düşündüm. Zar zor uyudu gece. Aklı sende."

"Zavallı küçük sevgilim..." dedi üzüntüyle. "Kendimden çok onları düşünüyorum. Doğrusunu yapmışsın."

"Diogo, nedir bu durum? Neden senin gizli Musevi olduğunu, kaçaklara yardım ettiğini düşünüyorlar?"

"Saçmalık! Elbette bunlar doğru değil. Ticari rakiplerimden birinin iftirasıdır. Kısa sürede gerçek ortaya çıkacaktır."

"Avukatlarımızdan Bay Papen burada. Diğerleri de hemen çalışmaya başladı. İzin verirlerse seninle de görüşecek. Seni çıkarmak için elimizden ne gelirse yapacağız."

"Teşekkür ederim Gracia."

"Kutsal Roma-Cermen imparatorundan aldığımız serbest dolaşım belgesini buldurdum. Gece, sizin arkanızdan Jozef'le buraya gelmek istedik. Ama bu saate kaldı. Papen konuyla ilgileniyor. Hemen çıkarılmanı talep edecek. Kabul edeceklerdir."

Diogo parmaklıklara biraz daha yaklaştı. Anlamıştım, özel konuşmak istiyordu.

"Bu tevkif bizim için öneli bir mesaj Gracia. Önce Rahip Fernando'nun ziyareti, sonra bizi izlettirmeler, takipler derken, şimdi bu tutuklama. Sırada ne var Rabbim bilir..."

Yanımızdaki görevliye aldırmıyordum artık. Ben de içimden geçeni söyledim:

"Artık Anvers eski, güvenli şehir değil. Bunu görmemiz için belki de iyi bir fırsat oldu Diogo. Kötü niyetli birileri bizi hedef alıyor. Başımıza bir felaket gelmesinden korkuyorum."

Kötü niyetlilerin kim olduğunu ikimiz de biliyorduk...

•

Papen ile Jozef, Diogo'yu çıkartmak için uğraşırlarken, ben de onlarla birlikte bekledim. Aklımda hep aynı şey vardı:

Anvers, biz Marranlar için bir daha eskisi gibi güvenli olacak mı?

Olayın esasını öğrenmemiz uzun sürmedi. Diogo, varoluş gayemize uygun olarak dindaşlarımıza ve Marranlara yardım etmekten çekinmiyordu. İhtiyatlı davranıyordu ama bazen elde olmayan şeyler de başımıza gelebiliyordu. Şimdiki durum bunun bir örneğiydi. Portekiz'de kraliyet hekimi olan kocasından çok eziyet gören Marran bir kadın kaçmış, üç oğlu ve iki kızıyla Anvers'e, Diogo'nun yanına gelip, kocasının erişemeyeceği bir yere gidebilmek için yardım istemişti. Diogo onları Selanik'te güvende olacaklarını öğütleyip, bu şehre gitmelerine aracılık etmişti. Aile sağ salim Selanik'e varıp, huzurlu şekilde hayatlarına devam etti.

Babasını bulma ve tanıma ihtiyacıyla yanıp tutuşan, ailenin genç erkeklerinden biri, on yıl sonra kalkıp gelmiş, Portekiz'e dönerken, Anvers civarında arayışlarını sürdürmeye başlamış, yardımcı olabileceğini düşündüğü herkesin kapısını çalmıştı. Hüzünlü hikâyesini anlattığı kişilerden biri, Diogo'nun bu aileye yardımcı olurken çeşitli suçlar işlediğini anlayıp, çocuğu ondan nefret eden rakibine götürmüştü.

"Demek, Diogo size iyilik yapıp, Osmanlı'ya kaçmanıza yardım etti. Ne hayırsever, ne yüce bir davranış! Babanı bulmakta elbette yardımcı olurum. Ancak sen de bana yardımcı olmalısın..."

Diogo'nun aileyi kaçırması, Musevi yandaşı olarak faaliyetleri, servet transfer yöntemleri ve Osmanlı'daki dostlarıyla yakın ilişkileri hakkında, imparatorun yetkili makamlarına hikâyesini anlatması için onu Brabant düküne götürmüştü. Sonrasında alınan yazılı ifadesi ve Diogo'nun bitirilmesi için her şey tamam!

Bu bilgiler Şarlken'e sunulunca Kutsal Roma-Cermen İmparatorluğu'nun düşmanları Osmanlı'ya göçe yardım ederek kanunları çiğneyen Diogo ve yandaşlarının tutuklanması, mallarına el konulması talimatı verildi.

•

Şehrin en büyük işadamlarından birinin tutuklanması, tüm Anvers'te günün konusuydu. Bunun iş hayatına etkilerinin ne olacağı tartışılıyor, tanıyanlardan kimileri yardımcı olmak için haber gönderiyor, kimilerinin ise bize zarar vermek için sıraya girdiğini duyuyorduk.

Diogo'yu geçici de olsa serbest bıraktırabildik ama Brianda'ya daha durumu tam anlatamadan yeniden gözaltına alındı.

"Şarlken hızlı davranıyor!"

Birkaç gün geçmeden kapımız yeniden çalındı ve Diogo bir kere daha alınıp götürüldü. Şarlken, durumun vahametini bahane etmiş ve din kisvesi altında tutuklanamayacağımıza dair verdiği belgeyi iptal etmişti...

Yine kendimi gözleri bağlı hissediyordum. Karanlığın içinde kalmıştım ve darbenin hangi yönden geleceği belli değildi. Kötülüğün hangi köşeden çıkacağını, hangi aradan saldırıya geçeceğini, nereden saldırıya uğrayacağımı bilemiyor, kendimi her yönden gelebilecek darbelere karşı korunaksız hissediyordum.

Suçlamaları bu defa savcıdan dinledim:

"Bayan Gracia, Bay Mendes hakkında üç suçlama var: Musevi duyarlılığı ve bu dinle yakın ilişkisini devam ettirmek, biber ticaretinde tekel oluşturmak ve fahiş faiz oranlarıyla borç vermek..."

-20-

Artık dokunulmazlık belgemiz yoktu. Şarlken'in mührü bulunan tirşe, yine kendisi tarafından geçersiz hale getirilmişti. Savunmamız daha zor olacaktı ama Papen ve Jozef, yanlarına diğer avukatlarımızı da alarak çalışmaya başladılar. Şarlken, davanın kendisine doğrudan bağlı Brüksel'deki Brabant Mahkemeleri'nde görülmesini istedi. İlk olarak buna itiraz ettik. Bu sivil bir mahkemeydi ve dini konularda yetkisi bulunmuyordu. Davanın dini açıdan görüleceği mahkeme Anvers'teydi. Anvers'e gelen bütün Marranlar ve yabancı işadamlarına verilen taahhütler vardı, "heretiklik" suçundan yargılanmamamız gerekirdi.

Davanın toptan düşmesini talep ettik...

Biber tekeli olduğumuz doğruydu ama yapılan tüm faaliyetler, Portekiz kralı ve diğer ilgili ülke yöneticilerinin bilgileri dahilinde, onlardan alınmış imtiyazlarla oluşturulmuştu. Onlardan gelen yüklü para taleplerini karşılamak için şirket birlikleri kurulmuş, fonlar oluşturulmuştu. Uzun süredir, herkesin gözü önünde yapılan bu faaliyetlere bugüne kadar itiraz edilmemiş olması, kabul gördüğü anlamına geldiğinden, bu suçla ilgili yargılamanın tamamen maksatlı olduğunu savunduk.

Yüksek faizle para verme iddiasını çürütmek de kolaydı. Piyasa faiz oranları, bütün Anvers bankerlerinin icraatıyla oluşuyordu ve piyasadakilerden daha yüksek faizimiz yoktu.

Ya bütün borç verenler tutuklanır ya da Diogo Mendes bununla suçlanamaz!

Gerçeği biliyordum. Sorun hukuki değil politikti. Şarlken'in istekleri doğrultusunda bir yargılama yapılıyor, onun istekleri doğrultusunda karar verilmeye çalışılıyor!

Jozef'le birlikte, bu düelloyu iyi yönetmemiz şarttı. İşimizi sadece yargının vereceği karara bırakamazdık.

İngiltere Kralı Henry, Şarlken'in kız kardeşi olan Macaristan Kraliçesi Mary, ayrıca Anvers'in ileri gelenleri girişimde bulundu. Şarlken'i ikna edemediler.

•

Diogo'yu tutulduğu hücrede ziyaret ettim. Yanımda Papen ve Jozef... Diogo, bütün iyi bakılması girişimlerimize rağmen zayıflamış, rengi solmuştu. Gözlerinin altındaki mor halkalar, uzamış saç ve sakalıyla perişan görünüyordu.

"Ben iyiyim..." dedi bizi rahatlatmak için. "Şu an nasıl göründüğüme değil, buradan çıkabilmeme yoğunlaşın."

Papen, "Savunmamız gayet sağlam. Eğer hukuki bir karar verilecek olursa, zaten sorun kalmayacaktır" diye karşılık verdi.

Jozef sadece dinliyordu. Bense günlerdir belge incelemekten, görüşmeler yapmaktan yorgun ama artık iyimserdim.

"Bu davanın yargıcı Şarlken!" dedim.

Diogo, "İşte bu nedenle işi daha sıkı tutmalısınız" dedi.

Aklımdakini söylemenin zamanı gelmişti:

"Diogo, defterleri incelerken Fuggerlerle yaptığın anlaşmaları buldum. İki yüz bin dukat borç alındığı görülüyor."

"Evet."

"Sonra bunları kredi olarak vermişsin..."

"Şarlken'e."

"Heretiklik suçlamasıyla Marranların servetlerine el koymak istiyor! Peki, istediği servete el koyamayacağı gibi, maddi zarara uğrayacağını anlarsa ne olur?"

Diogo, gözlerime merakla baktı. İçten gelen bir gülümsemeyle konuştu:

"Gracia! Çözümü bulmuşsun!"

-21-

Diogo hapishanede üç ay tutuldu. Ona iyi bakılması için elimizden geleni ardımıza koymadık. Ama hapiste geçirdiği günler yine de feciydi ve artık ikna olmuştu. Çıkar çıkmaz, Brianda'dan önce bana fısıldadı:

"Anvers'i terk ediyoruz..."

Korku altında, huzursuz bir yaşamın, muhteşem bir sarayda olsa dahi değeri yoktu.

Brianda, bir eli karnının üstünde, diğer kolu kocasının boynunda, sevinç gözyaşları döküyordu.

"Bitti artık!" dedi Diogo. "Kendini üzme sevgili karıcığım. Çocuğumuzla birlikte mutlu olacak ve bir daha bunları yaşamayacağız. Hemen bugün girişimlere başlayacağım bunu sağlamak için."

Gözlerini kurulayan Brianda, "Öyle mi? Ne yapacaksın peki?" diye sordu.

"Biraz bekle bakalım. Önce tıraş olmak ve yıkanmak istiyorum. Ondan sonra uzun uzun konuşuruz."

"Tamam. Banyoyu hazırlamalarını söylemiştim zaten. Güzelce yıkan ve gelip benim kucağımda dinlen."

Diogo bitkin, banyo yapmak için çıktı odadan. Uyardım:

"Brianda, önce karnındaki çocuk sonra da kocanı düşün! Gözyaşı akıtmaya bir son ver ve evin içinde mutluluk olsun artık. Zaten zehir gibi bir üç ay geçirdik. Bir de bunun üzerine düşük, erken doğum istemiyorum!"

Brianda kendini toparlamaya çalıştı.

"Tamam ama elimde değil Gracia! Kendimi tutamıyorum. Hamilelik beni daha sulugöz yaptı."

"Otur şöyle. Fazla ayakta durma."

Oturdu. Ancak ondan sonra aklı başına gelip sorabildi:

"Peki, nasıl kurtardınız onu? Nasıl? Anlatsana..."

Derin bir soluk alıp verdim. Nasıl olsa Diogo'nun hemen çıkacağını sanarak, yatıp uyuduğu sabah geldi aklıma. Yine de Diogo'nun karısıydı, hak etmese de anlatmalıydım:

"Diogo, Fuggerlerden yüklü miktarda borç almış ve bunları imparatora kredi olarak vermiş. Diogo hapisteyken Fuggerlere borcunu ödeyemeyecekti. Oysa imparatorun, Fuggerlerden alacağı var. Fuggerler bizden paralarını alamayınca, imparatora borçlarını ödeyemeyeceklerdi. Sistemi bozmak imparatorun işine gelmedi. Aynı zamanda üzerindeki politik baskı da yoğunlaştı. Para akışını kırmak yerine alabileceği kadarını almakla yetinmesinin daha akılcı olacağını fark etti. Yapacağı en akıllıca işin, Diogo'yu serbest bırakmak olduğuna ancak ondan sonra ikna oldu."

Brianda anlamadı:

"İyice kafam karıştı."

"Brianda, ticaretin temel kuralı bu: Para dönüşümde kalmalı. Piyasada para yoksa, ticaret durur!"

Öyle boş boş bakıyordu hâlâ.

"İşleri bana bırak ve kocana kavuştuğun için mutlu ol yeter..."

•

Rabbim bana büyük bir lütufta bulunmuş, beni Mendes ailesinin bir üyesi olarak dünyaya göndermiş. Ben ki en seçkin hekimlerin, diplomatların, tüccarların ve daha nice büyük insanların bulunduğu bir ailede doğdum. Ben ki birçok insanın hayalini kuramadığı zenginliklere sahip oldum. Ben ki diğer kadınların hayal edemeyeceği bir şekilde kendi servetimi yönetme şansını elde ettim. Çevremde her zaman hizmetimi gören insanlar oldu, sohbet etmek istediğimde beyler, hanımlar hatta devleti yönetenleri buldum.

Ama bir de lanet vermiş olmalı bana Rabbim: Sevdiğim her erkek ölüyor...

Ben kimi sevsem ölecek mi? Hangi erkeği önemsersem kader ondan ayıracak mı?

Önce Francisco şimdi Diogo...

-22-

Diogo hapisten kurtuldu kurtulmasına ama ne çare? Parmaklıklar ardında kaldığı dönemde iyi mi bakılmadı, yoksa üzüntüden mi oldu bilmiyorum. Hapishaneden çıktıktan ve yeniden işlerin başına geçtikten sonra hastalandı. Belki içeride hastalanmıştı da orada güçlü durması gerektiği için belli etmemişti...

"Ben artık vasiyetimi hazırlamalıyım..." dedi üzüntüsünü saklayamayan bir sesle.

Bu cümleyi daha önce de duymuştum! Francisco'dan...

Kalbime ağır bir şey düştü, parça parça etti... O an üzüntüden düşüp bayılmadıysam, zaten hasta olan Diogo'yu, yeni doğmuş bebeği ile Brianda'yı da daha fazla üzmemek içindir.

Diogo'nun hapisten kurtulmasından iki ay kadar sonra ailemizin yeni üyesi gelmiş, kardeşim ve Diogo beni onurlandırıp, ona "Gracia" adını vermişlerdi. Ama iki Gracia fazla olacağından, ona "La Chica"* diyorduk. Onun sevinci bile Diogo'nun sağlığının kötüye gitmesini durduramadı.

---

* İspanyolca kız. Kız çocuğu anlamında.

Dudaklarım titriyordu konuşurken:

"Elbette ama acele etme Diogo!" dedim. "Daha iyileşeceksin, uzun süre yaşayacaksın, işlerimize sahip çıkacaksın. Beraberce daha çok iş yapacağız. Marranların hepsini kurtaracağımız o güne kadar yaşayacaksın sen..."

Gülümsedi. Acılı, yüzünü çarpılmış gösteren bir gülümseme... İnanmıyordu ve ben de inanmıyordum.

"Tedbirli olmak iyidir Gracia... Bugün özgürüm ama Şarlken'de bu açlık oldukça, bize huzur haram! Şarlken olmazsa başka biri olur ama her zaman elimizdeki serveti isteyen birileri çıkacaktır. Güvende oluncaya kadar, tedbirli olmakta fayda var."

İçimden ona neler neler söylemek geliyordu ama tuttum kendimi. Artık ne söylesem boş... Bundan sonra bana dünya daha karanlık, daha az çekici. Üstüme aldığım onca görev olmasa, peşinden gitmeyi de isterdim.

Kapı çalındı. Uşak, Diogo'nun beklediği kişinin geldiğini söyledi.

"İçeri al..." dedi gözlerime bakarken.

Elbette biliyordu... İçimden geçenleri biliyor, hiç değilse hissediyordu. Ama o bir tercih yapmış, eğlenceli, şık, güzel Brianda'yı seçmişti...

İçeriye noter girdi.

Diogo'nun bedeni hastaydı belki ama kafası gayet iyi çalışıyordu. Yazdıracaklarının hepsini etraflıca düşünmüş olmalı. Servetinin kontrolünü büyük oranda bana bırakıyor, Brianda'yı da neredeyse benim vesayetime veriyordu. Detaylı şekillerde çeşitli ülkelerdeki şirketlerin dökümünü yaptırmış, hem ticari hem dini açıdan açık bırakmamak için epeyce düşünmüş olmalı. Engizisyonun nasıl kangren gibi yayıldığını görüyor, müessesemizi korumak için hukuki altyapıyı iyi hazırlıyordu. Bu hazırlıkta sadece ailemizin geleceği değil, bütün Marranların kurtarılmasına ilişkin bir kaygı da vardı.

Avukatın hazırladığı vasiyetnameye balmumunu döküp, mührü bastı.

"Artık vasiyetname de tamam..."

Avukat çıkınca, "Anvers dışındaki yatırımların kontrolü sende olacak Gracia..." dedi yorgun bir sesle. "Hastalık, tutukluluk veya ölüm nedeniyle ben görevimi yapamayacak olursam, Agostino Enrique yerimi alacak. Agostino, benimle aynı zamanda din değiştirmek zorunda kalmıştı Portekiz'de. Gururla taşıdığı Benveniste soyadını terk etmişti. Ön planda o olur ama servet, evli olmadığın için yine senin kontrolün altında olacak. Brianda, evlendiğimizde getirdiği drahomasından sorumlu olsun yeterli. La Chica, küçük kızımız senin ve güvendiğim iki kişinin vesayetinde olacak. Brianda'nın ihtiyaç duyacağı meblağlar olursa, temin edilmesi konusunda yine senin mutabakatın aranacak."

"Brianda gücenecek sana..."

"Biliyorum. Hayal kırıklığı yaşayacaktır ama ne aile servetini ne de kızımızın vesayetini ona bırakabilirim. Para yönetimi konusunda ona güvenemeyeceğimi düşününce teslim edecektir."

Yaklaştı ve elimi tuttu. Hareketleri de ağırlaşmıştı iyice. Daha önce de elimi çok tutmuştu ama ilk defa tutuyor gibi heyecanlandım. Titrediğimi anlamasın diye dua ettim.

"Gracia, Marranların ve Musevilerin ıstıraplarını azaltmak, güvenli ortamlara nakledilmeleri gibi konularda Brianda'ya güvenemeyeceğimizi sen de biliyorsun. Hayır, bunu istemeyeceğinden değil, yapamayacağını biliyoruz. Brianda takmak takıştırmak, sürüp sürüştürmek ister. Mücevherlerini takıp takıştırıp gösteriş yapmak ister. Şık elbiselerle, zenginlerin balo salonlarında mücevherlerini sergilerken, inancından ötürü işkence edilen, karnı deşilip tırnakları sökülen Marranları düşünmesini beklemek zor. Ama biz ikimiz bunu biliyoruz değil mi? Ben onu mutlu etmeye çalıştım Gracia... Bir eş ve anne olarak mutlu olsun istedim ve elimden geleni de yaptım. Ama iş, başka bir şey..."

Onu duymuyordum. Kalbim, yerinden çıkacak kadar hızlı çarpıyordu. Biraz daha elimi tutmaya devam etseydi, yığılıp kalacaktım.

Çalınan kapı imdadıma yetişti.

"Girin!"

İçeri giren adamı tanımıyordum. Bizim gibi giyinmiş, bizim dilimizde konuşuyordu. Aslında, gayet sıradan olmaya çalışmıştı ama bir farklılık vardı. Ancak dikkatli gözlerin görebileceği bir fark... Tedirgin oldum.

"Gel Teo..."

Bana baktı. Oturduğum yerde kalsam mı, yoksa çıkıp gitsem mi bilemedim.

"Dona Gracia, bu beyefendi Teo... Aslında, onun bin tane adı vardır. Burada başka, Venedik'te başka, Osmanlı'da başka... Ama biz ona kendi aramızda 'Sansar' diyoruz. Çünkü bir sansar gibi, tuttu mu bırakmaz... Ona verdiğin işi sonuna kadar kovalayacağından emin olabilirsin!"

Adam saygıyla bir baş selamı verdi.

Diogo sesini biraz daha alçalttı:

"Teo'yla tanışmanı istedim Gracia. Bugünlerde kendisi bir

kürk tüccarı olarak Anvers'te bulunuyor. Zaman zaman yüklü gemilerle -ki tahmin edeceğin üzere bunlar aslında bizim gemilerimiz- Anvers'e gelir. Kendisiyle ticaret yaparız. Osmanlı'ya kaçırılması gereken kimi Marranları ve Musevileri olduğu gibi, Osmanlı sarayına göndermek istediğimiz bilgileri de yine ona emanet ederiz. İstanbul'da onu Tahir Ağa diye bilirler."

Adam yine başını salladı. Duyduklarıma inanmakta zorlanıyordum.

"Gracia, artık bilmende bir mahzur yok. Ne yazık ki dünya üzerinde özgür yaşayabildiğimiz tek yer orası: Osmanlı... İstanbul'la ilişkilerimiz her zaman iyi oldu. Teo da oraya Portekiz'den kaçan ailelerden birinin üyesi. Akrabamız sayılır. Elbette bu gizli bir bilgi! Osmanlı, denizcilikte çok ileri olan Portekiz'in gemi yapım tekniğinden, İngiltere'de çizilen haritalara kadar her türlü bilgiyi istiyor. Anvers'in göbeğinde kim kiminle aynı kaptan yiyor, hepsini bilmek istiyor. Bu konuda bizim müessesemizden de epeyce yardım görüyor..."

Duyduklarımı hazmetmem için biraz bekledi. Bazı tahminlerim vardı ama işbirliğinin bu denlisini beklemiyordum. Şaşkındım.

"Gracia, Osmanlı sarayıyla ilişkilerimizi iyi tutmaya devam edeceksiniz. Osmanlı, bizim Avrupa'da hayatta kalabilmemizin garantisidir. Teo ve tanıştıracağım diğer başka bağlantılarla sizin de ilişkileriniz sürecek ve İstanbul'la aramızdaki köprü kopmayacak."

Heyecandan titriyordum. Duyduklarımı nasıl, ne şekilde hazmedeceğimi bile bilemezken, kalbim artık göğüskafesimden fırlayacak gibi çarpıyordu. Bir bardak su doldurdum kendime.

Diogo artık ayakta duramıyordu. Oturdu. Teo ise hâlâ ayakta, saygılı bir şekilde bekliyordu. Dönüp sordum:

"Söyler misiniz beyefendi, gerçekten Osmanlı ülkesinde Museviler özgürce inançlarını yaşayabiliyorlar mı? Siz gözlerinizle gördünüz mü?"

Teo ilk defa konuşuyordu:

"Ellerini kollarını sallayarak, sokaklarda rahatça dolaşıyor, inançlarını açıkça ortada bir şekilde yaşayabiliyorlar. Vergilerini ödemeleri kaydıyla, Müslümanlarla aynı haklara sahip oluyor, kimseden bir zarar görmüyorlar."

"Rüya gibi!"

"Size yemin ederim."

"Duyuyorum. Hepsini sürekli duyuyorum ama inanmak zor."

"Hiç şüpheniz olmasın!"

Diogo daha yorgun bir sesle, "Gracia..."dedi. "Osmanlı bugün Musevilerin rahatça yaşayabildiği ender ülkelerden biri. Ağabeyim Francisco gibi benim de ilişkilerim İstanbul'la hep iyi oldu. Bütün bu çalışmalar, bütün bu eziyetlere katlanmalar, bunca acı, gözyaşı, hepsi dindaşlarımız Osmanlı gibi ülkelere gidip, özgürce yaşayabilsinler diye..."

"Anlıyorum Diogo, anlıyorum. Ancak bu kadarı, benim için bile çok fazla..."

Diogo, adama oturmasını işaret etti. Sonra ağır hareketlerle, yanından hiç ayırmadığı bir anahtarla, masasının ilk bakışta görülmeyen bir kapağını açtı. İçinden çıkardığı evrakı masanın üstüne koydu.

"Bunları İstanbul'a ulaştıracaksın... Nasi, nasıl değerlendireceğini bilir."

Teo başını salladı.

"Bir sonraki gelişinde, eğer ben olmazsam..."
"Böyle söyleme!" dedim.
Aldırmadı.
"Eğer ben olmazsam, Dona Gracia ya da Agostino Enrique ile bağlantı kuracaksın. Zaten tüccar olarak bizlerle görüşüyorsun ve görüşmeye, iş yapmaya devam edeceksin. Benden önce ulaşacağın Venedik'te, Mendes Müessesesi'ne bir haber iletmeni istiyorum. Yakında oraya bir seyahatim olacak. Anvers bizim için gittikçe daha yaşanmaz oldu. Ailemizi ve işimizi Venedik'e taşıyacağız. Hazırlıklara başlasınlar..."

-23-

Papaz, Diogo'ya son görevini yapmaya gelmiş, İsa'nın ıstırabı ve ölümüyle ilgili bölümleri okuyordu. Diogo'nun günlerdir çıkamadığı yatağında, artık son nefesini vermeye hazırlandığını görüyor, başından hiç ayrılmıyordum. Brianda da çoğunlukla yanımızda, bir koltuğa oturmuş, gözyaşı döküyor, arada bir La Chica'ya bakmak için çıkıyor, sonra geri dönüyordu.

Papaz durmaksızın ona Yeni Ahit'ten satırlar okurken, Diogo'nun dudaklarının kıpırdandığını görüyordum. Papazın bunu anlamasına imkân yoktu ama ben anlıyordum. "Şema" duasını zikrediyordu. Papazı duymadığını, duymak istemediğini biliyordum. Ruhun ölümsüzlüğünde saflığını muhafaza etme çabası olarak, Musevi dinine kalben bağlılığını son bir defa daha haykırıyordu.

Papaz biraz zeki, biraz dikkatli olsa durumu fark edebilirdi. Ama hayatını ailemize ve dindaşlarına adayan Diogo, artık Rabb'ine kavuşmak üzereyken, ihtiyatı elden bırakmış, hiç değilse hayattayken yaşamadığı inancını, son nefesinde kana kana yaşamak ister gibiydi.

İki damla yaş gözlerimden süzüldü. İçimden dua ettim: "Rabbim, apostazi günahını, zorunlu kalıp işleyen biz kullarını bağışla! Zorunluluktan işlediğimiz bu günahla bütün hayatı boyunca vicdan azabı çeken bizleri bağışla! Son nefesinde seni anan Diogo'yu bağışla ve cennetine al! Ben onun tüm hayatı boyunca Musevi olarak yaşamak istediğine, hep bunun için çalıştığına şahidim. Zorunluluktan din değiştirmiş görünen bu kulunu yalnız bırakma!"

Sonra Diogo'ya seslendim. Yalnızca onun ve benim duyabileceğim bir içsesle, "Diogo, eğer elinde olsa bu günahı hiç işlemezdin, biliyorum..." dedim. "Ve eğer din değiştirmeyi reddederek şehit olan, ateşlerde yakılmayı, kollarının bacaklarının koparılmasını seve seve göze alanlar gibi yapmadıysan, bunun sebebi binlerce Marran'ı düşünmendir. Sen onlara yardım etmek için kendini feda ettin. Senin için ateşe yürümek değil, hayatta kalıp binlercesine umut olmak daha zordu ve bunu yaptın. Diogo, yeniden görüşeceğimiz güne kadar, Rabb'imin seni cennetin en güzel köşesine almasını diliyorum. Güle güle, yüreği dağlar kadar büyük insan. Güle güle aşkım..."

Diogo, son nefesini verdi... İyileşip, Venedik'e gitme beklentisi sürerken, Mendes Müessesesi'ni yine Marranlara hizmet edecek şekilde sağlama aldıktan, epeyce hasta yattıktan sonra, sevdiğim ikinci adam da bu dünyadan ayrıldı...

"Rabbim, bu da benim cezam olmalı... Sevdiğim her erkek ölecek mi?"

Yirmi beş yaşında dul kalan ben, otuz üç yaşındayken de Diogo'yu kaybettim...

-24-

Diogo hapiste yatan, evlenmek için para bulamayan, yardıma muhtaç olan Musevilere yardım etmek için birçok küçük fon bıraktı. Marran, Musevi ya da Hıristiyan ayırmadan, bütün yardım derneklerini de düşünmüştü. Hayattayken de göçmen fonu kurup, en kârlı şekilde geliştirip, göçmenlerin acil ihtiyaçlarını karşılatmıştı.

Ölürken bile geride kalan bizi düşünüp, kötü niyetli olanların garezini çekmemek, onlara koz vermemek için dikkatli davrandı. Brianda'nın yorumu ise oldukça sığdı:

"Şimdi hayatta olsaydı, onu yeniden öldürmek isterdim!"

"Lütfen böyle söyleme!" dedim. "Onun hatırasına saygı göster!"

"Sevgili ablacığım, sen istediğin kadar saygı gösterebilirsin! Zaten anlaşıldığı kadarıyla o da sana saygı göstermiş! Beni basitçe, getirdiğim çeyize mahkûm ederken, bütün serveti senin kontrolüne vermiş! Hatta kızımı, La Chica'mı bile!"

Sesi, cümlenin sonuna doğru yükselmiş, evi çınlatmıştı.

"Sakin ol! Sesini yükseltme! Bir hanımefendiye yakışmıyor bu yaptığın!"

"Eniştesiyle bir olup, kız kardeşinin servetine el koymak yakışıyor mu peki?"

"Neyin eksik? Ne istiyorsan var. Hayatın boyunca da hiç yoksulluk çekmedin. Yeniden evlenmediğin sürece bütün servetin senin kontrolünde... Başka neye ihtiyacın var?"

Ayağa kalktı. Sanki boyu bosu, güzelliği biraz daha öne çıksın, gözüme sokulsun istiyordu.

"Neye mi ihtiyacım var? Neye ihtiyacım olduğunu söyleyeyim sana: Şu kasaya saklayıp, kendin takmadığın gibi bana da kullandırtmadığın mücevherlere ihtiyacım var! Senin gibi asla yiyemeyeceği serveti daha da fazla biriktirmek için çabalayan, basit bir muhasebeci gibi olmamaya ihtiyacım var!"

Alınmıştım ama acısına verdim.

"Sonradan pişman olacağın sözler söyleme!"

"Yalan mı söylüyorum? Muhasebecisin ve öyle de kalacaksın! Bir ay boyunca aynı kıyafeti giysen bile fark etmezsin! Süslenmeyi bile beceremezsin! Oysa ben, kraliçeler gibi yaşayabilirim. Tüm Avrupa'daki kraliçelerden daha zengin olabilirim. Hatta dur bakalım, onlardan daha zengindim ama sevgili ablam el koydu! Hepsinden fazla mücevherimiz var ama Dona Gracia kullanmaz, kullandırtmaz!"

Umutsuzca anlatmaya çalıştım:

"Brianda, o kraliçeler ya da o zengin kadınlar süslenebilir, mücevherlerle kendilerini daha güzel gösterebilir. Ama bize mücevherler süslenmek için değil, hayatta kalmak için gerekli. Unutma ki bizim hayatta kalmak için bol bol ödeme yapmaktan, gerektiğinde rüşvet vermekten başka çaremiz yok. Para elimizde olmalı Brianda... Bizi koruyacak başka bir şey yok!"

"Hah!"

Dönüp gitti...

Ona ne kadar anlatsam boş. Babam bunu başaramamıştı, kocası Diogo da... Benim de başaramayacağım ortadaydı. İsteyebileceğinden de fazla parası vardı ama o bende olanı istiyordu.

"Neden?" diye düşündüm... "Neden? Niye öz kardeşime, dünyadaki tek kardeşime bile bir şey anlatamıyorum?"

Cevabı biliyordum aslında. Benim gölgemden çıkmak istiyordu. Benden daha gençti, çok daha güzeldi ama doğduğundan beri gölgemde kalmış, hep geri planda tutulmuştu. Tam, dul bir kadın olarak artık benim önümde, hiç değilse benimle denk olmak isterken, yine olmayacağını anladığı için isyan ediyordu. Sırf bunu bilmek bile, inisiyatifi ona bırakmamak için yeterli gerekçeydi.

Hazırlanıp çıktım. Anvers'te daha fazla kalasım yoktu ama bir süre daha burada bulunmak zorundaydık. En azından La Chica biraz daha toparlanana kadar... Brianda hem kocasını kaybettiği hem de miras şaşkınlığı yaşadığı için, çocuğunu da ihmal etmiş, en iyi bakılması gereken dönemde bebek, ilgisiz kalmıştı. Biraz toparlanması ve uzun yolculuklara çıkabiliyor olmasını bekliyordum. Sevgili Reyna'm da büyüyordu artık.

•

"Sizin bu yaptığınız, akıllara durgunluk verecek bir şey..." dedi Rober Smilov...

Son dönemde Ruslar da devletleşmeye, Avrupa sahnesinde rol almaya çalışıyorlardı. Çar, büyük bir devlet olmanın ticaret olmadan mümkün olmayacağını anlamış, rahatına düşkün Rus aristokratlarının bir bölümünü ve küçük tüccarları, büyük tüccarlar olmaları için teşvik etmişti. Smilov bunun örneklerinden biriydi.

"Teşekkür ederim Bay Smilov..."

"Venedik şubenize parayı yatırıyor, Anvers şubenizden malları alabiliyorum. Rüya gibi... Eskiden olsa, bütün altını yüklenip, malları alacağımız yere kadar gitmemiz gerekirdi. Sizin kurduğunuz bu sistem ticareti çok kolaylaştırdı. Söylesenize Dona Gracia, neden evli değilsiniz?"

Bunu ne çok duyuyordum... Bir kadının servetini kocası yönetirdi. Eğer dul değilse tabii...

"Korkarım ki bir gün birini çok sevene kadar beklemek istiyorum Bay Smilov..." dedim hiç de üzgün olmayan bir sesle. "Çünkü herkesin niyeti aynı: Benimle evlenmek ve Mendes Müessesesi'ni kontrol etmek. Asla gerçekten beni mi seviyor, yoksa servet peşinde mi bilemeyeceğim."

Rober Smilov'a söylemedim ama dini cemaatlerde bile aynı kaygıyı yaşıyordum. Cemaatlerin gelir kaynakları, üyelerinin gelirinden kendilerine gelen paylardan oluşuyordu. Bu sebeple birçok dini cemaat bizi istiyordu ve bu da işimize geliyordu. Buralarda dini önderlerle yakınlaşma fırsatı da buluyordum ki istihbarat toplarken işime yarıyordu.

"Ah, o halde sizi kandırmaya hiç uğraşmayayım!" dedi güldürmek için.

"İyi olur."

"Yine de yanınızda olacak, sizi hep koruyacak biri olsa hiç

fena olmazdı. Peki, müşterileriniz arasında Fransa, Portekiz, İspanya ve daha başka ülkelerin kral ve imparatorlarının olduğu doğru mu?"

"Ticari ilişkilerimizde sırlar vardır. Başka müşterilerin bilgileri sizinle paylaşılamaz. Böyle yapsaydık, siz bize güvenir miydiniz?"

Bize güvenen çoktu elbette ama sevmeyen daha çoktu. Hem ticari rakiplerimiz hem de devletleri idare edenlerin hedefindeydik. Bir fırsatını bulsalar, bir kaşık suda beni boğarlardı. Son zamanlarda kendimi daha güvensiz hissetmeye başlamış, Pierre adında bir yakın koruma almıştım yanıma. Güçlü kuvvetli, insan azmanı bir Hıristiyan'dı ama pek inancı olduğu söylenemezdi. İnandığı tek şey paraydı ve bol miktarda veriyor, sadakatini başka biri satın alamasın diye çok dikkat ediyordum. Bunca yılda öğrenmiştim: Hemen hemen herkes para kazanmak, çok para kazanmak ister. Altınların ışıltısından gözleri kamaşmayan insan az bulunur. Bunu bilmek için yıllarca ticaretle uğraşmak gerekmez. Ama insanların çoğunun bilmediği, insanların parayı "ne için" istediğiydi. Asıl önemli olan, bunu anlamaktı.

Kimi insan çok parayı, her gün batakhanelerde gününü gün edebilmek için istiyordu, kimi altın biriktirmekten hoşlanıyordu. Kimi güç sahibi olmak için kimi ise kendini daha güzel hissetmek için... Pierre'in kumar bağımlılığı yoktu, içkiyle de fazla arası olduğu söylenemezdi. Kadınlara ilgisi varsa da bunu belli etmedi. Pierre'in sorunu yaratılışıyla ilgiliydi. Suratında, sol yanağında boydan boya bir iz vardı. Sonradan oluşmamış, doğuştan yanında getirdiği bir iz... Aslında boylu boslu ve yakışıklı sayılabilecek bir adam olmasına rağmen, yara izi nedeniyle kendini hep çirkin hissetmiş, belki de çocukluğunda onun böyle hissetmesine neden olan olaylar yaşamıştı. Konuşurken insanın yüzüne doğrudan bakmaz, başı öne eğik durmayı tercih eder, uzun, omzuna dökülen saçlarını bağlamayıp, yüzünü gölgelemek için kullanırdı. Pierre de yaşam tecrübesiyle anlamıştı ki kesesi şişkin olduğu sürece, yüzündeki ize dikkat eden olmuyor. Bu nedenle kesesini hep dolu tutmak istemiş, çok para kazanabileceği işlere yönelmiş, sonunda gelip beni bulmuştu. Onu daha ilk görüşte çözdüm.

"Bana bak!"

Başı yine öne eğikti.

"Bana bakmanı istiyorum. Tam gözlerimin içine!"

Sıkılarak baktı.

"Buyurun Dona Gracia..."

"Pierre, bundan sonra hep benim yanımda olmanı istiyorum. Her zaman iyi para kazanacaksın. Benim gölgem gibi olacak, yanımdan ayrılmayacaksın. Kesen hep dolu olacak ve insanlar senin elindeki güçten, paradan başka bir şeyine dikkat etmeyecek. Ama bir şeyi de bilmeni isterim, yüzünü gizlemen..."

Bozulur, sıkılır gibi oldu. Kaçacağını hissedip ekledim:

"Evet yüzünü gizlemen... İşte buna hiç gerek duymamanı tercih ederdim... Bana bak! Sence güzel miyim?"

Cevap vermedi.

"Bana sorarsan, değilim. Hiçbir zaman da güzel miyim değil miyim diye tartışılmadı çünkü hep başka özelliklerime dikkat ettiler. Zenginliğim, ailem, gücüm, aklım... İşte senin de böyle olmanı istiyorum. Öyle ki seni kim rahatsız ettiyse bu yara izi yüzünden, onun gözleri kamaşsın ve başka bir şey göremesin.

Biz, birbirimizi anlayacağız Pierre... Çünkü ikimiz de aynı şeyleri yaşamışız..."

Sert yüzünde belli belirsiz bir gülümseme belirdi. Bana artık hayatı boyunca güveneceğini hissettim. Tabii ki ben de artık ona güvenebilirdim. Uzandım ve başını geri çekmesine izin vermeden yanağını okşadım. Tam yara izinin olduğu yeri...

Teni ateş gibi yanıyor, belli ki kalbi heyecanla çarpıyordu.

"Bundan sonra hiçbir şeyden çekinmene gerek yok..." dedim fısıldar gibi. "Çekineceğin tek şey, düşmanlarımın kuracağı tuzaklar olsun..."

"Emrinizdeyim Dona Gracia!"

Düşmanlarım sadece bana kastetmek isteseler çok sorun olmayacaktı ama onların hedefi benim başımda bulunduğum müesseseydi. Mendes Müessesesi'ni ele geçirmek istiyorlardı. Eğer Avrupa'nın her ülkesine yayılmış şubelerimiz ve kurduğumuz sağlam sistem olmasa çoktan el konulurdu her şeyimize. Fakat öyle ayarlamıştık ki işleri, bir şubemize el koyup, işleri durdursalar, bu Avrupa'nın tümüne yayılıp, domino taşları gibi her şeyi devirmeye yeterdi. Ticaret sekteye uğrar, alacaklar tahsil edilemez, tahtlarında rahat rahat oturan krallar, kraliçeler, dükler sarsılırdı.

Onlar da en kısa yolu gözlerine kestirdiler: Reyna'yı...

-25-

Şarlken ve Naip Kraliçe Mary'nin servetimize el koyma planlarını biliyordum. Sevdiğim ikinci adamı, Diogo'yu onlar öldürmüştü. Belki doğrudan idam kararı vermemişti Şarlken ama yaptığı suçlamalar ve cezaevinde geçen üç ay, Diogo'nun sağlığını bozmaya, yaşama tutkusunu bitirmeye yeterli geldi. Şimdi onu toprağın altına yolladıklarına göre işlerinin daha kolay olduğunu düşünüyorlardı.

Şarlken'in borçlarını sürdüremez duruma geldiğinden haberim vardı. Sarayındaki casusumuzdan durumu haber almam uzun sürmedi. Ulağın getirdiği mektup, tirşe yerine kolayca parçalanabilsin diye incecik bir ipek kâğıdın üzerine yazılmıştı.

"İmparator Şarlken, Mendes Müessesesi'ne ilişkin edepsiz bir teklif aldı. Düşmanlarınız ve akıl hocaları, Şarlken'e, kızınız Reyna'nın yaşlı bir İspanyol asilzadesiyle evlendirilmesini önerdiler. Eğer bu izdivaç gerçekleşirse, karşılığında iki yüz bin dukatla ödüllendirileceği, parayı da vâris Reyna'nın drahomasından rahatlıkla alabileceği bildirildi. İspanyol asilzade Aragonlu Don Francisco, Aragon Kralı Ferdinand ve karısı Isabella'ya zor zamanlarında çok yardımcı olduğundan, Şarlken tarafından engizisyon mahkemelerine başkan atandı. Don Francisco, Şarlken'i bu konuda ikna etti sayılır. Yakında kız kardeşi Mary, sizi sarayına davet edecek ve bu izdivaç için ikna etmeye çalışacak..."

Mektubu mum alevine tutarken, kalbimin de sızladığını hissediyordum. Hayattaki en değerli varlığım Reyna... Artık ona da göz koydular. İşte buna dayanamam! Şarlken şu an yanımda olsa, ellerimle gırtlağını parçalayabilirim.

"Senin tek korkunu biliyorum ben!"

Biliyordum: Osmanlı...

"Sultan Süleyman senin hakkından gelecek bir gün ve ben de bunun için elimden geleni yapacağım!"

Şarlken, Kutsal Roma-Cermen imparatoru, Roma'yı yağmalamış, Milano'yu ele geçirmiş, Papalık ile anlaşıp, kutsanmıştı! İspanya kıyılarına akınlar yapan Barbaros Hayrettin Paşa'ya karşı saldırıya geçmiş, Tunus'u almış, Portekiz'de engizisyonun kurulduğu yıl Roma'ya girmişti. Ona karşı François,* Süleyman'dan yardım istemek zorunda kalmış, 1538'de yeni bir barış antlaşması imzalayıp, Diogo ölmeden önce de Cezayir'i topa tutmuştu. Tüm Avrupa'yı istiyor, bir yandan Kastilya, bir yandan Roma'yı sürekli baskı altında tutuyordu. İngiltere Kraliçesi Mary ile oğlu Philip'i evlendirmişti. Neyse ki onun yumuşak karnı da Osmanlılardı.

---

* I. François

Masama geçip oturdum. Mary'nin yine süslü mektubu masamdaydı. Beni sarayına davet ediyor, misafir etmekten mutlu olacağını yineliyordu. Yüzümde acı bir gülümsemeyle yanıt yazdım:

"Majesteleri, nazik davetiniz beni çok mutlu etti. Daha önce de sizden aldığım davetle mutlu olmuş, kendimi fazlasıyla değerli hissetmiştim. Tebaanız Dona Gracia Mendes'i onurlandırdınız.

İlk fırsatta sizi sarayınızda ziyaret etmek, bilginiz, görgünüzden faydalanmak, çevrenizde bulunmak nimetine kavuşup, saadete ermek için sabırsızlanıyorum.

Hazırlıklarımı tamamladıktan sonra nazik davetinize icabet etmek için hemen yola koyulacağımı bilmenizi isterim.

Dünya saadetinizin daim olması dileklerimle..."

Altını mühürledim. Artık cevabı gönderebilirdim. Zaman zaman gelen davetlerinin, özel ulakla gönderdiği mektupların arkasında, demek ki bu varmış... Onu oyalamakla iyi yapmışım. Varsın hazırlık yaptığımı düşünsün...

Süleyman çok güçlüydü ve Avrupa'nın korkusu haline gelmişti. Süleyman ve ülkesiyle ilişkilerimiz iyiydi. Karşılıklı çıkarlarımız vardı ama şu anda ben ve daha önemlisi ailem Avrupa'daydık. Avrupa'nın en kudretli hanedanı davette bulunuyor, oyalıyordum. Bunun uzun süre devam etmeyeceği belliydi.

"Belki bir gece Diogo'yu gelip aldıkları gibi beni, Rabbim korusun belki kızımı alıp götürecekler. Acilen buna bir çare bulmalıyım!"

Diogo geldi aklıma. Ölmeden önce yaptığımız son plan... Oturup mektuplar hazırladım, gizlice yerlerine ulaştırılmak üzere...

-26-

Brüksel'deki Naip Kraliçe Mary'nin daveti artık reddedilemeyecek bir noktaya ulaşınca, sarayın yolunu tutmak kaçınılmaz oldu. Akıl edip, Reyna'yı yanıma almamış, saraya gitmek, orada gösteriş yapıp kendini göstermek isteyen Brianda'nın itirazlarını dinlemeyip, ikisini de geride bırakmıştım.

Mary çaresizlik içinde kaldığımı, zorunluluktan davetini kabul ettiğimi biliyordu. Süslü sarayında uzun süre ağırlamaya bile ihtiyaç duymadan, aklındakini açık etti. Kızım için düşündüğü izdivacı anlattı. İltifatlar bitmiş, hediyeleşmeler sona ermiş, ziyafetler ortadan kalkmış, acı gerçek artık önüme konmuştu. Mary, ciddi ciddi bu teklifi kabul etmemi bekliyordu.

"Majesteleri..." dedim saygılı bir şekilde ve gerçekten onu çok seviyor gibi bir ifade takınarak. "Biliyorsunuz ki sizin arzularınız benim için emir niteliğindedir. Ancak kızımın şu aşamada bir evlilik yapabilmesi mümkün değil. Hem takdir edersiniz ki evlilik yaşına gelmiş olsa bile, damat olarak önerdiğiniz insanla kızımın arasında otuz yaş fark var."

"Sevgili Dona Gracia, yaş farkının ne önemi var? Evlenmek için yaşıtımız birilerini bekleseydik, hepimiz kocasız kalırdık değil mi?"

"Öyle ama..."

"Siz bile, kendinizden çok yaşlı biriyle evlendiniz..."

Çevresindeki asilzadeler, nedimeleri, hepsi sanki bir olmuş, bir an önce onu onaylamamı, bu işin resmileşmesini istiyorlardı. Bu baskıya dayanmak, hele de kendi sarayında bir kraliçeye hayır demek, zordu.

"Soylu ve zengin bir aileye mensup Reyna Mendes'in, sıradan biriyle evlenmesi zaten düşünülemez Dona Gracia. Onun için en uygun aday olduğunu düşünüyoruz."

"Ama henüz çok erken... Bilmem ki olur mu? Ben, ne diyebileceğimi bilemiyorum..."

"Hadi canım! Evet deyin de bu güzel ziyaretinizi çok mutlu bir olayla taçlandıralım."

"Majesteleri, sizi kırmak, naçiz tebaanız olarak benim en son isteyeceğim şey ama kızım çok küçük."

"Bugün düğün yapılsın demiyoruz ki. Hem bunu imparator da istiyor. Bu talebe karşı gelmek, Şarlken'in isteğine karşı gelmek anlamına gelir."

"Biliyorum ama..."

Sesine tehditkâr bir hava verdi:

"Dona Gracia, biliyorsunuz ki hemen her yerde şubeleriniz, ticaret ağınız var. İşlerinizi, sizi ve tüm müessesenizi koruyacak akrabalık bağlarıyla sağlama almanız iyi olmaz mı?"

Alenen beni tehdit ediyordu. Sıradan bir asilzade bir yana, bir kraliçeden beklenmeyecek, çirkin denebilecek bir tavır. Kesin bir yanıt artık şart oldu:

"Majesteleri, üzülerek bu teklifi reddettiğimi bildirmem gerekir."

Mary inanmakta zorlanan gözlerle baktı. Yüzüne sürdüğü pudra terden yer yer kabarmış, başındaki taç hafifçe kaymıştı. Yüzüne karşı hayır deme cesareti gösteren biri olmamıştı anlaşılan daha önce...

"Ne?" dedi duymakta zorlanmış gibi. "Ne dedin?"

"Hayır dedim majesteleri. Bu teklifi kabul edemem!"

Ortam bir anda buz gibi oldu. Ayakaltında dolaşıp, şarap servisi yapan uşaklar çekildi, asilzade kadınlar kötü bir koku duymuş gibi yüzlerini buruşturup gerilediler. Ortada, tek başıma kalmış gibi oldum.

Söz konusu kızımdı. Dünya üzerime gelse, yine bana evet dedirtemez. "Cesur ol Gracia! Sana zarar vermek isteyen, zaten ne verirsen ver, yine zarar verecektir! Küçük Reyna'nı onlara teslim etme!" dedim içimden.

"Ah, pekâlâ! Ama bundan sonra olacaklar konusunda seni uyarmadığımı söyleyemezsin! Senin iyiliğini düşünmüştüm. Oysa sen... Sen bir katır gibi inatçı çıktın!"

Ağzını bozuyordu. Aldırmadım.

"Majesteleri sakinleştiğinde bana hak vereceklerdir."

"Sana hak vermek mi? Sana daha ne verebilirim ki? Defalarca mektup yazdım, ulak gönderdim, sarayıma davet ettim. Ülkemde bütün kurumlarında ticaret yapmana, at oynatmana izin verdim. Sana dengimmiş gibi muamele yaptım. Kraliçeler gibi karşılanmana, benimle sofrada eşit oturabilmene izin verdim. Tüm bunların karşılığında küçük bir ricama ne yanıt veriyorsun peki? Hayır! Demek hayır öyle mi?"

Kalmanın artık bir anlamı yoktu.

"Majestelerinin başka bir emri yoksa iznini istiyorum. Bu akşam dinlenmeye erken çekilsem iyi olacak."

Ayağa kalktı. Vücudunu saran değerli kumaşlardan kat kat elbisesi, her hareketinde hışırdıyordu. Elini kolunu sallayarak, adeta beni dövmek ister gibi konuştu:

"Tamam! Git ve dinlen. Umarım dinlenince aklını başına alırsın! Umarım hayır demekle hem beni hem de Kutsal Roma-Cermen imparatorunu reddetmiş olduğunu fark edersin! Hizmetçiler sana yolu göstersin!"

Saygıyla eğilerek selamladım. Yolu zaten biliyordum.

Bana ayrılan odaya ulaşır ulaşmaz talimatı verdim:

"Hazırlanın! Sabah erkenden saraydan ayrılacağız!"

Bir daha da mümkünse Mary'yi görmeyeceğim! En iyisi bu...

Kendimi yine saldırının ne taraftan geleceğini bilemediğim bir durumda hissediyordum. Yine her yerden çıkabilecek bir tehlikenin ortasında, gözleri bağlanmış... Ama bu defa daha az korkuyorum çünkü kızım için cesur olmam gerektiğinin farkındayım.

"İmparator ya da kraliçe ne düşünüyorsa düşünsün, kızımı alamazlar!"

Belki başka türlü bir yol düşünseler çok istedikleri paraya konabilirlerdi ama bu şekilde değil! Çocuklarını engizisyona vermemek için kendi elleriyle öldüren Museviler geliyordu aklıma.

"Onları şu an anlıyorum..."

"Sevgili kızım..." diye mırıldandım. "Senin bunları yaşamana izin vermeyeceğim. Sana güven içinde yaşayabileceğin bir yer, mutlaka bulacağım!"

•

Anvers'e döndüğümde, gönderdiğim mektuplardan bazılarının yanıtı gelmiş ama beni bulamayınca, kimseye teslim edilmeyip, beklenmişti. Anvers'te de rahat bırakmayacaklarını iyi biliyordum. Artık günbegün yaşam daha zor oluyordu. Bizi ziyaret edip, soframıza konuk olan Rahip Fernando, engizisyondaki yerini almış, takibatlar, gözaltılar başlamıştı.

Eskiden ciddi bir ihbar olmadıkça gözaltına alınmayan, özgür bırakılan Marranlar, şimdi havadan sudan bahanelerle tutuklanıyor, cezaevlerine konuyor, işkence görüyor, önlerine konan birtakım kâğıtları imzalamak zorunda bırakılıyordu. Canavarın ağzına kan tadı gelmiş, gittikçe daha vahşileşiyordu. Böyle giderse, malını vermek de Marranları kurtarmayacak, servetine konduklarını ya idam edecek ya da hapislerde çürüteceklerdi. Biz belki göz önündeydik, çevremiz geniş, dostlarımız da düşmanlarımız kadar güçlüydü ama bizim kadar şanslı olmayanlar ya tutuklanıyor ya da birer ikişer yine bizim de yardımımızla kaçıyorlardı şehirden.

Kısa vadede Mary ve aslında Şarlken'e hayır diyebilmiş olsam da uzun vadede, içinde bulunduğum şartlara direnebilmek mümkün değildi.

Tek çare kaçmak!

Huzurumuzun olabileceği, işlerimize sudan bahanelerle müdahale edilmeyecek, inançlarımızı dilediğimiz gibi yaşayabileceğimiz bir yere kaçmak...

-27-

Kaçma fikri aklıma yerleştikten sonra bir seçenek diğerlerinden öne çıktı. Ama ondan önce daha yapılacak işler, gidilecek yerler vardı. Aylarca kafamı bu konuyla meşgul ettim ve en sorunsuz şekilde taşınabilmemiz için şartları oluşturmaya çalıştım.

Taş kafalı Brianda yine anlamadı...

"Ne saçma! Neden buradaki rahatımızı bırakıp, dilini, kültürünü bilmediğimiz insanların arasında yaşamaya gidecekmişiz?"

"Brianda, anlamıyor musun, iş bizden çıktı artık. Eğer Diogo'ya yaptıkları gibi tevkif edip mallarımıza el koymazlarsa, çocuklarımıza el koyacaklar. Kızlarımızı istemediğimiz adamlarla evlendirmeye çalışacaklar. La Chica'nın istemediği bir adamla evlendirilmesini ister miydin?"

"Damadın kim olduğuna bağlı..." dedi gayet kayıtsız bir şekilde. "Uygun bir insansa, neden olmasın?"

Kardeşime şöyle kuvvetli bir tokat atmak istediğim anlar olurdu bazen. İşte bu, o anlardan biri...

Diogo gerçeği görmüş, karısını anlamış, bu sebeple sadece işlerin yönetimini değil, La Chica'nın vesayetini de bana bırakmıştı. Brianda hangi cehennemde istiyorsa kalabilir ama giderken Reyna ve La Chica'yı yanıma alacağım.

Hâlâ başka havalardaydı. Anlamadığı halde işlerden bahsediyordu:

"Başka yere gidersek, oradan işleri takip edemeyiz. Unutma ki patron biziz. Biz olmazsak bu işler nasıl yürür?"

"İşler yürümeyecek yakında..."

"Olsun. Bir başka Avrupa ülkesine gideriz. Nasıl olsa bütün krallar, prensler bizi davet ediyor. Gidip, bir başka güzel şehirde hayatımızı yaşarız."

"Davet ediyorlar ama bir süre iyi gidiyor, sonra hep aynı son... Önce baskı, sonra el koyma, hapis, zorla inanç değiştirme... Güzel günler çabuk bitiyor kardeşim, çirkin yüzler çabuk çıkıyor ortaya... Uğursuz bir kısırdöngü sürekli karşımızda... Sen de aklını başına almalı, bir Mendes olduğunu hatırlamalısın. İnsanlar seni güzel, hoşsohbet olduğun için değil, servetin için seviyor. Bunun için sana yanaşıyor. Paran olmadığı anda kovulabilecek biri oluyorsun. Bizim artık üvey evlat olduğumuz bir yere değil, korkuyla yaşamayacağımız bir yere ihtiyacımız var."

Oturduğu koltukta doğruldu.

"O halde zaten yerimizden kıpırdamaya gerek yok! Çünkü ablacığım, öyle bir ülke yok!"

Ümitsizlik ne kötü bir durum... Dünyaya anlatabilirsin bazen ama yanındakine anlatamazsın. Brianda beni cidden ümitsizliğe düşürüyor böyle anlarda...

Bizim hayat gayemiz neydi ki? Brianda neden bu kadar her şeyden bihaberdi? Biz aynı karında yatmış, aynı anneden doğmuş, aynı sofrada oturmuş insanlardık. Neden bu kadar kayıtsız olabiliyordu?

"Tamam! Sen git ve süslenip gezintiye çık! Benim artık servetimizin ne kadarını transfer edebileceğimizi, ne kadarını kurtarabileceğimizi hesaplamam gerek. Agostino Enrique gelecek. Çalışacağız."

"Sana kolaylıklar o halde..."

Doğum sonrası kilolarını hızla vermiş, eski güzelliğine kavuşmuş, epey bir zamandır da böyle dul ve zengin bir kadın olarak, erkeklerin hayranlık dolu bakışlarını üstünde toplayarak dolaşıyordu partilerde... Güzel olması yanında bir de zengin dul olması, onu ilginin merkezine koyuyordu ama ne de olsa aynı kanı taşıyorduk. Hiç değilse, gönlünü birine kaptırıp, evlenmeyecek kadar kafası çalışıyordu.

Çıkıp gitti.

"Reyna, Jozef'le evlenecek..." diye mırıldandım. "Ama Anvers'te değil."

Çoktandır aklımdaydı. Jozef, yeğenim çok iyi bir işadamı olma yolunda ilerliyordu. Üstelik aynı hassasiyetleri taşıyorduk. Jozef de hem Avrupa'yı çok iyi öğrenmiş, iyi bir eğitim almış, hem de Osmanlı'yı bilen biriydi ki bu bile onu bir hazine yapmaya yeterdi.

Köşeye sıkışmış ve âciz gibi görünüyor olabilirdim Şarlken

ve Mary'ye ama henüz hamlemi yapmadım. Aragonlu Don Francisco, öfkelenmeye, bir Marran tarafından evlenmeye değer görülmemeye istediği kadar isyan edebilir fakat Kutsal Roma-Cermen imparatoru ve kız kardeşinin de sözünü geçiremeyeceği birilerinin olduğunu öğrendi artık.

Mary'nin önünde diz çöküp, "Dona Gracia denilen o Yahudi'yi, önümde diz çöktürüp, kızıyla evlenmem için yalvartacağım!" diyerek yemin ettiğini haber aldım.

"Onların planı, benim Anvers'te kalmam üzerine... Bu olmayınca, boşa kürek çektiklerini görecekler..."

Agostino gelmeden önce oturup, majestelerine bir mektup daha yazdım:

"Saygıdeğer majesteleri, çok sevdiğim, saydığım, hürmette kusur etmediğim Kraliçe Mary hazretleri. Son dönemde kendi kaygılarımla ilgili olarak sizi çok meşgul ettiğimi biliyorum. Elbette siz de bana haklı olarak biraz darılmış olabilirsiniz. Takdir edersiniz ki bizim sizin kadar görgülü, bilgili olma şansımız yok. Bu nedenle sizi, geniş görüşlü ve ince düşünülmüş teklifiniz konusunda darıltmış olabilirim.

Ancak konu üzerinde hâlâ düşünüyorum. Konuyla ilgili, Aix La Chapelle'e* gitmek ve oradaki asilzade, varlıklı kişilerle de görüşerek, fikir almak istiyorum. Kuşkusuz sizin uygun görmeniz yeterlidir ancak takdir edersiniz ki bu konuda ben sadece bir tebaanız değil, anne olarak da karar vermek zorundayım. İşte bu nedenle Aix La Chapelle'e gitmek için sizden izin belgesi talep ediyorum. En derin hürmetlerimle..."

Altını mühürledim.

---

* Aachen

Kapı çalındı. Agostino gelmişti. Önümdeki mektubu gördü.

"Mary'ye, Aix La Chapelle'e gitmek için izin belgesi vermesini yazdım..." dedim. "Belgeyi gönderirse, Venedik'e biraz daha yakın olacağız. Kazandığımız bu sürede de niyetimizi gizleyip, işlerimizi nasıl transfer edeceğimize yoğunlaşalım."

-28-

Mary inanmış olmalı ki izin belgesini gönderdi.

Aix la Chapelle'e yerleşip, tatile gelmiş gibi çevremize durumumuz hakkında bilgi yaydık. Agostino geride kalmış, kalan işleri takip ediyordu. Ancak büyük oranda Venedik şubemize aktarım sağlanmıştı.

Hıristiyanların gurur vesilesi katedrali de ziyaret etmeyi ihmal etmedik. Biz nasıl her şeyi gözetlemeye, haberdar olmaya çalışıyorsak, Şarlken'in casusları da çevremizde ve bizi gözetliyordu. Şarlken ve Mary'ye hakkımızda sürekli bilgi verilirken, açık vermememiz gerekiyordu.

Katedral, itiraf etmek gerekirse gerçekten göz okşayıcıydı. Göğe uzanmaya çalışıyor gibi yükselen kubbesi eşsiz güzellikle camlarla süslenmiş, her bir köşesine ayrı bir özen gösterilmişti. Ziyaretçiler buraya girdiklerinde zaten büyüleniyor, papazlar ne söyleyecekse, hepsini kayıtsız şartsız kabullenmeye hazır hale geliyorlardı. Şarlman'ın naaşı da buraya defnedilmişti. Krallar ve kraliçeler, taç giymek için bu kiliseyi seçiyordu. Mumlar dikip, kutsal su ile elimizi ıslatıp, haç çıkardık. Hatırı sayılır bir bağış yapıp, çarmıha gerilmiş İsa'nın önünde dua ettik.

"Sadece kâinatın yaratıcısı olan Tanrı'ya bütün varlığımla tapıyorum..."

Şehrin havası güzel, sokakları temizdi. Lizbon ve Anvers'in kalabalığı burada yoktu. Nispeten sakin ve huzurlu insanların, eşsiz güzellikteki binalarda yaşadığı küçük bir şehir... Süslü askerlerin sokaklarda gezmesinin sebebi, güvenliği sağlamaktan çok, gösteriş yapmak içindi. Ressamlar sokaklarda resimler yapıyor, çeşmelerinden duru sular akıyor, bizim gibi ziyaretçi oldukları belli kişiler hayran hayran şehri gezerken orada burada karşımıza çıkıyordu.

Burada daha uzun süre kalamayacağımıza hayıflanıyordum. Brianda ile uzun süre sonra ilk defa aynı fikirdeydik:

"Bu şehir ve sosyal yaşamı bulunmaz bir nimet!"

İnsan burada şairlerin, yazarların, müzisyenlerin arasında, asiller ve zenginlerle dostluk ederek ömrünün sonuna kadar yaşayabilir. Hem Şarlken'in, hem de François'nın burayı istemesi anlaşılır bir durum. Ama kalışımızı fazla uzatmadan, Lyon'a geçecek şekilde ayarlama yapılmıştı.

"Ah ben de çok istiyorum daha uzun süre kalmak ama Lyon şubemizde küçük sorunlar yaşanıyor. Bu eşsiz şehirden ayrılacağımız için ne kadar üzgünüz, bir bilseniz!"

•

Lyon, kumaş ve ipek üretiminin çok, bizim de işlerimizin yoğun olduğu bir şehirdi. Alacaklarımızla ilgili sorunlar vardı ve Marran olduğumuza göre paramızın peşinden gitmemiz, kimsenin şüphesini çekmemeliydi!

Bunu akla yatkın bulurlar...

•

Teo, Venedik'te bizi bekliyordu. Durumu anlattı:

"Lyon'daki malikânenize Mary tarafından gönderilen davetiyeyi hizmetçiler dışında alacak kimse bulamadılar..." Gülüyordu bir yandan da. "Saraydan gelen davetiye muhatap bulamayınca, şehri terk ettiğiniz anlaşıldı. Aragonlu Don Francisco deliye döndü. Mary'ye baskı yapıp, sizin hemen tutuklanmanızı ve geri getirilmenizi istedi. Deliler gibi tepindi. Fakat Venedik'e geldiğiniz haberini alınca, yapacak bir şeyleri olmadığını anladılar. Mary ve Şarlken'in hükümranlıkları burayı kapsamıyor."

Sonra ciddileşti. Kötü bir şey söyleyeceğini anladım. Brianda, Reyna ve La Chica da yanımızdaydı. Elbette, yatak odam haricinde gölgem gibi hep peşimde olan Pierre de...

"Söyle!" dedim korkumu gizlemeyen bir sesle.

"Ne yazık ki Aragonlu Don Francisco, iğrençlikte sınır tanımıyor Dona Gracia... Nasıl söylesem bilemiyorum."

"Lütfen! Kalbim yerinden çıkacak şimdi. Çok mu kötü?"

-29-

"Olamaz! Bunu gerçekten yapar mı?"

Lyon'a gidecek gibi yapıp Venedik'e gelmiştik ama burası da son durak olmayacaktı. Kötülük sınır tanımıyor, her türlü duvarı, kapıyı aşıp, ulaşmayı biliyordu. Elimizden sadece uzaklaşmak geliyordu ama nereye kadar?

Teo'nun verdiği haber hepimizi şoka sokmuş, yüreğim ağzıma gelmişti.

"Aragonlu Don Francisco, Diogo'nun naaşını mezarından çıkarıp, iskeletini asacağını, heretik olduğu için yakacağını söylüyor..."

Hepimiz birden korkulu bir çığlık attık. Brianda bayılacak gibi oldu. Reyna yardımına yetişti.

"Mary bunu kabul etmiş görünmedi. Hatta Don Francisco'nun yüzüne karşı 'Bu iğrenç bir plan!' dedi. Fakat..."

Bir umut ışığı gibiydi bu söz.

"Mary... o, ne de olsa asil bir kadındır... Şarlken'in etkisinde kalsa bile böyle bir şeye izin vermeyecektir. Öyle değil mi?"

"Don Francisco epeyce dil döktü. Sizi döndürmenin tek yolunun bu olacağına ikna etmek için uğraştı. Belki bugün evet demeyecektir ama ileride ne olur bilemem. Arsız, uğursuz adam, başlarının etini yiyor."

İçimden sürekli dua ediyordum:

"Rabbim, ne olur bu olmasın! O zavallı insan, o güzel adam Diogo bunu hak etmiyor! Lütfen onu koru!"

Brianda ağlama krizine girmiş, La Chica korkuyla büzülmüştü. Küçük de olsa, babasına yapılmak isteneni anlıyordu.

"Bunların kötülüğünün bir sınırı yok mu?" dedim isyan eder gibi. "Kötülüğün de bir sınırı olmaz mı? İnsan insana bunu nasıl yapar?"

Teo devam etti:

"Aragonlu, kraliçeyi ikna etmeyi başarırsa, engizisyon gereğini yapmaktan çekinmeyecektir. Zaten mahkemenin başkanı Don Francisco... Bu yargılamayı kendi yapacak ve mallarınıza el koyacak. Anvers'teki malikânenize yerleşecek, ömür boyu oradaki mallarınızı kullanacak. Yargılamayı o yapmasa bile, onun istediği yönde karar çıkacağı kesin gibi..."

Pierre rahatsız kıpırdandı.

"Malikâne kimin umurunda?" dedim. "Mezar olsun o ev ona! Yeter ki Diogo'ya bu saygısızlığı yapmasın!"

"Belki orada Agostino'nun tutacağı avukatlar, Diogo'nun Hıristiyan olduğunu ispatlamanın bir yolunu bulur. İncil'e göre Hıristiyan kanı dökmek yasak. Belki o zaman..."

Bu yersiz bir umuttu. Gerçekçi değildi. Zaten mahkeme "Kanını dökün, asın, kesin!" diye bir karar vermiyordu. "Gereğini yapın" notu düşüyordu ve infazların önünü açıyordu o kadar.

Diogo, o son nefesini verirken bile Museviliğini içinde yaşadığı için pişman olan adam, bir Hıristiyan olduğu ispatlansın ister miydi?

Başka bir çözüm bulmalıyım.

"Hanımefendi..." dedi Pierre.

Çok az konuşan biri olduğu için hepimiz şaşkın, ona döndük.

"Söyle Pierre..."

"Hanımefendi, isterseniz bu işi bana bırakın."

Şaşkın ve umutla baktım. Brianda ağlamayı kesti. Pür dikkat dinliyorduk.

"Bana izin verin. Sessizce gideyim, Don Francisco'nun boğazını kesip, yine sessizce döneyim. Kimsenin ruhu bile duymaz!"

Teklif hepimizi şaşırtmıştı. Ne diyeceğimi bilemedim. Gözlerine baktım. Samimiydi. Zaman içinde bana daha da bağlanmış, ne istersem yapmaya hazırdı.

Brianda, "Ne dersin, olur mu?" diye sordu bana.

"Olmaz! Bunun siyasi ve ticari çok fazla sonucu olur. Doğrudan, bu defa tüm şimşekleri üzerimize çekeriz. Böyle bir suçlamayla karşı karşıya kalırsak, Venedik bile bizi barındıramaz! Bırakalım, belasını başka şekilde bulsun."

•

Uykularım kaçmıştı. Ne mümkün uyumak, yerimde duramıyor, odanın içinde bir o yana bir bu yana gidip geliyor, bazen daralıp kendimi bahçeye atıyordum. Venedik'in havası Lizbon'a benziyordu. Çocukluğuma dönmüş gibi olmuştum. Nemli ve sıcak geceler... Bir de Diogo'nun cenazesinin ipte sallandırılmış, altında ateş yakılmış görüntüsü... En korkunç kâbuslarımdan biri bu olmalı... Kendimi tutmaya, düşünmemeye çalışıyorum.

Anvers'ten kaçan sadece bizim ailemiz değildi. Canlarını kurtarmak isteyen binlerce Marran ve Musevi, Alpleri aşarak bu şehre ulaşmaya çalışıyordu. Venedik'e yerleşir yerleşmez, bir yandan Diogo'nun naaşını kurtarmaya çalışırken diğer yandan onlara yardımcı olmaya çalışıyordum.

"Lütfen Adela! Bebeğini bana ver. Biliyorum, ayrılmak istemiyorsun ama o öldü. Cennete gitti."

Alpleri aşarken soğuğa kurban verdiği bebeğinden ayrılmak istemiyordu Adela. Çoktan ölmüş bebeği, onun bastığı bağrından kimse ayıramamış, en sonunda benden yardım istemişlerdi.

Konuşuyor, dil döküyordum ama beni duymuyor gibiydi. Kendinden geçmiş bir halde, gözleri boş bakıyor, hafifçe öne arkaya sallanıyordu.

"Biliyor musun Adela, benim de bir bebeğim var. Seni çok iyi anlıyorum. Ondan ayrılmak istemiyorsun ama böyle yaparsan, küçük meleğin asla cennete uçamaz. Oysa o çoktan cennete doğru uçmaya başladı."

Gözleri ilk kez beni görür gibi baktı.

Bir umut!

Yanındaki kadın konuştu:

"Ne yapsak ikna edemedik. Bebek donarak öldü. Fark ettiğimizde çok geç olmuştu. O zamandan beri kucağında tutuyor. Bırakmaya yanaşmıyor."

"Adela, biliyorum ki senin Rabb'e inancın var. Kabul etmek zor olsa da o öldü. Ama bilirsin, beden ölür, ruh ölmez. Küçük meleğinin ruhu, seni cennette bekleyecek. Sana söz veriyorum, onun bir Musevi gibi, dinin gereklerine uygun şekilde gömülmesini bizzat sağlayacağım."

Kolları gevşedi. Diğerleri bunu bekliyormuş gibi bir anda kaptılar bebeğin cansız bedenini. Devrilecek gibi olan kadına sarıldım...

•

Çoğunun değil evleri, kalacak yerleri bile yoktu. Şehirdeki Marran ya da Musevilerden yeni gelenlere kucak açanlar vardı ama sınırlıydı. Kimileri kendi rahatını bozmak istemiyor, kimileri göç dalga dalga devam ederse, buradan da kovuluruz korkusu yaşıyordu. Yola çıkanların birçoğu yolda kalıyor, Venedik'e ulaşmayı başaranlar harap bitap düşüyordu. Yaşlı, çocuk, hamile, hasta yola çıkanların çoğu Venedik'i göremedi.

Venedik Limanı, burada da tutunamayan, başka yerlere ve özellikle de Osmanlı'ya gitmek isteyenlerle kaynıyordu. Gemilerimizden bazılarını sadece insan taşımaya ayırmıştık. Hangarları yiyecekle dolu yola çıkıyor, bu perişan insanlardan ayakta kalabilenleri, Osmanlı limanlarına kadar -eğer Akdeniz'de korsan saldırılarına uğrayıp yağmalanmaz, canları alınmazsa- götürmeye çalışıyorlardı. İspanya ve Portekiz'den kaçan Marran ve Musevilerin varış noktası, İstanbul, İzmir, Selanik ve Bursa gibi şehirlerdi. Kaçabilenlerin bu şehirlerde rahat oldukları duyuldukça, umutları harlanıyor, herkes artık engizisyonun ulaşamayacağı bir yerde durana kadar kaçmak istiyordu.

Ferrara'da hüküm süren Este dükünün mesajları bu dönemde geldi. Bizim durumumuz hakkında bilgi sahibi olduğunu, Venedik'te rahat edemiyorsak, Marranları kendi şehrine kabul edeceğini bildirdi.

Osmanlı'ya gitmek isteyenler çoktu ama kültürel farklılık nedeniyle, kimilerinin Ferrara'da daha rahat edebileceğini düşündüm. Eğer dük samimiyse daha öncekiler gibi önce güler yüz gösterip, sonra çirkinleşmeyecekse, neden olmasın?

Don Francisco ve engizisyon yeni bir karar daha almış, *infidel** Musevilerin Osmanlı'ya göçmesinin altında "bu ülkeyi güçlendirme" amacının yattığı hükmü verilmişti. Marranların canlarını kurtarmak için yaptığı göçlerin "organize olduğu, düşmana hizmet amacı taşıdığı" iddia ediliyordu.

Milano civarında yeni bir tehlike daha ortaya çıktı. Jean Vuygsting seyahatte yakaladığı Marranların işkence altında ifadelerini alıyor, mallarına el koyuyor, zindanlarda çürümeye bırakıyordu. Milano'daki şubemizi de harekete geçirmiş, Vuygsting'in elinden kurtarabileceğimiz kim varsa, gerekli rüşvetleri vererek kurtarmaya çalışıyorduk. Hapse atılanlara yardım etmeye çalışırken, düşmanımızın da boş durmadığını, asıl hedefinin Marranların Ferrara'ya gitmesini engellemek olduğu ortaya çıktı. Este dükü de Vuygsting'e dava açmış, onu mahkûm ettirmişti ama tehlike tamamen ortadan kalkmadı.

•

Gökyüzü yıldızlarla doluydu. Yıllar sonra ilk defa görür gibi oldum yıldızlardan oluşan o kuşağı: Samanyolu... Yıllar geçiyor, ömürler bitiyor, insanların biri gidip bini geliyor ama yıldızlar orada hep parlıyor. Bizimle kıyaslandığında ömürleri ne kadar uzun! Belki de sonsuz... Davut'un Kalkanı** bu yüzden mi yıldız

---

* İsa'ya sadakatsiz.

** Davut Kalkanı ya da Davut Yıldızı. Altı kanatlı yıldız.

şeklinde acaba? Yıldızlı gökyüzü altında şu kısa ömürlerimizde rahat etmek bizim de hakkımız. Neden bize zulmediyorlar? Neden bize yaşam hakkı tanımıyorlar?

"Sevgili Diogo!" diye mırıldandım. "Bazılarımız ölünce de kurtulamıyor! Senin gibi bir güzel insan, öldükten sonra bile rahat bulamıyor... Ölümsüz ruhun, umuyorum ki cennetin en güzel köşesinde dinlensin... Sana bu yıldızlı gökler altında rahat huzur vermeyenler, sonsuz cennet güzellikleri altında yaşamana engel olamasınlar..."

Francisco geldi aklıma. Neredeyse yüzünü bile unutmuştum. Çizilmiş birkaç parça resim de zamanla sararıp soluyordu. Anvers'teki evimizde bir tablosu vardı ama ya yanımıza almayı unutmuştuk ya da o hengâmede kaybolmuştu... Hatıralar hiçbir zaman yok olmuyor, her daim kalıyor ama insanlar yok oluyor işte... Bedenler ölüp gidiyor, ruh ise Rabb'ine kavuşuyor. Geride kalan bizlerin tek avuntusu, hayal meyal hatırladığımız yüzler, gittikçe zayıflayan anılar...

Bir çıtırtı duydum. Arkamı dönmeme gerek yoktu kim olduğunu anlamak için: Pierre. Bana belki de kardeşim Brianda'dan daha sadık olan Pierre...

Yine bir gölge gibi sessizce, kendini çok ortada göstermeden beni takip ediyor, koruyordu...

"Bu şehirde tehdit altında mıyım sence Pierre?"

Birkaç saniye sessiz kaldı. Sonunda yüksek olmayan bir sesle yanıtladı:

"Benim görevim yere ve zamana göre değişmiyor Dona Gracia."

Arkamı dönmeden devam ettim.

"Sağ ol... Bazen ben bile unutuyorum senin varlığını ama dönüp baktığımda yanımda buluyorum. İnsan kendini seninle güvende hissediyor."

Ses çıkarmadı. En iyi yaptığı şeyi yaptı, sessiz kaldı ve görünmez olmaya çalıştı.

Uzun zamandır yanımdaydı ve bana ilgisini hissediyordum. Bir başka hayatta, belki başka bir yerde karşılaşsak, başka şartlarda benim de ona ilgim olabilirdi ama içinde bulunduğumuz şartlarda mümkün değil. Biliyor ve ikimiz de bu konuda renk vermiyorduk. Ne yüzüne vurup onu utandırmaya niyetim vardı ne de onun bir gün bana açılmaya niyeti... Bunu yaparsa, artık yanımda olamayacağını biliyordu.

•

Londra ve Anvers'te memurumuz olarak çalışan güvendiğim temsilcimi, Gaspar Lopez'i çağırttım. Venedik'e gelecek ve oradan Milano'ya geçerek Marranlarla ilgilenecekti. Bu çalışkan ve başarılı adamın başımıza bela açacağını, orada, bahçede yıldızları seyredip rahatlamaya çalışırken bilemiyordum elbette...

-30-

Lopez, Milano'da gözaltına alındı.

Niye gözaltına alındığını, neden onu sorguladıklarını ve nasıl kurtaracağımı araştırdığım günlerde, haberi geldi.

Güvendiğim bu adam, nasıl bir yöntemle ifadesi alındıysa, her şeyi itiraf etmiş!

"Baskı altındaki Marranları kurtarmak için gönderildim. Onlara maddi ve manevi yardım etmem istendi. Dona Gracia ve Jozef Nasi gizli gizli Museviliğe devam ediyorlar. Gonzalo Gomez diye bir kiralık katili, Vuygsting'i öldürmesi için görevlendirdiler. Bu tetikçiye para ödememi istediler..."

Bu belge tüm Mendeslerin heretiklik, din düşmanlığı, düşmana yardım etmek gibi suçlamalarla karşılaşması için yeter de artardı bile...

Hakkımızda yakalanma ve görüldüğümüz yerde tutuklanma ilanları basılıp dağıtılıyordu. Şarlken'in olaydan başından beri haberi vardı ama hareketsiz kalıyor, kendisi dışında gelişiyor gibi seyrediyordu. Oysa bu suçlardan yargılanamayacağımıza dair belgeyi kendisi vermişti.

"Dini dokunulmazlık" belgemiz var ve ikinci kez geçersiz hale getiriliyor!

Alpleri aşarak Venedik'e gelen, yolda türlü zorluklarla karşılaşan, kimi zaman sevdiklerini kaybedenlere bile özeniyorum şimdi. Bizim sağladığımız gemilerden birine binip, Osmanlı şehirlerinden birine gider ve Müslümanlar ile daha önce göçmüş dindaşlarının yanında rahat rahat yaşayabilirler. Aşağılanmak, alevlere diri diri atılmak, hakkındaki suçlamaların ne olduğunu bile anlayamadan yargılanıp işkence altında öldürülmekten kurtulma şansları var. Oysa şimdi bunlar benim için bir kâbus. Kendim için değil, Reyna, La Chica, Brianda, Jozef ve diğer Mendesler için endişeleniyorum. Doğrudan hedefe konulan biziz çünkü.

•

Venedik eski şaşalı günlerinden uzaktı. Akdeniz'in doğusu artık Venedik dukalarının değil, Osmanlı'nın hâkimiyetindeydi. Portekiz, Vasco da Gama'nın keşifleriyle Afrika'yı dolaşarak Hindistan'a gitmenin yolunu bulmuş, yine biz Marranların parasıyla yola çıkan Kristof Kolomb, Yenidünya'yı keşfetmişti. Anvers'in yıldızı parlarken, Venedik'in yıldızı sönüyordu. Bunun sebebini anlamak zor değildi. Venedik'te kaldığım sürede, halkın zevk ve sefaya düşkünlüğünü gördüm. Venedik, Brianda gibi düşünüp yaşayanlarla dolu bir şehir. Bir mirasyedi gibi, çalışmayı bir yana bırakıp eğleniyor, karnavallar düzenliyor, güzel zaman geçirmeye bakıyorlar. Devlet yönetimi yozlaşma içinde. Çöküş hızlı geliyordu ama bunu ya görmüyorlar ya da önlem almaya güçleri yetmiyor. Çeşitli milletlerden insanlar buraya eğlence için geliyor, sanatçılar akın ediyor ama bizim gibi çalışan az. Büyük Kanal'da göz kamaştırıcı, ihtişamlı saraycıklarda renkli, maskeli misafirlerin katıldığı balolar düzenleniyor. Finansal durumun çöküşe gitmesini umursayan yok!

Ekonomik çöküşe giden Venedik'te yaşarken, bir yandan Milano bir yandan Anvers'te suçlanıyorduk. Anvers'ten ayrılmamız, suçlu olduğumuz için kaçtığımıza delil sayılıyor, Venedik'te Musevi âdetlerini gizlice devam ettirdiğimizi de iddia ediyorlardı. Gaspar Lopez'in ifadesi bir yana, Brabant Mahkemeleri'nde yargılanmamız için de davetiye çıkarılmıştı. Dönün ve kendinizi savunun!

Kendimizi savunmak için Anvers'e dönsek, bir daha oradan çıkış şansımız olmadığını biliyordum. Davete icabet etmememiz de suçu kabul ettiğimiz şeklinde yorumlandı.

İş, Anvers'te kalan Jozef'e düştü. Bizi bu suçlamadan kurtarması gerekiyordu.

Avukatlarla mahkemeye başvurup, bu davete icabet edemeyeceğimizi bildirdi. Mevsim kıştı ve Alpleri aşmak zordu. Sağlık sorunlarımı anlatmış, en yakın zamanda iyi bir Hıristiyan olarak Venedik'te yaşadığımızı belgelendirebileceğini bildirmişti.

Bunlar Şarlken'i tatmin etmedi.

Jozef, Brabant Dukalığı'na da Anvers yönetimi olarak, yabancı tüccarlara verilen taahhütleri hatırlattı:

Dilediklerinde ülkeden çıkma ve varlıklarını beraberinde götürme hakkı...

Özel ulaklarla gönderdiği mektuplarla beni sürekli bilgilendiriyordu:

"İmparatorun yeğeni Maximilian askeri okuldan arkadaşım. Kendisiyle öğrenciliğimiz sırasında dürüstlük ve centilmenlik andı içmiştik. Bu andı unutmadığına göre, savunmamızı kabul etmeleri gerekir. Savunmamızın reddinin iki arkadaşın saf ve temiz duygularında anlaşmasına aykırı olduğunu imparator da biliyor... İmparatorun niyeti para sızdırmak olsa da meşruiyetini düşünüyor ve hakkaniyete uygun davranmış görünmeye çalışıyor. İmparatorla yakında yeniden pazarlığa başlayacağımıza inanıyorum..."

Ve bir sonraki mektup:

"Diogo'nun mirasından size ve Brianda Mendes'e on beşer bin dukat kaldığını, bu durumda ancak yirmi bin ile otuz bin dukat teklif edebileceğimi bildirdim. İmparator bu rakamı küçük buldu ve kızdı. Yeniden muhasebe defterlerini elden geçireceğimi söyledim. Sonunda faizsiz yüz bin dukat borç verebileceğimi bildirdim."

İskelet yakma planı, bizi yargılama çabaları, mallarımıza el koyma isteği... Anvers'i terk ederken, geride sadece malikânemizi bırakmamıştık. Kırk sandık dolusu ziynet eşyası ve birbirinden değerli mallar da orada kalmıştı. Jozef kartları akıllıca oynamış, imparator ve kraliçenin hedefinin para olduğunu bilerek adımlarını atmıştı.

Sonuçta, iyi haberi yine hızlı bir ulakla gönderdi.

"İskelet yakma planı iptal edildi..."

•

Jozef, Diogo meselesini ve bizlerin yargılanma sorununu çözmeye çabalarken stratejik davranmış, görüşme aralarını uzatmış, yüz bin dukat borcu verse de takas ve benzeri yöntemleri kullanarak, servetin kalanını da Anvers dışına çıkarmayı başarmıştı...

Kızımı evlendirme teklifini reddettiğim Mary de boş durmadı. Damat adayına karşı kendini mahcup hisseden ve buna beni sebep gören Mary, Şarlken'e 1543 yılından da bize yüz bin dukat borcu olduğunu hatırlattı. Mendeslerin mallarına tümüyle el koymadan bu mesele hallolmayacaktı.

Jozef durumu acilen bildirdi:

"İmparatora iki yüz bin dukatı bir yıl faizsiz olarak borç vermeyi teklif ettim. Finansal durumu göz önüne alındığında, bu teklifi reddedemeyeceğini düşünüyordum. Ancak Mary Protestanlara karşı yapılan savaşın giderlerini karşılamakta çok zorlandıklarını ve bu meblağın onları kurtarmaya yeterli olmayacağını savunuyor. Şarlken ve Mary arasındaki tartışmalı yazışmalar devam ediyor."

Mary ve Şarlken en sonunda anlaştı: Mallarımıza el koymaya karar verdiler. Jozef'in yakalanması ve tutuklanarak saraya götürülmesine karar verildi.

Geç kalmışlardı. Jozef bulunamamış, Venedik'e, yanımıza kaçtığı anlaşılmıştı. Mary ve Şarlken yazışmalarla zaman kaybederken, servetinin kalanını da Anvers'ten çıkarmayı başarmıştı. Ele geçirebildikleri mallar ise Jozef'in vermeyi taahhüt ettiği rakamın çok altında bir değere sahipti. Artık yapabilecekleri bir şey yoktu...

Kendimize yeni bir hayat kurabilirdik. Ama bu hayatın Venedik'te olmayacağını, henüz aileme de söylememiştim.

-31-

Omzumdaki yükü atmak istediğim anlar oluyor. Zaman zaman hayat beni de yoruyor, dermanımın kalmadığını hissediyorum. Reyna'yı da yanıma alıp, biraz gezmek, eğlenmek istedim.

Büyük Kanal'da gondolla bir gezintiyle başladık. Artık bir genç kız olmaya başlayan Reyna zevkten dört köşe, hemen hazırlanmış, yanıma düşmüştü. Elbette Pierre de yanımızda...

Gondolcu bizi ağır ağır gezdiriyor, üstümüzde güneş ışıl ışıl, hava güzel, hoş bir meltem esiyordu. Reyna bazen şen kahkahalar atıyor, bazen ayaklarını suya uzatmaya çalışıyor, gondol sarsıldığında yalandan korkmuş gibi yapıp çığlıklar atıyordu. Yanından geçtiğimiz gondollarda bulunan erkekler gözlerini ondan alamıyor, ıslık çalan, laf atanlar oluyordu.

Her biri eski, heybetli taş binalar, apartmanlar, kiliseler, taş köprüler... Kiminin önlerinden, kiminin yanından, kiminin altından geçiyorduk. Bütün bir gün gezebilirdi insan bu kanallarda. Sanki tüm şehir suların üzerine kurulmuş gibi oluyordu bu bölgeden bakınca... Yaşımı almış bir kadınım. Genç bir kız olsam ve bu şehirde yaşıyor olsaydım, kendimi belki kolayca eğlenceye kaptırır, müzikli balolarda dans etmekten, maskeli balolara katılmaktan haz alırdım. Oysa hayat beni yormuş, sürekli direnen bir kadın bırakmıştı geride. Eşinin yokluğuna direnen, sevdiklerini kaybetmeye direnen, sürekli hedefte olmaya direnen, kardeşinin vurdumduymazlığına direnen, çocuklarına göz koyanlara direnen... Hayatım iki kelimeyle bile özetlenebilirdi aslında:

Direnmek ve çalışmak...

Direnmek, güçlü olmak zorundayım her zaman. Bunu gerçekleştirmek ve devam edebilmek için de çok çalışmalıyım... Bir Musevi'nin ne zaman kaçması gerekeceği hiçbir zaman bilinemiyor. Öyle olunca ister istemez, her zaman kesemiz kaçmamızı sağlayacak altınlarla dolu olmalı. Çok çalışmalı, çok zengin olmalı, her zaman hazırlıklı olmalıyım...

Epeyce bir süre dolaştıktan sonra Reyna, "Anne, bu kadar su üstünde gezmek yeter..." dedi. "Zaten sinekler çıktı ortaya. Isırıyorlar."

Doğrusu yelpazemle kovalasam da sivrisineklerin uzaklaşmaya niyeti yoktu. Beni de ısırıp duruyorlardı.

Gondolcuya işaret ettim. Yanaştı. Suya inen merdivenlerin önünde gondolu durdurdu. Hafifçe sarsılan gondoldan inerken, adamın eline epeyce para sıkıştırmayı ihmal etmedim. Minnettar oldu, yine gelmemizi istedi.

Taş merdivenleri çıkıp da caddeye ulaşınca, kenarda bekleyen atlı arabalardan birine işaret etti Pierre. Bize kapıyı açıp içeri oturttuktan sonra, kendisi geçip arabacının yanına oturdu.

Atların nalları taştan örülmüş yollarda tıkır tıkır sesler çıkarıyor, biz ise arabanın pencerelerinden, süslü hanımların, kibar beylerin yaptığı yürüyüşleri, süslü üniformalarıyla askerleri seyrediyorduk. Heykel boldu. Hem de fazlasıyla. Birbirinden güzel heykellerin süslediği meydanlardan geçiyor, üstü kabartmalarla dolu binaların güzelliğini seyrediyorduk hayran hayran... Bazı meydanlara yeni heykeller yapılıyordu grup grup sanatçılar tarafından.

Epeyce ilerlemiş olmalıyız ki araba durdu. Başımı dışarı çıkarıp seslendim:

"Ne oluyor Pierre?"

Cevap vermedi. Kapıyı açıp indim. Niye durduğumuzu anladım.

Duymuştum, zaman zaman çalışanlarımdan gelenler de olurdu ama ilk defa kendim buraya kadar geliyordum. Belirgin şekilde şehirden farklılaştırılmış, adeta ayrılmaya çalışmış bir mahalle.

"Getto..." diye mırıldandı Pierre.

Reyna, "Burası nedir anne? Nereye geldik biz?" dedi.

"Burası sevgili yavrum, bir getto... Yani bizim gibi Yeni Hıristiyan sayılmayanların yaşadığı yer. Musevi kalmayı seçenlerin zorunlu yaşadığı mahalle..."

Yanımda durdu ama şok olmuş, şaşırmış ya da korkmuş gibi değil. Tamamen kendine güvenli bir duruş... Sanki bir anda büyümüş, karşısındaki gerçeklikle yüzleşiyor ve durumu en az benim kadar anlıyor...

Zorla Hıristiyan yapılmayan, kendi inancında kalmayı seçen Museviler, hemen her şehirde aynı şeyle karşılaşıyorlardı.

"Getto" denilen ve şehirden nispeten yalıtılmış mahallelerde, kapalı bir toplum olarak yaşamaya mahkûm ediliyorlardı.

Reyna'nın elini tuttum. Önümüzdeki mahalle, içimize garip bir hüzün yükü getirip bıraktı, sabahtan beri süren neşemiz sona erdi... Kalbimin kırıldığını hissediyordum ama niye? Kime karşı bir kırgınlık bu? Musevileri şehirde belli mahallelere hapsedenlere mi? Bizim gibi zenginleşip, Yeni Hıristiyan olarak rahat bir hayat sürerken, bu insanları aklına bile getirmeyen, yaşadıkları yerleri bile bilmeyen Marranlara mı?

Kırgındım sadece... Kime, niye olduğunu bilmeden...

Bizim gerçekten Hıristiyan olup olmadığımızı merak eden, tartışan yoktu Venedik'te. Ama belli ki ayrı bir sınıflandırmaya tabiydik. Evimde ne şekilde ibadet ettiğimi kurcalayan yoktu ama işte burada, önümdeki bu mahallede yaşayanlar, ibadet için bu semtin dışına çıkamıyorlardı. Bizim gettoda yaşamamız önerilmemişti bile... Oysa buradaki dindaşlarım, inançlarının ağırlığını, ayrımcılığı görerek taşıyordu. Gotik stilde inşa edilmiş kanalın çevresindeki büyük balkonlu, büyüleyici evlerden birine, Gritti Sarayı'na yerleşmiştik. Sarayımız, Fondaco dei Turchi'nin yani Türklerin yaşadığı yerin içindeydi. Venedik'in aristokratları ve sosyal çevrelerle rahatça temas etmiş, onlar tarafından kabullenilmiştik. Evimizde Venedik'in ileri gelenlerini ağırlıyor, yurtdışından gelen konuklarımızı misafir ediyorduk. Kutsal Roma-Cermen İmparatorluğu, Fransa ya da İngiltere gibi ülkelerin elçileri konağımıza zaman zaman misafir oluyordu.

"Getto, İtalyancada 'atılmış' anlamına geliyor anne..."

"Biliyorum kızım."

"Venedik'te iki getto var. Eski getto, kullanılmış demirlerin atıldığı bir hurdalıkmış. Yeni getto da bu hurdalığın yakınında kurulmuş. Musevilerin yeni gettoya, yani buraya yerleşmesi zorunlu..."

"Nereden biliyorsun bunları?"

"Dinlemeyi seviyorum. Ne kadar çok dinlersen, o kadar çok şey öğrenirsin!"

Düşündüm. Kızım biliyor muydu acaba gettolarda yaşayanların mahallesinin dışına ancak belirli kapılardan çıkabildiğini, geceleri dışarıda olmasının yasaklandığını... Biz bile mutfağımız için koşere uygun etleri buradaki kasaptan getirtiyorduk ama daha önce buraya gelmek aklıma gelmemişti.

"Hadi gidelim kuzucuğum... Daha oyalanmamıza gerek yok. Göreceğimizi gördük."

Arabaya tekrar binerken, Pierre'in üzgün ve mahcup bakışlarıyla karşılaştım. Artık gölgemiz olan, yanımdan hiç ayrılmayan bu adam, uğradığımız muamele için üzülüyor, kendi dindaşlarının bize reva gördüklerinden utanıyor gibiydi.

Oysa onun utanmasına gerek yoktu. Hatta hiçbir Hıristiyan'ın utanmasına gerek yoktu. Bunu yapanlar zaten dini sadece kılıf olarak kullanıyor, gerçek niyetlerini din kisvesi altında saklıyorlardı. İnsanın iyi ya da kötü olması, sahip olduğu inançtan değil, kendi kişisel özelliklerinden geliyordu. Bizim aramızdan da gayet kötüler çıkabileceği gibi, Hıristiyanların hepsi de kötü değildi.

"Onlar için bir şeyler yapamaz mıyız anne?"

Başını omzuma yasladım.

"Yapacaksın kızım... Bir gün benim bu yaşlı, yorgun yüreğim

de duracak ve o zaman dindaşların için, zor durumda kalanlar için sen elinden geleni yapacaksın. Benim bıraktığım yerden devralacaksın. Günü geldiğinde bunları seninle detaylıca konuşacağız. Ama olur da fani ömrüm kâfi gelmezse senin büyümeni görmeye, sahip olduğumuz bütün gücü, serveti, bu amaçla harcayacaksın... Ama sevgili Reyna'm, hiçbir zaman ihtiyatlı olmayı elden bırakmayacaksın! Sana her zaman ne derim?"

"Tehlikenin ne yönden geleceği belli olmaz!"

"Evet. Aynen öyle... İşte bu nedenle hep çok çalışacak hep çok ihtiyatlı olacaksın. Bol para kazanacaksın küçük kuzum. Her zaman en çok parayı kazanmak için çalışacaksın. Paran olmazsa güvenliğin olmaz!"

Başını salladı. Ne kadar güzel bir kız oluyordu böyle.

"Peki, gece hekim ihtiyaçları olunca ne yapıyorlar?"

Doğrusu bunun üzerine pek düşünmemiştim. Her zaman bizim ailemizde birkaç -hem de çok iyi- hekim olur, ihtiyaç duyduğumuzda onları çağırırdık. Ama aralarında hekimlerin de bulunduğu Musevileri gettolara hapsedip, gece çıkmalarına izin vermeyen, başlarına muhafız dikenler, acaba hekime ihtiyaç duyduklarında ne yapıyorlardı?

Güldüm.

"Niye gülüyorsun?"

"Ne yapayım, tutamadım kendimi... Düşünsene, papanın bile hekimi Musevi. Birçok kralın, kraliçenin hekimleri Musevi! Bizim kadar eğitime önem veren, gezen, gören, araştıran olmadığından belki de... Böyle olunca da Musevi hekimler daha başarılı oluyor. Sonra hem onları istemiyorlar hem de yanlarından ayıramıyorlar. Gel de gülme!"

O da benimle birlikte güldü.

"Ruhlarını zehirleyeceğimizden korkarken, bedenlerine şifa vermemizi istiyorlar!"

Kahkahalarımız bir süre daha devam etti ama ne yazık ki bu gülünecek bir konu değildi. Musevilerin giymek zorunda olduğu sarı takkeleri hekimlerin giymemesine, kısıtlı da olsa geceleri onların çıkabilmesine izin verdiklerini sonradan öğrendim.

Eve dönerken, yine dışarıyı seyrediyor ve gettoyu düşünüyordum. İçeriyi gezip görmeli ama bunu Katoliklerin kulağına kar suyu kaçırmadan yapmanın bir yolunu bulmalıyım. Sessiz ve alttan... İçimden verdiğim kararı tekrarlıyordum:

"Reyna'nın olmadığı bir gün, tek başıma..."

-32-

Masamın üstü kontlardan, düklerden gelen mektuplarla doluydu. Şarlken'in sınırları içinde kalmayan, onun tehdidini hissetmeyen kim varsa davette bulunuyor, Mendes Müessesesi başta olmak üzere Marranların kendi şehirlerinde rahat ve özgür biçimde yaşayabileceğini, ticaretini sürdürebileceğini, kendilerine karışılmayacağını söylüyor, yerleşmemizi teklif ediyorlardı.

Elime aldığım mektubun altında Cosimo di Medici'nin mührünü gördüm. Yaşlı kurt, Fransa'yla tutuştuğu savaşta epey para harcamıştı. Yönettiği Floransa'da halkın desteğine sahipti ve sanatçı cenneti haline getirmişti ama aynı zamanda finansın da merkezi olmak istiyordu.

Brianda odaya girdiğinde, mektup hâlâ elimdeydi.

"Ne okuyorsun?"

"Cosimo di Medici mektup göndermiş. Floransa'ya davet ediyor. Oraya yerleşmemizden memnuniyet duyacakmış."

"Gerçekten mi? Hemen gidelim! Floransa'nın eşsiz güzellikte bir yer olduğunu duydum. Ressamlarla, müzisyenlerle doluymuş. Akla hayale gelmeyen büyük eğlenceler tertipleniyormuş..."

Başımı kaldırıp, hayal kırıklığımı gizlemeyen gözlerle baktım. Reyna'daki kadar bile bilinç yoktu kardeşimde.

"Bizi eğlenmeye davet etmiyor Brianda! Paramızı davet ediyor! Oraya yerleşmemizi ve zenginliğimizi hizmetine sunmamızı bekliyor."

"Ne var bunda peki? Venedik'te duracağına Mendes serveti, Floransa'da dursun. Bu sularla dolu şehirden artık sıkılmaya başlamıştım. Gidelim ve bir süre de orada yaşayalım!"

Gayet normal bir şey söylüyor gibi koltuğa geçip oturdu. Ayak ayak üstüne attı. Uykusunu tam alamamış gibi kollarını iki yana açmış, geriniyordu.

Sakinleşmeye çalıştım. Brianda, benim hayattaki en yakın akrabam, kardeşimdi. Artık onun huylarını kabullenmiştim. Belli ki ailede misyonu sürdürecek kişi o değil. Belki Reyna ve La Chica... Bir de Jozef elbette... Yeğenim Jozef'e sevgim her geçen gün daha fazla artıyordu. Bir gün Reyna'yla evleneceğini, Mendes Müessesesi'ni yöneteceğini, Museviler ve Marranların özgürlüğünü sağlayacağını düşlüyordum...

"Cosimo'ya güvenemeyiz. Şarlken'le yakınlığı var. Üstelik para işlerinde bizim rakibimiz sayılır. Her şeyden önce bir Katolik ve muhtemelen bizi asla kendisiyle denk görmüyor. Belki ona bir miktar kredi açar ve kendimize borçlandırırız. Bu sayede Şarlken'in bir yandaşını daha yanımıza çekme şansımız olur ama Floransa'ya yerleşemeyiz."

"Keşke gitseydik! Leonardo Da Vinci diye birinin eserlerinden bahsediyorlar. Dev gibi resimler yapmış, bir dâhiymiş."

"Da Vinci'yi bilmeyen mi var?"

"Keşke hayatta olsaydı! Ona resmimizi yaptırırdık... Demek sevgili ablacığım, Venedik'in maskeli balolarına devam edeceğiz..."

"Çok alışma bu balolara! Burada da fazla kalmayacağız."

Uykusu biraz dağılır gibi oldu.

"Nereye?"

"Ferrara dükü ısrarlı. Yaptığımız detaylı istihbarat çalışması, ona güvenebileceğimizi gösteriyor."

"Bensiz gidin o halde!"

Ciddi mi diye baktım.

"Ne yani, burada mı kalacaksın?"

"Bilmem. Belki burada kalırım, belki Anvers'e dönerim."

"Aptallaşma!" dedim kalbini kırmayı göze alarak. "Anvers'e dönersen, seni hemen yargılayıp, yakarlar!"

"Asıl sen saçmalama! Sürekli korku masalları, sürekli korku masalları! Bunlarla bizi elinin altında tutuyorsun. Amacını biliyorum ben senin. Serveti hep kendin yönetmek istiyorsun. Başka yerlere gidersek, kontrolü kaybetmekten korkuyorsun."

Artık ciddi bir konuşma yapmanın zamanı gelmişti. Brianda'yla tüm çıplaklığıyla konuşmak istiyordum. Kırılacaksa da kırılacaktı.

Oturdum. Sakin sakin, sesimi yükseltmeden anlatmaya başladım:

"Bak kardeşim, hayattaki kızım ve yeğenimle birlikte en yakın akrabamsın. Hayatımın diğer yarısı sensin desem, doğru olur. Her şeyden öte annemle babamın yokluğunda, senin tek aile büyüğün de benim. Bugüne kadar har vurup harman savurmana, müsrif yaşamana, sorumluluk almamana ses çıkarmadım. Mümkün olduğu kadar seni korumaya ve kollamaya çalıştım. Ama yeter! Sürekli beni suçlayıp durma. Hem babam, hem Francisco, hem de Diogo, yani senin kocan, hepsi aynı fikirdeydi: İşler sana emanet edilemez! Bu bir kusur değil. Her insanın farklı özellikleri var. Ne yazık ki senin iş kafan yok... Rabbim seni eğlenesin, gezesin diye yaratmış. Fakat içinde bulunduğumuz durumu iyi anlamazsan, sadece kendini değil, hepimizi hayati tehlikelere atacaksın. Ne yazık ki bunu görüyorum... Diogo bile sana güvenemedi ve hem mirasın kontrolünü hem de küçük Gracia'nın vesayetini bana bıraktı."

Ummadığım kadar yüksek bir sesle böldü konuşmamı:

"Suçlusu sensin! Bir erkek gibi kocamla arkadaşlık edip, onun çevresinde dört dönmeseydin, benim hakkım olana konamazdın!"

"Sesini yükseltme!"

Kapı vuruldu. Yan odada bekleyen Pierre, gerekirse beni kardeşimden bile korumaya kararlıydı.

"Sakın gelmeyin!" diye bu defa da ben sesimi yükselttim.

Tekrar Brianda'ya döndüm:

"Dinle kaz kafalı! Sen bir Marran'sın. Daha doğrusu bir Musevi'sin... Zorunluluktan dinimizi değiştirmiş görünebiliriz. Ama biz Kudüs'ten çıktığından, dünyaya dağıldığından beri yurdunu arayan, oradan oraya sürülen, canına, malına, hürriyetine kastedilen insanlarız. Biz çalışıp sana servetin devamını sağladığımız ve bol bol altının olduğu müddetçe sana kendileriyle eşitmişsin gibi davranacaklar. Yoksul bir Musevi olsaydın, şu anda bir gettoda, duvarların arkasında can güvenliğinden bile endişe ederek yaşıyor olurdun. Bunu kafana iyice sok!"

Umursamaz şekilde omuz silkti:

"Hah! Öyle olsaydım, onu o zaman düşünürdüm. Şimdi zenginim ve artık benim zenginliğimi bana vermeni istiyorum. Artık senin gölgende yaşamak istemiyorum. Dona Gracia her şeyi bilir! Dona Gracia karar verir! Dona Gracia'nın sözü geçerlidir! Yere batası Gracia!" Ayağa fırlayıp sesini daha da yükseltti. "Kocam bile, kendi kocam bile öz kızımı bana değil, sana bıraktı! Senden bunun için bile nefret edebilirim anlıyor musun? Senden bunun için bile kıyamete kadar nefret edebilirim ve bunu hak ediyorsun!"

Gözleri öfkeden çakmak çakmaktı. Hep süslü, hep güzel Brianda, hiç göstermediği bir yüzünü gösteriyordu. Hem de ablasına... Bu defa ben sakinleştim:

"Ne yaptıysam seni, kızlarımızı, dindaşlarımızı korumak için yaptım. Hata mı yaptım? Bıraksam da yoksul mu kalsaydık? Bizi engizisyonda yargılayıp, işkenceyle öldürseler miydi? Kimseyi düşünmüyorsan, La Chica'yı düşün. Onun güvende olmasını sağlamaya çalışmam hata mı?"

"Sana ne? Sana ne? Ben kendi kızımın güvenliğini sağlayamaz mıyım? Neden senin vesayetine veriliyor?"

"Belki bu kadar eğlenceye dalacağına, kızınla ilgilensen, Diogo böyle bir karar vermezdi!"

Diogo'ya küfredecek oldu ama tuttu kendini. Öfkesini yeniden bana yöneltti:

"Belki kendi işimi yönetmeme izin verseydin, bu kadar eğlenmeye vaktim olmazdı! Hem sen eğlenmedin de ne oldu ha? Şimdiden kocakarılar gibi görünüyorsun. Yanımızda çalışan muhasebeciler bile senden daha alımlı, daha güzel görünüyorlar. Rab beni güzel seni çirkin yarattıysa bunun intikamını benden mi almalıydın? Sahip olduğumuz sandıklar dolusu mücevheri bile takmama izin vermedin! Ne kendin taktın bir kez ne de bana bıraktın! Aynaya bir bak lanet olası! Aynaya bir bak ve kendine ne yaptığını gör! Benim de senin gibi mi görünmemi tercih edersin? İki çirkin kocakarı mı olsaydık?"

Kalbim orta yerinden çatlar gibi oldu... Çenem titriyor, konuşamıyordum. İki iri damla, yanaklarımdan aşağı süzülürken koltuğa çöktüm.

"Ama niye böyle acımasızsın?"

Daha konuşacaktı fakat tuttu kendini. Sözlerinin beni, hedeflediğinden daha fazla yaraladığını anlamış olmalı.

"Senden artık beni rahat bırakmanı istiyorum. Bana ait olanı, benim hakkım olanı verdiğin sürece nereye istersen git! Artık senin peşinden sürüklenmek istemiyorum. Engizisyon beni yakalayıp yargılayacak, ipte sallandıracaksa da sallandırsın. Bir kadına bunu yapmak istiyorlarsa, onların da canı cehenneme! Ama artık bitti! Brianda, Dona Gracia'nın gölgesinde kalmayacak!"

Vurdu kapıyı, çıktı gitti.

Açık kapıdan Pierre göründü. Bütün tartışmayı duymuş olduğu belliydi. Ağzımdan bir tek kelime çıkamıyor, gözyaşlarım sürekli süzülüyordu. Elimi kaldırdım, bir şey sormasın ya da içeri gelmesin diye.

Uzanıp, kapıyı usulca çekti.

-33-

Marranlar ve Museviler akın akın Osmanlı'ya kaçıyor, biz de elimizden gelen yardımı yapıyorduk. Fakat son günlerde düşmanlarımız yeni bir taktik belirlemişler, Osmanlı'ya kaçan Musevilerin orada kötü muamele gördüğü dedikodusunu yayıyorlardı. Sağlam kaynaklardan istihbarat alıyordum. Osmanlı'da durum hâlâ çok iyiydi. Osmanlı, vergisini ödediği takdirde hiçbir vatandaşını ayırmıyor, hele dini inançlarına hiç müdahale etmiyordu. Süleyman, sadece dini yasalarla yetinmemiş, günlük yaşamı düzenleyen ve her inançtan insanı kapsayan yasalar yaptırmış, bu sebepten lakabı Kanuni'ye çıkmıştı. Süleyman'ın yakın çevresindeki Musevilerin yanı sıra, İstanbul'da bulunan hahamlardan da aynı yönde bilgiler geliyordu. Osmanlı'da Museviler dini vecibeleri konusunda özgürdü.

Sadece kendimi düşünüyor olsam, bir an önce İstanbul'a gider ve orada yaşardım. Daha Anvers'ten ayrıldığımda, aklımdaki son durak İstanbul'du ama tek kendimden sorumlu değildim. Düşünmem gereken bir ailem, planlamam, yardımcı olmam gereken Marranlara ait işler vardı. Bunların hepsinin çatısı da Mendes Müessesesi.

Bir de Brianda tabii...

Canım kardeşim, sanıyordum ki beni çok fena kırdığını anlayacak ve sakinleşince gelip özür dileyecek. Gönlümü almak için diller dökecek...

Özür dilememesi bir yana, sonraki günlerde adeta beni görmezden geldi. İçindeki zehri kusmuş, rahatlamıştı. Pişman değildi. Üstelik hâlâ aynı görüşteydi. Mümkün olduğunca az kelimelerle benimle konuşuyor, mümkün olduğunca birlikte az vakit geçirmeye çalışıyordu. Venedik'ten ayrılmayı istemediğini biliyordum. Buradaki sefayı başka bir yerde bulamayacağını biliyor, İstanbul denilen bilinmez, ona cazip gelmiyordu.

Doğrusu şöyle oturup düşününce beni de endişelendirmiyor değildi İstanbul. Ne de olsa farklı bir kültürdü. Biz Yeni Hıristiyanlar, Avrupa'daki insanlarla eşit görülmesek de benzerdik. Benzer şekillerde yaşıyor, benzer işlerle uğraşıyor, benzer şekillerde gülüyor, ağlıyorduk. Müslüman Türklerin ülkesinde ise hayat daha farklı olmalı. Gelenekleri, hayat tarzları tamamen farklı... Uyum sağlayıp sağlayamayacağımızı bile bilmiyordum. Eğer Brianda'yı yanımızda götürmeyi başarırsak, orada bir maskeli balo bulamayacağı açıktı. Türklerin müzik anlayışları da farklıydı. Kadın ile erkeğin birbirine sarılarak dans etmesine Süleyman'ın çok kızdığını Avrupa'da duymayan yoktu.

Burada alıştığı hayatın aynısını İstanbul'da bulacağını garanti etsek bile Brianda'nın bizimle gelmek isteyeceğinden şüpheliydim. O, Diogo'dan kalan mirası ve kızının payını istiyordu.

Serveti ele geçirmek ve benim gibi kudretli olmak istiyordu... Kimseden izin almadan, hesap vermeden harcayabilmek, Venedik sosyetesindeki hanımefendilerle mücevher yarıştırmak, kendisine kur yapan yakışıklı beyefendilerle saatler geçirmek istiyordu. Güzelliği ile yetinilmesin, zenginliğiyle de göz kamaştırsın derdindeydi.

Belki, babamın bana verdiği sırrı onunla paylaşabilsem, üzerine aldığı görevle daha farklı düşünür, davranırdı...

Ama bu mümkün değil. Onunla paylaşmamakta haklı olduğumu çok kere ispatlamıştı.

Bu konu kafamı kurcalarken, her önemli olayda olduğu gibi yine aynı soruyu kendime sordum:

"Diogo yaşasa, ne yapardı?"

-34-

Yılın en kutsal günü olan Yom Kipur geldi. Kefaret gününde, güneşin batışından ertesi gün batışına kadar oruç tutacağım. Museviler Yom Kipur'un tamamını ya sinagogda, yıl içinde işlediği günahları, insanlara karşı yaptığı haksızlıkları hatırlayıp, bunlar için pişmanlık duyarak, samimi bir şekilde dua edip tövbe ederek geçirir ya da gizlice yapmak zorundaysa, evinde yapar. Bir yıl boyunca işlediğim günahları içtenlikle tek tek hatırlayıp, samimi bir şekilde dua edeceğim ve umuyorum ki affedileceğim.

Yom Kipur'da kopmuş bir bileziğimi yanıma aldım ve arabanın hazırlanması talimatını verdim.

Arabaya binerken Pierre de gelmek istedi.

"Pierre, bugün tamamen Musevilerle dolu bir yere gidiyorum. Onlardan bana bir zarar geleceğini sanmam. Sen burada kal. Gettoda çok iyi bir ziynet tamircisi varmış. Bileziğimi tamir ettirip, çabucak dönerim. Kızlarımı yalnız bırakma!"

İtiraz etmedi. "Kızlarımı yalnız bırakma!" derken, "Brianda'dan çok sana güveniyorum..." mesajını almıştı.

Gettoda, elbette tamirciyi bulamadım. Sadece o değil, tüm Musevilerin dükkânları kapalıydı. Arabacıya, "Ben tamirciyi bekleyeceğim. Sen git ve beni akşamüzeri almaya gel..." dedim.

Gitti.

Nerede olduklarını tahmin ediyordum. Sinagogun yolunu tuttum.

Zorlanarak, çaresizlik içinde dinimi değiştirmiş görünüyor, gerçek inancımı gizliyordum. Duaların kabul göreceği bu günü, af dileyerek geçirmek istiyorum. Kanımıza işlemiş ancak yasaklanmış melodileri dinleyip, ruhani ayinleri seyredeceğim.

Sinagoga doğru yaklaştıkça içimdeki heyecan büyüdü.

Cemaatle birlikte olmam tehlikeliydi. Tanıyan, görenler olabilirdi. Ağızlarını sıkı tutamayan birileri belki... Belki de bu günü bilen Katoliklerin yolladığı bir casus... Bulabildiğim en kuytu köşeye sinip, bir suçlu gibi gizlendim. Ruhen ve vicdanen rahatlamak için yalvardım:

"Ey sevgili Rabbim! Bütün bir yıl işlediğim günahlar için sana tövbe etmeye geldim. Bu günahkâr kulunu affet. Bu, inancını gizli yaşamak zorunda kalan, dışarıdan goyimler gibi görünen kulunu bağışla... Rabbim, senden af diliyorum..."

Yıl boyunca işlediğim ve hatırlayabildiğim tüm günahları tek tek saydım, hepsi için tek tek af diledim. Dua ettikçe rahatlayıp, hafiflediğimi hissettim.

Akşam, güneşin batmasına yakın sinagogdakiler birer ikişer ayrılmaya başladılar. Gitme vakti geliyordu. Ben, Dona Gracia, gerçek adımla Hanna, bir günü nihayet Rabb'imle baş başa, gerçek bir Musevi gibi geçirebildim. Bugün, benim için dünyanın servetlerine bedel. Kendimi hafiflemiş, rahatlamış, güçlenmiş hissediyorum.

Adeta başka bir boyuta geçmiş, dünyadaki hayatın ne kadar boş ve anlamsız olduğunu fark etmiştim. Eğer şu anda beni de tutup engizisyonun önüne çıkarsalar, kollarımı ve bacaklarımı koparıp ateşe atmakla tehdit etseler, yine de yüzlerine karşı haykırırdım:

"Ben bir Musevi'yim! Asla goyim olmadım, olmayacağım! Yüce Rab'den başkasına tapmadım, tapmayacağım!"

Şofar* çalındığını duydum. Ruhum adeta arınmış gibi oldu... Hayat defterim bir yıllığına kapatıldı...

•

Arabacı, söylediğim gibi günbatımına yakın, beni bıraktığı yere, almaya geldi.

Sessizce bindim ve eve döndüm.

Sofra hazırlanmıştı.

Âdetlerimizi bilmeyen Katolikler için tamirci beklemek sıradan hatta zaman kaybı bir iş gibi görünebilir ama Brianda için durum böyle değildi.

Sofrada, yine benimle hiç konuşmadan yemeğini yerken, gözlerinde garip bir parıltı gördüm... Meğerse arınmaya çalıştığım günde, beni yok etmenin bir yolunu bulmuş!

---

* Koç, keçi veya antilop boynuzundan yapılan, güçlü bir ses çıkaran ve binlerce yıldır sinagoglarda özel günlerde üflenen çalgı.

-35-

Engizisyon bir kâbustu. Sadece biz Museviler ya da Müslümanlar için değil, Hıristiyanlar için de bir kâbus... Bir kez suçlanan biri kolay kolay elinden kurtulamaz, yargılanmak üzere götürülen birinden, bir daha hayır gelmezdi.

Engizisyonun dehşetengizliği sadece bizi değil, aklı başında yöneticileri de ürkütüyor, ülkesinde engizisyon istemeyenler de oluyordu. Venedik bunlardan biriydi. Bizi hâlâ ısrarla davet eden Ferrara, bize davetini yineleyen Floransa hatta başlarda Roma... Papa bile Cosimo di Medici gibi engizisyonu istememişti. Bu sayede Roma'da da Floransa'da da Venedik'te olduğu gibi ticari faaliyet bir ölçüde canlı kalabilmişti. İspanya, Portekiz ve şimdi de Anvers'ten kaçan Marranlar, bu sebepten Venedik ve diğer İtalyan şehirlerine akın ediyordu.

Venedik yönetimindeki ani tavır değişikliğini görmek bizi şaşırtsa da temellerini anlayabiliyordum.

Martin Luther'in yaydığı Protestanlık, Şarlken ile François arasındaki çekişme gibi konularda Osmanlı taraf tutmuştu. Osmanlı, düşmanının düşmanı gördüğü François ve Luther'e yardım ediyor, bu yolla Şarlken'i zayıflatmaya çalışıyordu. Süleyman'ın, papanın insanüstü bir varlık olarak görülmesinden rahatsız olduğu, Protestanları Müslüman anlayışına daha yakın bulduğu biliniyordu. Bu görüşünü tüm Avrupa'ya da duyurmuş, Katolik-Protestan çekişmesinde, Protestanlardan yana ağırlık koymuştu.

Osmanlı'dan çekinen Papalık ise Katolikleri, Luthercilere kaptırmamak için sertleşme yolunu seçti. Papalık'ın kullanacağı silahlardan biri engizisyondu. İspanya ve Portekiz'de nüfus Katolik olmayanlardan arındırılmıştı. Museviler, Müslümanlar hatta Marranlar bile önce İspanya, ardından Portekiz'den kovuldu. "Pureza de Sangre" diyorlardı bu arındırmaya: "Kan Saflığı"... Herkesin Katolik Hıristiyan olduğu, tek bir toplum...

Papalık, Protestanlığın daha fazla güç kazanmaması için, engizisyonu İtalya'da başlatmaya karar verdi.

Bunları biliyordum ve başka bir yere taşınma hazırlıklarını başlatmıştım. Bilmediğim, kardeşimin aptallığının ne kadar zirveye çıkabileceği ve kendi çocuğu da dahil, hepimizi nasıl ateşe atabileceğiydi.

•

İki rahibin ziyaretime geldiği haber verildiğinde ateşe ilk odunların atılmaya başlandığını anlamıştım. Kilise içinden de haber almanın bir yolunu bulsak da bu çok sağlıklı değildi bilgi akışı. Bu ziyaret tümüyle sürprizdi.

"Hemen içeri alın!"

Renk vermemeye çalışarak, heyecanımı gizlemeye çabaladım.

Rahipler içeri girdi. Üstlerindeki cüppeler sade, görünüşleri "Tanrı adamı" dedikleri cinstendi. Korkutucu bir yanları yoktu elbette ama içimde anlamlandıramadığım bir korku büyüyordu.

"Bayan Luna..." dedi daha yaşlı olanı.

"Buyurun sayın peder. Oturun lütfen."

Birbirlerine baktılar.

"Oturmayacağız. Size birkaç soru sormak için buradayız.

Heyecanım bir kat daha büyüdü...

"Ah pardon!" dedim heyecanımı artık açık ederek. "Dalmışım..."

Aceleci adımlarla gidip, elini öptüm. Diğeri elini uzatmadı.

"Oturun Dona Gracia!" dedi rahip.

Kendi işyerimde adeta emir veriyorlardı. Engizisyondan olduklarını söylemeseler de anlardım hallerinden.

"Sizi Kutsal Roma-Cermen İmparatorluğu adına sorgulamaya geldik..."

"Beni mi? Niye? Hangi suçlamayla?"

"Bayan Luna, gerçek adınızın Dona Gracia Mendes olduğu doğru mu?"

Anlaşılan korktuğum başıma geliyordu.

"Müsaadenizle bir oturayım o halde..." dedim. "Peki, beni yalnız mı sorgulayacaksınız, avukatlarımı çağırmama gerek var mı? Burada mı sorgulamak istiyorsunuz yoksa tutuklanacak mıyım?"

Genç olanı, "Şimdilik birkaç soru..." diye karşılık verdi.

"Evet. Burada nasıl Bayan Luna isem, geldiğim yerde Dona Gracia olarak tanırlar. Bu isim, babam Alvaro Mendes'ten kalmadır ve Portekiz'de vaftiz edildiğimde verilen isimdir.

Ancak peder, Kutsal Roma-Cermen İmparatoru Şarlken'den aldığımız dini konularda dokunulmazlık belgesine rağmen, biz Yeni Hıristiyanlar zaman zaman suçlamalarla karşı karşıya kalırız biliyorsunuz. Bunun gereği olarak burada Luna olarak bulunuyorum."

İhtiyar olan başını salladı.

"Bayan Luna, gizli bir Musevi olduğunuz iddia ediliyor. Heretiklikle suçlanıyorsunuz."

"Nasıl olur peder? Ben dinine bağlı bir Hıristiyan'ım. Bunu herkes bilir."

"Musevilerin Yom Kipur gününde Yeni Getto'ya giderek, bütün günü buradaki sinagogda ibadet ederek geçirdiğiniz ihbar edildi. Tamir işini bahane ederek buraya gittiğiniz, aslında orada bir randevunuz olmadığı da... Aynı zamanda gizli gizli Musevi ibadetlerini devam ettirdiğiniz, evinizde gizlice Museviliği sürdürdüğünüz iddia ediliyor."

Beynimden vurulmuşa döndüm. Demek ki sonunda korktuğum başıma geliyor! Ben arınmaya çalışırken, görüp tanıyan biri ya da bir casus ihbarda bulunmuş olmalı...

"Kusura bakmayın ama peder, bunlar tamamen saçmalık! Yeni Getto'ya gittiğim doğru. Ne yazık ki kırılan bileziğimi tamir edebilecek tek usta orada. Günü orada geçirdiğim de doğru ama bu benim gibi bir Hıristiyan'ın, Musevi ibadeti yapmasından değil, tamiri yapacak ustanın Musevi olmasından kaynaklanıyor. Yom Kipur olduğu için akşama kadar bekledim ama gelmedi. İbadete giden oydu."

Hazırlanıp, rahiplerle birlikte çıktığımda, süslü kıyafetler giymiş bir grup Venedik askerinin de kapımızda bekletildiğini gördüm. Belli ki direneceğimi, onlarla gitmek istemeyeceğimi düşünmüş olmalılar. Pierre hâlâ arkamızdaydı. Ev ahalisi ise şaşkın, paniklemiş, ne yapacağını bilemez halde, çoğu taş kesilmiş gibi, arkamızdan bakıyorlardı.

Peder ona döndü.

"Sen de kimsin?"

Onun yerine ben cevapladım:

"Kendisi yardımcım peder... O da benim Hıristiyan olduğuma şahitlik edecektir." Pierre'e dönüp, gözlerine bakmaya çalışarak devam ettim. "Pierre, sen burada kal. Jozef'i ve Brianda'yı durumdan haberdar et. Avukatlarımla birlikte gelmelerini söyle."

Başını salladı.

•

Jozef avukatlarımızı da alıp gelmeden önce taş, yüksek tavanlı binadaki küçük sayılabilecek bir odada birkaç soru daha sordular. Neyse ki şimdilik sert davranmıyor, sadece sorularla sıkıştırmaya çalışıyorlardı.

"Yom Kipur denilen günde, Yeni Getto'ya gittiniz mi?"

"Gittiğimi biliyorsunuz peder."

"Neden?"

"Aile yadigârı, kırılan bileziğimi tamir ettirmek için peder. Üzerindeki değerli taşları işleyebilecek bir usta olduğunu söylediler."

"Peki, neden sinagoga giderek tüm günü orada geçirdin?"

"Tamirciyi aramak için dolaştım biraz ama tüm günü orada geçirmedim."

"Arabacıya sizi akşamüstü almasını neden söylediniz? Bütün gün orada olacağınızı biliyordunuz demek ki..."

"Tamirci ustayı bulmam gerekir diye düşündüm peder."

Sonra genç olanı başladı sormaya:

"Gemilerinizde neler taşıyorsunuz?"

"Ben müessesesinin sahibiyim peder. Gemilerin hangisine ne yüklenir, bilmiyorum. Gidip başlarında hiç durmadım. Ama Hindistan'dan baharat, Akdeniz kıyılarından pamuk ve kumaşlar getiriliyor. Buradan başka mallar yüklenerek götürülüyor. Değerli madenler de var diye biliyorum. Gerekirse yüklere ilişkin defterler incelenebilir. Kaydı tutuluyordur."

"Bugüne kadar kaç insanın Osmanlı'ya kaçmasına yardım ettiniz?"

Şaşırmış gibi baktım:

"Hiç! Osmanlı bizim ve kutsal papa hazretleri ile Kutsal Roma-Cermen imparatorunun düşmanıdır. Oraya gitmek isteyenlere yardım etmeyiz."

Yaşlı olanı devam etti bu kez soru sormaya:

"Biliyorsunuz ki kızım, sizi konuşturacak teçhizata ve yetkiye sahibiz. Bizi yormadan her şeyi anlatmanızı istiyorum."

Koynundan bir mektup çıkardı. Bunun, beni ihbar eden mektup olduğunu biliyordum. Kâğıdın kalitesine ve üzerinde bir de kırılmış mühür bulunduğuna göre, paralı ve tanınmış birinin ihbarı. Bir casustan çok, ticari rakiplerimizden gelmiş gibi.

Kapı vurulup, yine rahip kıyafetleri giymiş bir başkası içeri girdiğinde sorulara ara verdiler. O kısa sürede, kendi aralarında fısıldaştıklarını gördüm. Sonra içeriye perukalar takmış iki avukat girdi. Ellerindeki belgeleri gösterip, beni savunacaklarını söylediler.

Az buçuk tecrübem vardı. İşkenceye ne kadar dayanabileceğimi bilmiyorum ama bu şekildeki sorguya uzun süre dayanabilirim.

En basit kural: Hiçbir şeyi kabul etmemek!

Bir tek suçlamayı bile bir kere kabul edersen, devamı çorap söküğü gibi gelir. Şu ana kadar direnmiş, avukatlarım gelmeden önce hiçbir suçlamayı kabul etmemeyi başarmıştım.

Neyse ki Venedik Dukalığı hâlâ bizi topraklarında istiyordu ve başka bir tutuklunun elde edemeyeceği kolaylıklar, benim için sağlanıyordu. Avukatlarımla birlikte, daha sonra sorgulanmama devam edilmek ve gerek görülürse yargılanmak üzere, serbest bırakıldım.

"Evinize gidin ancak Venedik'ten ayrılmanız yasak! Denememenizi öneririm!"

•

Yolda, Jozef'in de Pierre'in de ağzını bıçak açmıyordu. Ben ise her şeyi deli gibi merak ediyordum:

"Jozef, avukatlarla konuştun mu? Bundan sonra ne olacak? Nasıl davranmamız gerekecek? Kaçmamıza gerek var mı? Papalık, yargılanmama müdahale edebilir mi?"

Jozef sanki sorularımı hiç duymuyormuş gibi sessizdi. Arabanın içinde, atların nallarının tıkırtılarını dinleyerek, hafifçe sallanıyordu.

"Jozef, durum çok mu umutsuz? Neden bana açıkça anlatmıyorsun?"

Sonunda derin bir iç çekti ve konuştu:

"İşimiz bu defa çok zor Gracia hala... Seni Brianda hala ihbar etmiş..."

-36-

Eve girer girmez tüm gücümle bağırdım:

"Nerede o?"

Kapının hemen yanında iri, gümüş bir şamdan duruyordu, kaptığım gibi merdivenlere koştum. Bir yandan da deli gibi bağırıyordum:

"Nerede o aptal? Nerede o kaz kafalı?"

Geldiğimi pencereden görmüş, kapısını kilitlemişti çoktan. Abanoz ağacından ağır kapı ne kadar itersem iteyim açılmıyordu. Elimdeki şamdanı bütün gücümle indirdim kapıya. Güm diye bir ses çıktı ama sarsılmadı bile. Sonra bütün hırsımla yeniden vurdum. Şamdanı balyoz gibi kullanıp defalarca vurdum. Bütün ev inliyor ama kapı açılmıyordu.

Sonunda yorgunluktan gözüm karardı. Elimdeki şamdan düşerken, bayılacağımı anladım ve kendimi bıraktım.

Her yer karardı...

Gözümü tekrar açtığımda, Pierre'in kucağında, yatak odama doğru götürülüyordum.

"Nerede o?" dedim öfkeyle ama sesim zar zor çıktı. "Bırak beni! Onu bulup yanıma getir!"

Jozef'in sesini duydum:

"Gracia hala, çocuklar çok korktu. Kızlar korkudan ağlıyorlar. Biraz sakinleşin, bunu sonra konuşuruz. Lütfen! Zaten yorgun düşmüştünüz..."

Gözlerim yeniden karardı.

Ne kadar süre öylece yattım bilmiyorum. Yatağın yanına bir sandalye çeken Jozef yanımdan ayrılmamış, karşımdaki koltuklarda Reyna ve La Chica oturuyordu gözlerimi açtığımda. Bir de artık odanın dışında bekleyemeyen Pierre... Onu adamakıllı endişelendirmiş olmalıyım.

"Daha iyi misin?" dedi Jozef.

Başımı salladım.

"Biraz su..."

Hemen komodinin üstündeki Çin işi porselen sürahiden, kristal kadehe su doldurup uzattı.

Birkaç yudum ancak içebildim. Boğazım zımparalanmış gibi acıyordu.

"Nerede o?"

"Sakin olursan, birazdan gelecek... Ama lütfen sakin ol! Bu şekilde bir şey konuşamayız. Oysa konuşmamız gereken bir sürü konu var. En başta şu engizisyon..."

Başımı salladım.

Jozef, Reyna ve La Chica'ya döndü.

"Siz odanıza geçin. Biz biraz konuşacağız."

Kızlar gözleri nemli, isteksiz biçimde kalktılar. Saygıyla eğilerek bir selam verip odadan çıktılar. Pierre kapıyı açtı. Brianda'yı gördüm.

Tuhaf! O içeri girerken artık öfkem dinmişti. Ne üzerine atlayıp bütün saçını yolmak istiyordum ne de tokatlamak. Hiç... İçimden hiçbir şey gelmiyordu... Bunda, bu kadar halsiz düşmemin bir etkisi var mıydı, bilmiyorum. Belki vardı belki yoktu ama şüphesiz artık eskisi gibi değildim. Olmayacaktım da... İçimde bir yerlerde, Brianda'nın bir daha asla kardeşim olmayacağını hissettim. Evet, bu odaya giren ve göründüğü kadarıyla bir pişmanlık belirtisi de taşımayan kadın artık benim kardeşim olamaz! Onun bana yaptığını en azılı düşmanlarımız yapamamış, beni engizisyonun önüne çıkarmayı kimse başaramamıştı. Zavallı babamın, annemin, Francisco ve Diogo'nun ruhlarının ne kadar rahatsız olduğunu hissedebiliyordum şimdi.

Toparlanıp, oturur gibi yaslandım karyolanın başına...

Brianda anlamıyor şimdi ama artık bir yabancıya nasıl davranıyorsam, ona karşı da aynı olacağım. Aramızdaki bütün bağlar koptu. Artık herkese olduğu kadar ona da ihtiyatlı olacağım. Şimdi anlamıyor ama artık benim dostum, arkadaşım olma şansı bile kalmadı...

"Nasıl yaptın?" dedim yine de fısıltı halinde çıkan sesimle.

"Böyle olmasını istemezdim..." dedi oturduğu koltukta. "Ama beni mecbur bıraktın."

Acılı bir yüzle başımı salladım. Hâlâ durumun farkında değildi.

"Peki, bana kızdın da çocuklarımızı da mı düşünmedin? La Chica'yı, Reyna'yı düşünmedin mi? Engizisyonun sadece beni yargılayıp idam etmekle kalacağını mı sandın?"

Gözleri bulutlanır gibi oldu. Aklı başına yeni yeni geliyor gibiydi.

"Onlarla ne ilgisi var? Hem ben ihbar ettiğime göre, demek ki bu meselede sen yalnızsın. Yoksa biz de senin gibi olsak, niye ihbar edeyim?"

Jozef saygıyla dinliyor, taraf olmamaya çalışıyordu. Aslında onun da benden farklı düşünmediğinden emindim.

"Hepimizi tehlikeye attın! Onların derdi inancımız değil, Mendes serveti. Şimdi ona el koymak için her şeyi yapacaklar. Bunun için seni kazığa oturtmaktan, La Chica'nın bağırsaklarını deşmekten, derisini yüzmekten çekinmezler!"

"Saçma!" dedi ama aklı artık başına geliyordu.

Korktuğunu hissettim.

"Bununla kalsa iyi... En ağır işkenceleri sen göreceksin. Çünkü en çok serveti sende sanıyorlar. Taktığın mücevherlere veda edebilirsin. Hepsine el koyacak, seni maskeli balolar yerine zindanlara götürecekler. O çok övündüğün güzelliğinden eser kalmayacak, vücudunu kurtlar kemirecek. Açlıktan fareleri yemek zorunda kalacaksın!"

Jozef artık müdahale etme ihtiyacı duydu:

"Gracia hala, lütfen!"

Ona döndüm:

"Neden? Neden susalım? Bu ahmak bunların hiçbirini düşünememiş! Şimdi biz düşünmek zorundayız... Hayır, biz önemli değiliz. Bana ya da şu kaz kafalıya ne olacağını düşünmüyorum. Kızları kurtarmamız gerek. Hemen onları kaçırmalısın! Ülke dışına, başka bir yere."

"Kızımı benden alamazsın!" diye acılı bir sesle itiraz etti Brianda. "Onu bir yere götüremezsiniz! Benim olanlar hakkında ben karar vereceğim! Kızımı da alıp, beni burada beş parasız bırakamazsın!"

Jozef hâlâ en sakinimizdi:

"Bu kolay olmayacak. Brianda hala, senin servetini Osmanlı'ya kaçırmak istediğini de ihbar etmiş..."

Brianda'nın verdiği zararlar bununla kalmayacaktı anlaşılan. Daha neler görecektim kim bilir... Heretik olduğumu, infidellere yardım ettiğimi ihbar etmişti. Bununla kontrolümdeki servetin elimden çıkmasını ve kendi kontrolüne geçmesini arzu ediyordu, gözlerinden anlıyordum. Fakat bu mümkün olmayacaktı. Bizim infidellere yardım etmemiz, onlara savaş teknolojileri, silah yapımı, gemi yapımı gibi bilgileri sızdırdığımızı düşünmeleri ayrı bir yargılama konusu olur, sadece benim kontrolümdeki değil, tüm ailenin kontrolündeki servete el konulurdu. Brianda, balolarda gezerken, süslenmekle vakit harcarken, bulunduğu ülkenin ve engizisyonun yargılama usullerine ilişkin bir şeyler öğrenmeyi ihmal etmişti.

"Osmanlı, Venedik'in de en büyük düşmanı. Onlara yardım ettiğimizi söylediysen, engizisyondan kurtulsan bile, Venedik'in elinden kurtulamazsın!"

Daha başka bir şey söylemeye gerek yoktu. Bu hâlâ karşımda oturan kadına, eskiden kardeşim olan kadına bakmaya bile dayanamıyordum.

"Jozef, gönder şunu! Baş başa konuşalım..."

Brianda itiraz edecek oldu ama Jozef başıyla işaret etti. Sessizce çıktı gitti.

Pierre de mesajı almış, onun peşinden çıkmıştı.

-37-

Gece olmadan yeniden kapımız çalındı. Henüz kendimi toparlayıp ayağa bile kalkamamıştım ama engizisyon kolay kolay peşimi bırakmayacaktı anlaşılan.

Haberi yine Jozef verdi:

"Engizisyon, yargılama süreciniz bitene kadar mallarımıza tedbir konulmasına ve sizin bir manastıra kapatılmanıza karar vermiş. Hazırlanmanız gerekiyor."

"Rabbim!" dedim. "Bunlar beni bırakmayacaklar!"

"Hayır, endişelenmeyin. Hemen gidip avukatları uyandıracağım. İtiraz edeceğiz. Yine de cezaevine götürmektense, manastıra kapatılmanız, durumun hassasiyetini fark ettiklerini gösteriyor."

"Jozef, sen beni boş ver. Kızları al ve hemen Venedik'ten çıkar."

Umutsuz bir yüz ifadesi takındı.

"Onların da sizinle gelmesine karar vermişler!"

Elimi alnıma götürdüm.

"Olamaz! Onlar da mı?"

"Evet ama merak etmeyin. Bütün imkânlarımızı seferber edeceğim. Gerekirse tüm servetimi verip, sizi kurtaracağım."

Aklıma geldi:

"Brianda da mı benimle geliyor?"

"Hayır. O burada, ev hapsinde kalacak."

"Lanet kadın!"

Kalktım. Hazırlanmaya çalışırken, Brianda'nın acı çığlığı duyuldu. La Chica'nın da benimle birlikte gözaltına alındığını, zorunlu misafirlik için manastıra götürüleceğini duymuş olmalı. Halbuki ihbarı yaparken, kızının benim vesayetimde olduğunu düşünmesi, benimle ilgili suçlamaların onu da etkileyeceğini bilmesi gerekirdi.

"Ahmak!"

Yanıma birkaç parça eşya almak üzere, aslında sersemlemiş bir şekilde odada dolanırken, düşünmeden edemiyordum. Acaba Brianda gerçekten La Chica hapse gidiyor diye mi bu kadar feryat ediyor, yoksa ev hapsinde kalıp, eğlence hayatından mahrum olacağı için mi?

De Luna olarak Venedik'e yerleşmek de bizi kurtarmaya yetmemişti. Yine gözlerimiz bağlı, tehlikenin nereden geleceğini bilemeden, ortalık yerde kalmış hissediyordum kendimi...

Yolda, Jozef bana bir bilgi daha verdi:

"Brianda hala bir başka iş daha yapmış Gracia hala..."

"Ne?"

Kızlar da dinliyordu.

"Fransa'da, Fenicio adında tanınmış bir Marran işadamını, oradaki servetimizden hakkı olanı alabilsin diye vekil olarak tutmuş. Diogo, servetin büyük bölümünü Fransa'ya kaydırmıştı. Anvers'teki yargılama süreci başlayınca, ben de kalanı ağırlıklı olarak oraya kaydırdım ama Brianda hala, bu serveti kendi kontrolüne almak istiyor. Şimdi sadece Venedik değil, Fransa da servetimize el koymak için bir fırsat yakalamış oldu. Buradaki yargılamada suçlu bulunursanız, Fransa'daki dava da aynı yönde seyredecektir. Onların da mallara tedbir getirmesi yakındır."

"Ölseydim de bugünleri görmeseydim!"

Reyna ve La Chica korkulu sesler çıkardılar. Onlara baktım. İki yavru kuş gibi birbirlerine sokulmuş, içinde bulunduğumuz arabanın bizi götüreceği kaderden korkarak, ağzımdan çıkacak her kelimeyi dikkat ve endişeyle dinliyorlardı.

"Korkmayın!" dedim onları yeni hatırlamış gibi. "Korkmayın! Cesur olun! Bizim tüm hayatımız böyle geçecek. Marran olmak böyle bir şey. Her zaman tehditlere hazırlıklı olmalıyız. Her zaman ayakta kalmalıyız. Korkak olursak bizi bitirirler. Brianda ahmağı bizi yaralamış olabilir ama yok etmesine izin vermeyeceğiz! Bana ve kendinize, hepsinden önemlisi Rabb'inize güvenin!"

Başlarını salladılar. Arabaya refakat eden askerlerin bizi duyup duymadıklarını bilmiyordum.

"Şimdi beni iyi dinleyin. Artık her hareketimiz gözetleniyor, her sözümüz dinleniyor olduğuna göre daha da dikkatli olmalıyız. Manastıra varır varmaz haç çıkarmanızı, mihraba giderek dua etmenizi istiyorum. Bir Hıristiyan nasıl davranıyorsa, öyle davranmayı ihmal etmeyin. Ama bunları yaparken içinizden tövbe etmeyi de unutmayın. Çünkü biz yalnızca Rabb'imize taparız."

Reyna, "Anladım..." dedi.

La Chica da başını salladı.

Sustuk. Yolun devamında konuşmadan, her birimiz kafasında başka düşüncelerle, sarsıla sarsıla ilerledik.

Manastırın kapısında bizi karşılayanlar, dostça yüz ifadelerine sahip olmasalar da burası Tanrı'nın evi olduğundan, kötü de davranmayacaklarını anlıyordum. Büyük kapılar açıldı ve haç biçiminde boşluk verilerek dizilmiş sıraları, mihrabı, kutsal su kabını, geniş ve bol pencereli kubbeyi gördüm. İçimden, aynı duayı tekrarlayarak ilerledim.

"Sizi kalacağınız hücrelere götüreyim..." dedi yanımızdaki rahibe.

"Kardeşim, önce bir dua etmemize izin verin..." dedim kendimden emin bir sesle.

Boğazım hâlâ acıyordu.

Yana çekilip yol verdi.

-38-

Manastırda alıştığımız lüks yoktu. Diğer rahibelerle aynı kurallara uyuyor, erken kalkıyor, sabah duası bittikten sonra bir tabak lapa yiyor, sonra işlere yardım ediyorduk. Başrahibe bize gerçek Hıristiyanlara nasıl davranırsa öyle davranıyor, kimi zaman diğer rahibelere sesini yükselttiği olsa bile, bize hep müşfik bir sesle konuşuyordu. Onun, bizim gerçek Hıristiyanlar olmadığımızı anladığını hissediyordum. Ama engizisyondakilerin tersine, bu yaşlı ve sevgi dolu kadın sorun etmiyor hatta için için bize üzülüyor gibiydi.

Jozef'i her nasılsa dışarıda bırakan engizisyon, işlerin bir şekilde yürüyor olmasını istiyor olmalı. Jozef, bizimle dış dünyanın bağlantısı olmuş, sık sık uğruyor, yapabildiği kadar olan biteni anlatıyordu.

Brianda'yı merak etmememe rağmen, onun evde tek başına hizmetçilerle tutulduğunu, ziyaretçilere izin verilmediğini, dışarı çıkarılmadığını anlattı.

Sürekli dışarıya çıkmaya alışmış olan Brianda için bundan büyük ceza düşünülemez!

•

Fransa'dan da kötü haber geldi. Brianda'nın bulduğu Fenicio, belki de elde edeceklerini yeterli bulmamış olacak ki tavır değiştirmişti. Fenicio, dönüp Brianda'ya suçlama yöneltmiş, onun da gizli Musevi âdetlerini devam ettirdiği iddiasını ortaya atmıştı.

Herkes, muazzam servetimizden bir parça istiyordu, anlıyordum. Ama onların anlamadıkları, bu servetin bana değil, zor durumda olanlara lazım olduğuydu.

"Ferrara düküyle görüştün mü?"

"Görüştüm Gracia hala... Hâlâ sözünün arkasında olduğunu, eğer Venedik'ten ayrılıp oraya sığınmak istersek kapılarının açık olduğunu söylüyor. Dük Ercole, eğer Ferrara'ya yerleşir ve işlerimizi oraya taşırsak, özgür olacağımız, inancımızla ilgili sorgulanmayacağımız, tevkif edilmeyeceğimiz garantisini veriyor."

"Peki, sen ne diyorsun? Aklına yatıyor mu? Samimi mi?"

"Oradaki kaynaklarımızdan araştırdım. Doğru söylüyor. Diğer şehirlerin gerisinde kaldığı için, Ferrara'nın güçlenmeye, zenginleşmeye ihtiyacı var. Bunu sağlayacak yolun Marranlardan geçtiğini biliyor. Bence oraya taşınabiliriz."

Uzanıp yanağını okşadım. Babam, Francisco ve Diogo'yla devam eden gelenek, şimdi onunla sürüyor. Ailenin erkeği rolünü üstlenmiş, elinden geleni yapmak için gayret ediyor.

"Yargılamayı yapacak, yargılamaya etki edecek kim varsa ulaşmaya çalışıyorum. Yüklüce ödemeler yapmamız gerekecek ama sizi kurtarmak için elimizden geleni yapacağım."

"Bundan kuşkum yok evladım. İyi ki sen varsın! Sen de olmasan, kolumuz kanadımız kırık, engizisyonun insafına kalacaktık. Senin yaptığın işleri, parayla tutulmuş adamların yapması mümkün değil. Bir gün damadım olacağın için seviniyorum. Reyna'yı senden başkasına emanet edemezdim."

Başını mahcup, öne eğdi.

"Buradan bir çıkalım da... Arkamıza bile bakmadan bu şehirden ayrılacağız. Sen bir yandan yargılamayla ilgilenirken diğer yandan taşınma hazırlıklarına başla. Bunlardan sakın Brianda'nın haberi olmasın!"

"Onu burada mı bırakmayı planlıyorsunuz?"

Gözlerine baktım. Ne demek istediğimi anladı.

"Unutma Jozef, kendin için de dikkatli olacaksın! Her adımını dikkatli atacaksın. Mutlaka senin peşinde de casuslar vardır. Bunca yıl yaşadıklarımdan bir şey öğrendiysem, o da Musevilerin hiçbir zaman sürekli dostları ya da sürekli düşmanları olmayacağıdır. Bizden ya faydalanmayı düşünürler ya da gözlerinin önünden kaybolup gitmemizi isterler. Ferrara Dükü Ercole'nin de farklı olacağını düşünme!"

-39-

Mihrabın önünde durmuş dua ediyordum. Yanıma birinin gelip oturduğunu, ellerini birleştirip dua ettiğini fark ettim ama dua ederken kendimden geçmiş görünmem, Hıristiyanlığım konusunda daha inandırıcı oluyordu. Dönüp bakmadım.

Duasını benden önce bitirdi ama gitmedi.

Beklemesi uzun sürünce, beni beklediğini anladım. Duamı bitirdim ve döndüm. Başrahibe Sofia'yla yüz yüze geldik...

"Günaydın Bayan Luna..." dedi. "Kendinizden geçmiştiniz dua ederken. Yüce Tanrı sizin gibi kulları olduğu için çok memnun oluyordur..."

Başımı tevazu ile eğdim.

"Sizin gibi insanlar yanında biz neyiz ki? Siz bir ömrü adamışsınız Tanrı'nın yoluna..."

"Gelin birlikte sıcak bir şeyler içelim... Bitkilerden yapılan çaylar içmeyi sever misiniz?"

"Sevgili kardeşim, burada öyle çok şeyden mahrum kaldım ki, ne verseniz içmeye hazırım."

"Hadi o halde..."

İki yanlı dizilmiş sıraların arasından, oturmuş dua edenlere aldırmadan usul usul yürüdük. Beni kendi odasına götürüyordu. Kızlar geldi aklıma. Hücremizde, sessizce oturuyor olmalıydılar. Burada yanlarından uzaklaşsam da tehlike yoktu. Ne de olsa küçük bir kilise ve müştemilatı içinde hapsedildik. Nereye gidebilirler ya da dışarıdan kim gelip ona zarar verebilir?

Sadece yüzünü ortada bırakacak şekilde örtülü olan başrahibe, "Ne için dua ediyorsunuz?" diye sordu usulca.

Kiliseden çıkıp, odasının bulunduğu bölüme gelmiştik. Kapısını açıp, geçmem için yol verdi.

"Elbette zavallı, sefil bir ruh, bir günahkâr olarak, bağışlanmak için rahibe..."

Oturmam için üzerinde minder bile olmayan tahta sandalyeyi gösterdi. Kendi oturacağı yer de aynı durumdaydı. Ocağın üstünde kaynayan çaydanlığın kapağını açıp, içine kavanozdan aldığı yaprakları attı.

"Bayan Luna mı yoksa Gracia mı demeliyim bilmiyorum. Başka bir isminiz daha var mı?"

"Ne demek istiyorsunuz? Yoksa siz de mi?"

Elini kaldırıp durdurdu. Karşıma geçip oturdu.

"Bayan Gracia diyelim en iyisi... Burası Tanrı'nın evi... Burada yalan söylemenize, olduğunuzdan farklı görünmenize gerek yok. Üstelik erkekler arasında değiliz. Onların hor, kaba, Tanrı bağışlasın, tuhaflıklarına da katlanmak zorunda değiliz. Burada sadece Tanrı için bulunuyoruz ve içimizdeki sevgiyle ona bağlıyız."

"Şüphesiz..." dedim nereye varmaya çalıştığını anlamaya çalışarak.

"Yaşım iyice ilerledi Bayan Gracia... Tanrı bilir kaç yıl daha yaşarım..."

İltifat edip, genç göründüğünü söyleyecektim ama bu kadının böyle sözlere ihtiyacı yoktu.

"Aslında Tanrı sevgisi beni bu manastıra getirmemişti. Genç bir kızdım ve aklım havalardaydı. İyi bir kısmet bulmak ve onunla evlenmek, küçük bir kır evinde, çocuklarımla kalabalık bir aile olmak istiyordum. Tanrı kaderimi farklı çizmiş. Ne sevdiğime kavuşabildim ne de çocuklarım oldu. Ama Tanrı bana başka çocuklar verdi. Hem de istediğimden daha çok... Buradaki kızlar, rahibeler ve tüm Hıristiyanlar benim çocuklarım oldular... Ve Tanrı şahidimdir, en az bir kır evindeki kadar yoksul oldu hayatım!"

Dayanamayıp ikimiz de güldük.

Kalktı, çayı kupalara doldururken devam etti:

"Bunca yılımı kendimi sevgiye adayarak geçirdim Bayan Gracia... Bir erkeğin sevgisiyle vakit kaybetmedim belki ama Meryem Ana'mızı, İsa'yı, Tanrı'yı sevdim. Buraya gelen insanları, yardıma muhtaç olanları, hatta inanmayacaksınız inancı bile olmadığı halde sokakta kalıp açlıktan ölmemek için sığınanları bile sevdim."

Kupalardan birini bana uzatıp, oturdu.

Tadına baktım. Hoş, daha önce tatmadığım bir çay. Damağımda güzel bir rayiha bırakıyordu her yudum.

"Artık ömrümün sonuna yaklaştığım şu zamanda, Tanrı sevgisinin bana öğrettiği bir şey var."

"Nedir Rahibe Sofia?"

"Onun bütün kullarını sevdiği..."

Sustum. Ne söylemeye çalışıyor? Anlamak için susmaya devam etmeli...

"Bayan Gracia, hadi artık, kabinde değiliz ama yine de günah çıkarıyor gibi açık olabilirsiniz. Engizisyon sizi tutuklayıp buraya kapatmış olabilir ama benim için siz en az o engizisyondaki rahipler kadar değerli bir insansınız. Düşünsenize, dünyanın yarısı Hıristiyan değil. Osmanlıları düşünün, Arapları, daha ötesini. Müslümanlar da var, çok uzaklarda yaşayan ve başka başka şeylere tapanlar da... Peki bunların hepsi Tanrı'nın kulları değil mi?"

"Öyleler elbette..."

"Peki, Tanrı kendi yarattığı bu kullarını ayırmıyor, hepsini seviyorsa ki hayatta tuttuğuna göre, başlarına bir bela vermediğine göre öyle olmalı, biz neden kullarını ayırıp, şunu seviyorum, bunu sevmiyorum diyebiliyoruz? Tanrı onları değerli bulup hayatta tuttuğuna göre, bizim onlara kastetmeye ne hakkımız var? Tanrı yerine karar verebilecek kadar mükemmel miyiz?"

"Değiliz tabii ama..."

"Yani Dona Gracia, burada kendinizi saklamanıza gerek yok. Elbette güvenemiyor, yarın sizin aleyhinizde şahitlik edebileceğimden korkuyorsunuz. Ama mihrabın önünde durmuş dua ederken içinizden geçenleri hissedebiliyorum."

Doğru söylüyordu. Öz kardeşime bile güvenemezken, Hıristiyan bir rahibeye asla güvenemem.

"Siz varın yine de bana güvenmeyin! Zaten güvenmenizi de beklemiyordum. Sizinle konuşmak istememin sebebi başka..." Çayından bir yudum aldı. "Engizisyon, sizin buradaki durumunuzla ilgili bana da başvuracaktır. Sizinle ilgili olumlu şeyler söyleyeceğimi, bir an önce bu yargılamadan kurtulmanız için, Tanrım beni bağışlasın, belki yalan söylemek zorunda kalacağımı bilmenizi isterim..."

"Ama..."

"Hayır. Bunun için rüşvet vermeniz gerekmeyecek. Aklınızdan bile geçirmeyin! Ama size bir tavsiyem olacak: Buradan çıkıp gittiğinizde, artık nasıl yaparsınız bilmiyorum ama kendi inancınızı yaşayın. Daha fazla saklanmayın. Kimler sizin hakkınızda ne düşünürse düşünsün, Tanrı size bu şansı veriyorsa, demek ki o sizi özgür bırakıyor... İnancınızdan ötürü kimse sizi yargılayamaz, cezalandıramaz! Bunu yapamayacakları bir yer bulun."

Ona güvenemezdim. Ağzımı bile açmadım. Bakışlarımla bile açık vermemeye çalıştım ama kalbimin derinliklerinde, doğru söylediğine dair bir his uyandı. Karşımdaki bu yaşlı, bu sevimli kadın doğru söylüyordu...

-40-

Neredeyse beş yıl...

Venedik'te yaklaşık beş yılımız geçmiş, burada önce rahat yaşamış, sonra engizisyonun kucağına düşmüş, yargılanmış, güçbela kendimizi kurtarabilmiş ve fırsatını bulur bulmaz da Ferrara'ya kapağı atmıştık.

Venedik'te Gritti Sarayı'nı, işlerin bir bölümünü ve bir kardeş bırakarak geldim Ferrara'ya... Neyse ki kızlar yanımdaydı. En büyük servetim...

Dük Ercole bizi güzel karşıladı ve gelişimizden bir süre sonra ferman yayınladı:

"Bütün Musevilerin din ve ticaret özgürlüğü garanti altına alınmıştır. Museviler artık inançlarını saklamadan, serbestçe yaşayabilir, ibadetlerini yapabilir. Her türlü özgürlükleri dukalığın garantisi altındadır."

Kırk yaşındaydım... Tam kırk... Rabbim, günah içinde geçen, her günü vicdan azabıyla dolu yılları nihayet bitirmiş ve bana en büyük hediyeyi vermişti.

Artık Musevi olduğumu saklamadan, gerçek inancımı yaşayabilirim!

Sinagoga gittim ve her daim içimden yaptığım duayı bu defa sesli olarak mırıldandım:

"Sadece kâinatın yaratıcısı olan Rabb'e bütün varlığımla tapıyorum..."

Sonra da ilan ettim:

"Ben Hanna Nasi. Bundan böyle Musevi bir anadan doğma, Musevi bir kadınım. Bundan sonra da son nefesimi verene kadar Musevi olarak yaşayacağım..."

•

Mendesler olarak dinimize döndüğümüz duyulmuş, başta Museviler olmak üzere pek çokları için moral verici bir gelişme kabul edilmişti. Bizim gibi Ferrara'ya gelip yerleşen Marranlardan bu olaydan cesaret bulanlar, Museviliğe döndüğünü açıklayanlar vardı. Başka yerlerde yaşayanlardan da Ferrara'ya taşınmak isteyenler...

Elbette çok kızanlar da... Onlara göre atalarımızın dinine dönerek ağır bir günah işlemiştik: "Engizisyonun hâkim olduğu nereye ayak basarsak basalım, derhal tutuklanacağız!"

Umurumda değildi. Artık kırk yaşındaydım ve Avrupa'da yapabileceklerimi denemiş, başarılı olduğum kadar olmuştum. Özgür olduğumuzu sandığımız Venedik'e engizisyonun gelmesi, Brianda'nın akılsızlığı, tutuklanıp manastıra kapatılmamız, Rahibe Sofia'nın karşıma çıkması... Bunların hiçbirinin tesadüf olmadığını biliyorum. Rabbim, benim için böyle bir yol çizdi ve bana çok istediğim şeyi verdi:

Musevi olmak...

Artık bir Marran değil, Musevi'ydim. Annemin, babamın, kocamın ve Diogo'nun isteyip de kavuşamadığına kavuştum...

•

Burada getto yoktu ama zorunluluktan oluşmuş mahalleler vardı. "Zuecca" dedikleri Musevi mahalleleri... Şabat günü vasıta kullanmak yasaktı, koşere uygun kasap burada bulunuyordu. Sinagoga yürüyerek gidilebiliyordu. Böyle olunca, kendiliğinden bir Musevi mahallesi oluşuyordu.

"Bundan sonraki hedefimiz ne anne?" diye sordu artık genç bir kız olan Reyna. "Musevilerin özgürce yaşayacağı bir ülke bulmak için dolaşıp durduk ve bulduk sonunda işte..."

"Öyle görünüyor kızım ama kırk yıllık tecrübem bana hiçbir şeyin garanti olamayacağını söylüyor. Bu sebepten, her zaman alternatiflerimiz olmalı. Bugün rahatız ama gelecekte ne olur bilinmez."

Ferrara'da para işleriyle uğraşan Museviler bizden önce de vardı. Ancak bizimle birlikte finans işleri genişleyip büyüdü, ticaret ve perakende arttı. Dük Ercole istediğine kavuşuyor, Ferrara hızla büyüyordu. Dükün yakın ilgisini görüyorduk ailece. Reyna'nın söylediği bir söz kafamı karıştırdı:

"Dük ailemize yakın davranıyor. Bana da..."

Uyarma ihtiyacı duydum:

"Unutma, sen Jozef'le evleneceksin! Hem güzel bir genç kız hem de zengin bir kadın olduğun için seni elde etmek isteyenler çok olacak. Dikkatli ol güzel kızım! İnsanların sana ne niyetle yaklaştıklarını anlamaya çalış. Kendini koru. Benim kalbim seninle atıyor. Sana bir şey olursa, benim kalbim de durur."

Boynuma sarıldı.

•

Malikânemiz Magnini Sarayı, dükün kendi sarayı ve katedralden sonra, şehirdeki en görkemli binaydı.

Sadece Marranlar değil, ticaretteki canlanma nedeniyle her türden insan gelir oldu Ferrara'ya. Sanki tüm dünya için burası bir ortak noktaydı. Kendimi yıllar öncesinin Anvers'inde gibi hissediyordum. Şehirde kitap basımı da çok gelişmiş olduğundan, eğitim için gelen çoktu. Sosyal hayat canlanmış, Hıristiyanlar yanında Musevi kadınların da katılımıyla daha renkli hale gelmişti. Rönesans denilen aydınlanma çabalarının etkileri burada fazlasıyla görülüyor, şehrin soyluları Musevilere dostluk gösteriyordu. Zengin Marranlar da buraya geliyordu, ünlü akademisyen Museviler de...

Kapımızı sürekli çalan sanatçılar eserlerini satmak istiyor ama yıllardır neye aç olduğumuzu unutuyorlardı. Tek bir dini kitabı bile gizlemeden okuyamamış bizler için asıl ihtiyaç tablolar, büstlerden çok, onlardı.

Ferrara'da iyi giden hayatımda tek olumsuzluk, arada bir aklıma Brianda'nın gelmesiydi. Onu hatırlamaya bile tahammülüm yoktu.

"Öyle bir kardeşim yok benim!"

-41-

Ferrara'da güzel günlerimiz olsa da nihai durağımız burası değil. Burada Marranlar artık özgürce yaşayabiliyor. Ticaret ve bizim kurumumuz dahil müesseseler oturmuş ve bir düzen sağlanmıştı. Artık aklımdaki bir başka işi gerçekleştirmek üzere daha doğuya gidebilirdim: Süleyman'ın ülkesine...

Yine hazırlıklarımızı ağırlıklı olarak Jozef yürüttü ve yine Brianda'ya haber vermeye bile gerek duymadan hallettik.

•

Yola çıkmadan kısa bir süre önce Abraham Usque'ün ziyaret talebi geldi. Yoğundum. Aklım yapacağımız yolculuktaydı ama Usque büyük bir matbaacıydı. Şehirdeki Musevilerin en değerli kültür insanlarından biriydi.

"Dona Gracia, nasılsınız?"

"Lütfen oturun üstat. İyiyim, siz nasılsınız?"

"Sizin gibi yüce bir kadın sayesinde biz de iyiyiz. Öyle çok yardımlarınız oldu ki, sizsiz bunca işi yapabilir miydik bilmiyorum."

Ona da onun gibi nicelerine de yardımcı olduğumuz doğruydu ama hiç tanımadıklarımıza bile yardım ediyorduk. Bunda büyütecek bir şey yoktu.

"Boş verin... Sizin gibi âlimlerin sayısı arttıkça biz mutlu oluyoruz."

"Öyle değil..." dedi elindekini bırakmadan. "Sizin varlığınız, yaptığınız işler, sadece maddi anlamda değil, manen de bize büyük moral oldu. Şehir sizinle bambaşka bir havaya büründü. Şimdi yolculuğa çıkacağınızı duyunca, vermek istediğim hediyeyi biraz erken hazırlayıp getirmek ihtiyacı hissettim. Dönüşünüze kadar beklemeye sabredemedim."

"Hediyeye ne gerek vardı üstat?"

Dışındaki kaliteli kumaşı sıyırdı. İçinden çıkardığı kitabı bana uzattı. Bir Tevrat. Yeni basılmış ve ciltlenmiş. Taze kâğıt kokusu geliyordu burnuma.

Aldım.

"Çok teşekkürler... En güzel hatıralarımdan biri olarak, ömür boyunca yanımdan ayırmadan saklayacağım."

"Kapağını açın lütfen."

Kapağı kaldırdım ve bir anda doğru mu gördüm diye baktım. İthaf sayfası eklenmiş ve bana, kırk yılını Hıristiyan taklidi yaparak geçirmiş günahkâr kadına, Gracia Mendes'e ithaf etmişti.

İki damla yaş, elimde olmadan yanaklarımdan süzüldü.

"Siz ne yaptınız üstat! Bu... bu çok büyük! Ben böyle bir hediyeye layık değilim!"

Elim titriyordu. Kitabı düşüreceğim diye korktum. Uzanıp yardım etti. Masanın üstüne koydum. Gözyaşlarımı silerken, içimden Rabb'ime şükürler ediyordum. Ferrara'da güzel olayların biri bitmeden diğeri başlıyordu.

"Çok mutlu oldum, çok!"

"Az bile... Siz dindaşlarınız için çok şey yaptınız. Ferrara Tevratı'nın Dona Gracia'ya ithaf edilmesinden doğal ne olabilir?"

Kitabın kapağını kapattım. Alıp bağrıma bastırdım. Tam kalbimin üstüne...

"Şükürler olsun! Şükürler olsun! Şükürler olsun..."

"Bilmeniz gerekir ki bir de bize bu ortamı sağlayan Ercole Dükü'ne ithafen basılmış olan var. Ancak bizim gözümüzde siz onun kadar hatta ondan daha değerlisiniz. Yolunuz açık olsun."

-42-

Yanıma aldığım kitaplar arasında Ferrara Tevratı'nın müstesna bir yeri vardı. Hekimimiz ve aile dostumuz Amatus Lusitanus'un armağanı bir başka kitap, Salamanca Üniversitesi'nde eğitim veren ve aynı zamanda bizim için de çalışan Duarte Gomez'in kitabı, eski dostlarımızdan Diogo Pires'in kitabı, Diacus Pyrrus'un armağanı bir kitap ve yayıncı Usque ile aynı soyadını taşıyan fakat akrabası olmayan Abraham Usque'ün *İsrail Halkının Sıkıntılarının Tesellisi** kitabı ile yan yana, sandığımın içindeydi.

Uzun yolculuk boyunca, daha önce de okumuş olduğum *İsrail Halkının Sıkıntılarının Tesellisi* kitabını yeniden okuma fırsatı buldum. Portekizce yazıldığı için rahat okuyor, edebi bir dille yazıldığı için zevk alıyordum. Hazreti İbrahim'den bugüne kadar İbrani tarihi, 1. Mabet'in Nabukadnezar tarafından yıkılmasından sonra sürgünde yaşanan sıkıntılar ve daha birçok konu gayet güzel bir dille anlatıyordu. Samuel Usque, *Mukad-*

---

* *Consolçamas Tribulaçoes de Israel*

des Yazmalar'dan aldığı üç bilinen karakterle, Musevilerin nesiller boyunca çektikleri büyük sıkıntılardan bahsediyor, aynı zamanda kutsal kitaplarda bahsi geçen "kurtuluş" formüllerini hatırlatıyor, umutsuzluğu gidermeye çalışıyordu. Portekiz'de haksızlığa uğrayan Marranların direnme gücü artsın diye yazılan kitap, beni çocukluğuma döndürmüş, fazlasıyla eskiyi hatırlamama neden olmuştu.

Ferrara'dan ayrılmadan önce, Venedik'teki davaların Brianda lehine geliştiği haberi geldi. Kızının velayeti ile yüz bin dukat değerinde drahomanın, La Chica on sekiz yaşına bastığında Brianda'ya verilmek üzere Venedik hazinesinde tutulmasına karar verilmişti. Neyse ki her işimizi hukuka uygun yapıyorduk. Ferrara'ya yerleşir yerleşmez, dükten La Chica'nın velayetinin geçerli olduğunu ve hâlâ bende olduğunu kabul eden bir belge almıştım. Bu belge sayesinde yeniden idare bana geçti.

"Utanmadan peşimizden geldi!" diye düşündüm Akdeniz'in altın ışıklar saçan sularını seyrederken.

Brianda'nın kalkıp Ferrara'ya kadar gelmesi, işleri hızlandırmam dışında sinirlerimin bozulmasına da neden oldu.

Filolarımızdaki en iyi gemilerden birindeydik. Mürettebatın tümü bilmese de kaptan, patronu taşıdığını biliyor, bizi en iyi şekilde ağırlamak, en hızlı biçimde Osmanlı topraklarına ulaştırmak için gayret gösteriyordu.

Havanın açık olması üzerine güverteye çıkmış, bir uçtan bir uca sesin zor duyulduğu gemide küçük yürüyüşler yaparak, tutulan dizlerimi açmaya çalışıyordum.

"Utanmadan peşimizden geldi! Ferrara'ya... Bizi içine attığı ateş yetmez gibi, bir de Dük Ercole'yi etkilemeye, kızı ve mirası için ondan belge almaya kalktı!"

Neyse ki dük bizim yanımızda yer almış, Brianda ikinci kez geride kalmıştı.

Onun için endişeleniyor muydum? Hayır. Üzülüyor muyum diye yokladım kendimi. Bunun cevabı da hayırdı. Ama yine de ister istemez içimde bir burukluk oluyordu. Uzaktan uzağa bir iki kez görmüştüm ve durumunu beğenmemiştim. Eski güzelliği solmuş, yüzü adeta rengini kaybetmişti. Eskiden geceleyin gökteki yıldızlar gibi parlayan saçları bakımsız kalmış, vücudu eskisinden de zayıf düşmüştü. Benim kardeşimdi. Her ne kadar artık kardeşim kabul edemesem de bu gerçeği değiştiremezdim ve eminim ki annem ve babam hayatta olsalardı, ne kusur işlerse işlesin, onu bağışlamamı, göz kulak olmamı isterlerdi.

Duygulandım. Gözlerim nemlendi.

"Ne oluyorsun? Yoksa bir de Brianda için gözyaşı mı dökeceksin? Seni tutuklatan, yargılatan kadın için..."

Hemen içimden bir başka ses cevap verdi:

"Ama o tutuklanma olmasa, Ferrara'ya geldiğinde Museviliğe döndüğünü açıklamaya cesaret edemezdin!"

Arkamda ayak sesleri duydum. Reyna ve La Chica geliyordu. Çevredeki tek tük mürettebatın tamamının gözleri kızların üzerindeydi. İkisi de genç ve güzeldi. Aralarında konuşup kıkırdayarak yanaştılar.

Onları görünce üzerimdeki hüzün bulutları dağıldı.

"Sizi sizi! Ne iş çeviriyorsunuz bakalım?"

Reyna, "Sıkıldık kamaramızda, seni aramaya çıktık" dedi.

La Chica da, "Asıl senin durumun tuhaf teyze. Hayret! Sen buradasın ve gölgen yok!" diye takıldı bana.

Bu defa üçümüz de güldük. Kendimi toparlayınca, "Sorma!" dedim. "Meğer insan azmanı Pierre'imizin de zayıf tarafı varmış. Beyefendiyi deniz tutuyor! Karada dağ gibi olan adam, buradan renkten renge girdi. En son rengi yeşil olmuş halde çıkarıyordu."

Yeniden, bu defa yüksek sesli kahkahalarla güldük.

"Gelin bakalım yanıma! Beraberce denizi seyredelim..."

La Chica martıyı gösterdi.

"Bakın! Bir martı. Demek ki bu yakınlarda ya kara var ya da bir ada..."

"Nereden biliyorsun?"

"Çünkü martılar karaya yakın yerlerde yaşar."

Ben de baktım. Martılar birken iki, ikiyken üç olmuştu. Jozef, gemiyi her türlü konforla donatmış, bozulmayacak yiyecekler yanında bol bol sebze de depolamıştı bizim için. Yiyeceğimiz bol, aşçımız gayet yetenekliydi. Her gün önümüze lezzetli yemekler çıkıyordu. Karaya ayak basmamıza gerek yoktu. Yine tedbiren arkamızdan bir başka gemi daha geliyor, onda da bizi korumak üzere silah ve muhafızlar yer alıyordu. Kırk çalışanımız, büyük geminin kamaralarına doldurulmuş, bizimle birlikte yolculuk ediyordu. Bir kısmını önceden yola çıkarmış, Ragusa ve Selanik'te hazırlıklar yapmaları talimatını vermiştim.

La Chica, "Teyze, Osmanlılar nasıl insanlar? Sen tanıyor musun?" diye sordu.

Onun kadar olmasa da Reyna'nın da merak ettiğini görebiliyordum.

"Bilmiyorum kızım. Yani çok tanıdım ama benim tanıdıklarım ya tüccar, ya casus, ya da devlet adamı... Diğerleri nasıldır fikrim yok. Hele kadınlarını hiç bilmiyorum..."

"Müslüman kadınlar örtüye sarınarak dolaşıyormuş!" dedi Reyna. "Dini zorunluluk olarak..."

"Birkaç Müslüman kadın görmüştüm ama onların da giysileri bizden çok farklı değildi."

"Müslümanlar bizi kaçırıp zorla evlenmek istemesin!"

Bunu söyleyen La Chica'ydı. Güldüler. Ciddileştim:

"Şışşşt! Neler söylüyorsunuz bakayım! İyi yetiştirilmiş genç kızlar böyle şeyler konuşmaz!"

"Ya gerçekten kaçırırlarsa?"

"Saçmalama bakayım! Bir defa gittiğimiz ülke Avrupa'nın çoğundan daha medeni bir yer. İnsanların hakları hem dini kurallar hem de kanunlarla korunuyor. İkincisi, sizin kimlerle evleneceğiniz zaten belli. Unutmayın ki Musevi eşlerle evlenip, Musevi çocuklar doğuracaksınız."

Sustular. Daha çok küçük yaşlarından itibaren öğrenmişlerdi bu kuralı. Museviler arasında nadiren görülürdü bir başka inançtan insanla evlenen. Kızlardan biri bunu yaparsa yine bir nebze kabul görebilirdi çünkü Musevi bir anneden doğan, Musevi olurdu. Ama erkeklerden birinin başka dinden biriyle evlenmesi iyi karşılanmıyordu. Zaten azdık, iyice eriyip gideceğimizden korkuyorduk.

"Oğlum olsa nasıl olurdu?" diye düşündüm... "Belki babası Francisco Mendes gibi olurdu, belki amcası Diogo'ya daha çok benzerdi. Belki de Jozef gibi olurdu... Hangisine benzerse benzesin mutlu olurdum ama sorun değil. Zaten Jozef benim oğlum gibi ve yakında damadım da olacak."

Rüzgâr, kızların saçlarını dalgalandırıyor, gözlerinin önünü kapatmasın diye sürekli düzeltmek zorunda kalıyorlardı.

"Benim Ferrara'da keyfim yerindeydi..." dedi Reyna. "Portekiz'i hatırlamıyorum ama Anvers'i az, Venedik'i iyi hatırlıyorum. En çok Ferrara'yı sevdim. Sürekli dolaşıyoruz anne. Gittiğimiz yerde kalacak mıyız artık? İstanbul son durak mı?"

"Bundan şikâyetçi misin kızım? Bana hiç söylememiştin..."

"Söylesem ne olacak, söylemesem ne olacak anne? Biz Musevi'yiz. Daha çok küçük yaşlarda öğreniyoruz: Bizim bir ülkemiz yok. Olana kadar da her yerden her an kovulabiliriz."

Canım kızımın bunu bilmesine hem seviniyor hem üzülüyordum. Bunun bilincindeyse, Brianda teyzesi gibi hata yapmaz, her zaman dikkatli olurdu. Üzülüyordum çünkü doğan her Musevi çocuğun bu korkuyla büyümesi moral bozucuydu.

La Chica da ondan farklı düşünmediğini belli etti:

"Salgın hastalık başlayınca hemen Musevileri suçladılar..." dedi iç çeker gibi. "Marranlar zengin, varlıklı olup korunaklı kalınca, yoksul Hıristiyanların hastalanıyor olması kanlarına dokunuyor. Yaptıkları ilk iş felaket için bizi suçlamak. İlk defa korktum ben de..."

Dük Ercole ilk kez bizi bu noktada şaşırtmıştı: Üzerindeki baskıya dayanamayıp, şehre yeni gelen Marranların, şehrin dışında yaşaması için karar çıkartarak. Üstelik kısa bir sürede taşınmalarını isteyerek...

Şehir dışına çıkarılmak istenen onca insanı taşıyacak birilerini bulmak da zordu. Hastalık bulaşacak korkusuyla arabacılar onların eşyalarını taşımak istemiyor, inşaatçılar onlara ev yapmaya ya da eski evleri tamir etmeye yanaşmıyordu.

"Üç yüzden fazla aile..." dedim üzüntülerini paylaşarak. "Onları ortada bırakamazdık. Neyse ki Ragusa'ya taşıyabildik."

Üçümüzün de aklına o anda Brianda'nın geldiğine eminim. Ama kimse adını anmıyordu. Kızların susmaya devam edeceklerini anlayınca ben konuyu açtım:

"Brianda'dan kurtulmak için onu şehirden uzaklaştırdığım dedikodusu yaydılar. Oysa bu doğru değildi. Yeni gelenlerden olduğu için şehir dışına çıkarmak istediler. Hatta bana olan nefretini görmezden gelip, onu kurtarmaya çalıştım. Düke epeyce taviz vermem gerekti ama karşılığında Brianda, seninle ilgili ısrarından vazgeçti. Ben, onun kötülüğünü istemedim. Hâlâ da istemiyorum..."

La Chica, "Biliyorum teyze... Dert etme! Başkalarının ne düşündüğünün, ne söylediğinin önemi yok. Annem bütün tercihlerini kendisi yaptı ve yalnızlığı seçti" dedi.

Dönüp sevgiyle ona baktım:

"La Chica'm, küçük kızım! Bana kızmıyorsun değil mi? Gücenmiyorsun bana..."

Belime sarıldı.

"Hayır teyze... Belki küçüktüm ama annemin ne yaptığını, neye sebep olduğunu biliyorum. Böyle düşüncesizce davranmaması gerekirdi. Eğer pişman olup, yaptığı hataları anlar, bizim yanımıza gelirse, ona yine kapıyı sonuna kadar açacağını da biliyorum. Benim annem ise senin kardeşin. İkimize de aynı yakınlıkta. Ne yazık ki o hâlâ servet istiyor... Bir gün aklı başına gelecektir... O zamana kadar bekleyeceğiz teyze..."

Reyna da bize sarıldı. Üç kadın, geminin güvertesinde, üstümüzde martılar uçarken sımsıkı kucaklaştık. Altımızda Akdeniz, üstümüzde masmavi gök ışıl ışıldı. Uzaklarda beyaz küme bulutlar görünüyordu.

İçimden sordum:

"İstanbul, bir son olacak mı?"

-43-

Süleyman'ın şehri, dünyanın en güzel yerlerinden birine kurulmuştu. İçinden Karadeniz ve Marmara'yı birbirine bağlayan bir boğaz geçiyor, bir haliç uzanıyordu. Yetmez gibi dört bir yanında ormanlar, korular, akarsular vardı. Bizans'tan kalma eşsiz güzellikteki binalara, surlara, köprü ve sarnıçlara, Osmanlı'nın yaptığı eşsiz güzellikte binalar eşlik ediyor, katedrallere hiç benzemeyen ince minareli camiler, tepeler üstünde heybetle yükseliyordu.

Konvoyumuz şehir sınırlarına girer girmez çok sevdiğim baharatların kokusunu duyup, insan kalabalığını ve canlılığını görünce şaşırdım. Anvers de kalabalıktı, Venedik de, Ferrara da... Ama buradaki kalabalık bir başkaydı. Ragusa'dan sonra Selanik'e kadar denizden devam edip, sonra arabalarla yola koyulmuştuk. Bizi taşıyan arabaların yanında kırk çalışanımızla beraber. Osmanlı topraklarına girdikten sonra güvenlik için endişelenmemize gerek kalmamış, kendimizi nihayet emniyette hissetmiştik. Jozef her şeyi ayarlamış, geçtiğimiz yerlerde paşalar, beyler, İstanbul'dan gelen emirle, bize misafirperver davranmış, kimi yerlerde bizim için askerlerini korunmamız için tahsis etmişlerdi. İstanbul'a kadar, geçtiğimiz her yerde durup bizi seyredenler hatta bizi yabancı bir elçi heyeti sananlar oluyordu. İstanbul'da ise kalabalık durmaksızın deviniyor, meydanlar, yollar dolusu insan, her daim bir işle uğraşıyordu. Sürekli dışarıyı seyrediyordum. Büyük pazarlarda, dükkânlarda çuval çuval mallar satılıyor, liman bölgesinde neredeyse her türden insan, üstelik de hepsi kendi kültürünü, inancını belli eder şekilde, bin bir türlü kılıkla rahatlıkla dolaşıyordu.

Başlarında büyük şapkalarıyla yeniçeri denilen askerler, daha kısa şalvarlar giyen ve levent denilen denizciler, asayişi sağlayan asesler kalabalığın arasından geliyor geçiyor, arada bir patırtı duyulsa da uzun sürmüyordu.

"Masallardaki gibi..." dedi Reyna, elimi sıkarken. "Şapkaları neden bu kadar büyük?"

La Chica da büyülenmiş gibi etrafı seyrediyordu.

Birden yüksek sesle birinin haykırdığını duyduğumuzda, ikisi birden korktular. Bakındık etrafa ama kavga gürültü de yoktu. Arkamızdan gelen, çalışanlarımızı ve yüklerimizi taşıyan arabacılar, bu sese aldırıyor görünmüyordu. Kalabalık içinden kimi insanların, sesi duyunca hareketlendiğini görüyordum.

"Anne, yine aynı ses!" dedi Reyna. Selanik'ten beri sık sık duyuyoruz bunu. Ezan dedikleri değil mi?"

"Evet, ezan deniyor buna... Müslümanlar, günde beş kere ibadet ediyor."

La Chica, "Adamın ne söylediğini anlamıyorum ama sesi

çok güzel geliyor kulağıma... Türkçeyi hemen öğrenmem lazım!" dedi.

Gülümsedim.

"Kızım, Türkçe öğrensen bile anlayamazsın çünkü bu Arapça. Türkler de diğer Müslümanlar gibi ibadetlerini Arapça yapıyor. Hazreti Muhammed'in yaptığı gibi ibadet ediyor ve böyle olması gerektiğine inanıyorlar."

Reyna yanımızdan geçen bir kadını gösterdi. Çocuğunun elinden tutmuş, ağır ağır yürüyordu.

"Bak, bir Türk kadını daha!"

Kadın sesimizi duymuştu. Bize dönüp gülümsedi. Yürüyüp uzaklaştılar.

La Chica, "Gerçekten güzel kadınlar var demek ki burada... Bu kadar kapalıyken bile böyle güzelse..." dedi.

Onları dinlemeyi bıraktım. Etrafıma baktım çepeçevre...

Gökyüzüne uzanan minareler, bin bir çeşit malın bulunduğu büyük pazarlar, rengârenk halıların satıldığı yerler ya da masallardaki gizemli prensler, prensesler değildi benim görmek istediğim. Herkesin kendi asma ve incir ağacı altında huzur içinde oturduğu Osmanlı mülkünde, payitahtta canlı kanlı bir Musevi görmek istiyordum...

Bir tane bile yok mu?

Onca kalabalığın arasında gözlerim birini seçti. Bizden epeyce uzakta, kâgir binaların peş peşe sıralandığı sokakta sakince yürüyordu. Hemen anladım Musevi olduğunu. İki zülfünden iki örgü sarkıyor, yürürken sallanıyordu. Başında kipa yerine daha büyük bir serpuş vardı ama bu bile söylenenlerin doğru olduğuna inanmama yeterdi. Ara sokaklardan birine girdi ve kayboldu.

Kalabalığın arasından el sallayan adamı görünce kendime geldim.

"Dona Gracia!" diye sesleniyordu. "Dona Gracia!"

Dönüp gülümsedim. Arabamız durunca, tüm konvoy durdu. Yanımıza geldi.

"Geciktiğim için bağışlayın. Hoş geldiniz." Kızlara döndü. "Sizler de hoş geldiniz. Kusura bakmayın. Bir hastaya bakmam gerekti ve elimden geldiği kadar acele ettim ama... neyse ki şehre girişinize yetişebildim. Moşe Hamon..."

Başımla selamladım. Kızlar da kibarca selamladılar.

"Jozef sizin için her şeyi hazırlattı!" dedi Moşe. "Pera'da muhteşem bir ev kiralandı. Sizi karşılamam için bizzat ricacı oldu. Arabamla size yol göstereyim. Beni takip edersiniz..."

"Moşe Hamon, lütfen bizimle gelin. Neden aynı arabada gitmiyoruz?" dedim. "Hem bize İstanbul'u anlatırsınız giderken."

Dönüp Pierre'e işaret ettim:

"Pierre, sen arkadaki arabalardan birine geçiver. Moşe Hamon'u buraya alalım. Bizi merak etme!"

Pierre yanımdan ayrılmayı istemezdi ama itiraz etmedi. Başıyla onayladı.

Moşe Hamon'un Reyna'ya kaçamak bir bakış atması dikkatimden kaçmadı arabaya binerken.

"Jozef bana bugün geleceğinizi yazmıştı..." dedi otururken. "Yolculuğunuz iyi geçmiştir umarım."

"Sayenizde gayet rahat geldik. Süleyman'dan bizim için aldığınız 'tebaamızdır' belgesi, bizim için koruyucu bir zırh oldu. Her yerde izzet ve ikram gördük."

"Dersaadet* yıllardır verdiğiniz hizmetlerden gayet mem-

---

* Mutluluk kapısı. Hükümet anlamında.

nun Dona Gracia. Venedik büyükelçisi, papa ile Venedik dükünün kulağına kar suyu kaçırdığı için size yönelik tehditlerin artacağını biliyorduk. Neyse, sağ salim gelebildiğinize sevindim. Kızınız sanırım..."

"Evet. Kızım Reyna ve bu da diğer kızım ve yeğenim La Chica."

"Gelişinizi uzun süredir bekliyorduk."

Niye beklediğini söylememesine sevindim. Çünkü onunla yaptığımız haberleşmede bize yardımcı olmaktan mutlu olacağını bildirmiş, elinden geleni yapmış ancak küçük bir de talebi olmuştu.

"Nihayet gelebildik..." diye savuşturdum anlamazlıktan gelerek.

"Saraydan Venedik'e gönderilen çavuşun sizi alıp getireceği konuşuluyordu..."

"Biliyorsunuz ki kendi filolarımız var. Bugüne kadar binlerce dindaşımızı taşıyan gemilerimiz, bu defa bizi taşıdı. Ragusa'ya uğradıktan sonra Selanik'e hareket ettik. Sonra daha güvenli olması için karayolunu tercih ettik. Bahsettiğiniz çavuştan haberim var. Çavuş bizim işimize yaradı. Dikkatler onun üzerindeyken, hazırlıklarımızı rahatça yapıp, Ferrara'dan ayrılacak zamanı bulduk. Osmanlı'ya sığınmaktan başka alternatifimiz kalmamıştı zaten. Moşe, bana söyler misiniz, gerçekten Museviler burada hiçbir baskı görmeden yaşıyor mu? İnançlarına karışılmıyor mu?"

Bunu sormam bile onu gülümsetmeye yetti:

"Elbette! Başka türlüsünü hiç düşünmeyiz bile..."

"Sonunda Rabbim bize biraz daha özgür olacağımız yeni bir yurt nasip etti!" dedim hislerimi gizlemeden. "Ne Avrupa'da ne de yeni keşfedilen topraklarda engizisyondan kurtuluş var. Paslı bir çivinin, battığı bir organı çürütmesi gibi, sızdığı yeri yaşanmaz hale getiriyor. Musevilerin kanını kurutmaya kararlı! Başka bir yerde rahat edemezdik."

"Merak etmeyin, Sultan Süleyman dünyanın en adil hükümdarıdır. Hem dini sebeplerle hem de kanunlar gereği, inançlara karışılmıyor. Farklı inançtan hatta mezheplerden insanlar, yan yana kurulmuş ibadethanelerde bile birbirlerini rahatsız etmeden yaşayıp gidiyor. Elbette bazı sınırlamalar var ama kimsenin canına, malına, namusuna kastedilmesi mümkün değil."

"Nasıl sınırlamalar?"

Bunu soran Reyna'ydı.

"Yani ne olursa olsun, sonuçta burası bir Müslüman memleketi. Bu nedenle Müslümanları rahatsız edecek şeyler yapmak yasak. Mesela ortalık yerde şarap içmek filan gibi... Koşere dikkat ettiğimiz için Müslümanlar bizden rahatsız olmuyor. Ama Hıristiyanların ortalık yerde domuz beslemesi, yemesi filan da yasak!"

"O kadarcık olsun..." dedi Reyna rahatlamış gibi.

La Chica da, "Hekimi olduğunuza göre bize anlatın lütfen. Süleyman nasıl biri? Anlatıldığı gibi korkunç biri mi? İnsan yediği doğru mu?" diye sordu.

Moşe Hamon kendini tutamadı. Kahkahalarla güldü.

"Olur mu öyle şey? Gerçekten yakışıklı ve heybetli bir adam... Sadece Harem'dekilerin değil, tüm ülkedeki kadınların aklı onda. En güzel kumaşlardan giyinip, en güzel mücevherleri takıyor. Ne yazık ki çoğunlukla ordusunun başında, cephede... İstanbul'a az gelir. Geldiğinde de gözü Hürrem'den başkasını görmüyor."

"Hürrem..."

"Hürrem, haseki, yani padişahtan çocuk doğurmuş olan

sultan. Eşlerinden biri... Ama tartışmasız en sevdiği eşi... Dünyalar güzeli bir kadın. Üstelik çok çok kudretli..." Sözün burasında bana dönmüş, gözleriyle mesajı vermişti. "Sarayın gerçek patronu o... Ülkeyi Süleyman yönetiyor olabilir ama saray, Hürrem Sultan'ın kontrolünde. Şükürler olsun ki Ester Handali ile ilişkileri de iyi... Hürrem'in adını Roxelana diye duymuş olabilirsiniz."

Hürrem'in kim olduğunu iyi biliyordum. "La Rossa" diye biliniyordu Ferrara'da. Ancak epeyce yaşlanmış olmalıydı... Bu defa ben sordum:

"Ester Handali..."

"Sizin gibi muhterem bir hanımefendi... Hepsini konuşacağız, hepsiyle tanışacaksınız..." Sanki biraz önce ilk kez yüz yüze gelmemişiz gibi rahat ve yakındı hareketleri ve konuşmaları. "Önce bir yerleşin. Çok uzun süredir yollardaydınız. Rahat edin, dinlenin. Sonra sıra onlara da gelecek... Daha sizinle konuşacağımız önemli konular var değil mi Dona Gracia?"

Reyna'yla göz göze geldik.

•

Jozef, işlerimizin önemli bölümünü zaten İstanbul'a kaydırmıştı. Kendimiz gibi işlerimizi de oradan oraya taşıyor, hiçbir yerde faaliyetimize tamamen son vermesek de merkezimiz değişiyordu. Osmanlı'nın Venedik'e gönderdiği diplomat Hüseyin Çavuş skandallara yol açtığında çok güldüm. Kendisine verilen korumaları dövmüş, protokole saygısızlık etmişti. Venedik bizi yargıladığı için seviniyor ama endişeleniyordum da çünkü oradaki işlerimiz devam ediyordu.

Jozef, bana Moşe hakkında da detaylı bilgi vermişti. Osmanlı Sarayı'nda ciddi etkinliği olan, bize çok faydası dokunacak bir kişiydi. Babası Jozef Hamon da itibarlı saray hekimlerindendi ve "Yavuz" lakaplı Sultan Selim'in* hekimi olmuştu. Üst düzey bilgiye sahip hekimlerden bir kurul oluşturmuş, bir asır boyunca hekimliğin müfredatını, kurallarını bu kurul belirlemişti. Museviler hem Osmanlı Sarayı'nda etkin olup hem de Avrupa'nın muhtelif başkentleriyle temasları olduğundan, kendilerini geliştirme, birçok olayda önceden haber alma şansına sahipti. Padişahlar hekim olarak yararlandıkları gibi, haber alma kaynağı olarak da Musevi görevlilerinden faydalanıyor, onlara ayrı bir paye veriyorlardı. Jozef Hamon için Selim, Musevi Mahallesi'nde dört katlı kocaman bir ev yaptırmış, ölümünden sonra oğlu Moşe, saray hekimliğine devam etmiş, şimdi onun hükmü sürüyordu. Kendi söylemese de biliyordum. Moşe, Süleyman'a yakın olduğu kadar Hürrem Sultan'a da yakındı. Her ikisinin de güvenini kazanmış, "kan iftirası" yalanına karşı, gerçekleri Süleyman'a o anlatmıştı. Belki Süleyman'a işin doğrusunu anlatıp, iftiranın gerçek yüzünü ortaya çıkarmasa, Osmanlı'daki hava da Museviler aleyhine dönecek, belki Avrupa gibi olacaktı burası da...

Bir anne olarak iyi bilirim. İnsan kendisine olan şeylere sabredebiliyor ama çocuklar olunca iş değişiyor. Kendisi hasta olsa umursamıyor, yatağa düşene kadar dikkat etmiyor da çocuğunun ateşi çıksa, başından ayrılmıyor. Kan iftirasını ortaya atanlar da insanları bu en hassas yerlerinden vurmuşlardı. Musevileri umacılar gibi göstermek için Hamursuz Bayramı'nda yapılan matsanın içine kaçırılan bir çocuğun ka-

* Sultan I. Selim

nının karıştırıldığını iddia ediyorlardı. Bu alçak iftira, zaman zaman hayal gücü kuvvetli, nefreti hayal güçlerinden de büyük ve hitabeti iyi bilen papazlar tarafından, alenen halka anlatılıyor, meydanlarda kalabalıklara dile getiriliyor, galeyana getirmek için kullanılıyordu:

"İsa düşmanları, Hamursuz dedikleri bayramdan evvel, gün batınca sokaklara çıkarlar. Eğer ki sahipsiz bir Hıristiyan çocuk bulurlarsa, onu kaçırıp evlerine götürür, içi çivilerle dolu bir merdanede sıkıp, kanını çıkarırlar. Bu kanla ekmek yapıp yerler! Ey İsa'nın koyunları! Tanrı sizin çobanınızdır. Çocuklarınızı, kan içen Yahudi'den koruyun!"

Müslümanlar da çocuklarını Hıristiyanlardan daha az sevmediklerine göre, onları galeyana getirip, Musevilerin evlerini, sinagoglarını bastırıp yaktırmanın, talan ettirmenin, binlerce insanın öldürülmesini sağlamanın en kolay yolu buydu. Avrupa'da binlerce Musevi hunharca, bu iftira yüzünden öldürüldü. Neyse ki Osmanlı sağduyulu bir devletti. Süleyman işin gerçeğini merak etmiş, başta Moşe olmak üzere çeşitli Musevi din adamı ve âlimlerine sorup, anlattırmıştı.

Osmanlı'da daha önce birkaç kez denenen bu iftira tutmadı.

Amasya isimli şehirde Ermeni bir çocuğun kaybolmasının ardından Musevilere bu iftiranın atıldığı, hahamın yakılarak öldürüldüğü, evlerin basıldığı, sonra çocuğun bulunduğu ortaya çıkınca, Moşe Hamon'un bu olayı Süleyman'a ilettiğini, daha Portekiz'den ayrılmadan önce duymuştuk. Daha sonra yaşanan bir olay üzerine de Süleyman, bu tip davalara kendisinin bakacağını fermanıyla duyurmuş, Musevi cemaatinin herhangi bir haksızlığa uğramasını engellemişti.

Musevileri kötü göstermenin, onları linç ettirmenin en kolay yollarından biri "kan iftirası" ise diğeri "Hazreti İsa'nın Tanrı'nın oğlu olduğuna ve Meryem'in bakire olarak çocuk doğuracağına inanmadığımız, İsa'nın Museviler tarafından öldürüldüğü" konusuydu. Bu doğruydu. Museviler bütün insanların insan olduğuna, Tanrı'nın çocuğu olmadığına inanırdı. Ama bununla alay ettiğimiz, hakaret ettiğimiz konusu doğru değildi. İsa'yı öldürenin Romalılar olduğu biliniyordu. Yine de kan iftirası tutmazsa bu iftira kullanılır ve Museviler hedef gösterilirdi.

Şükür ki Osmanlılar da İsa'nın Tanrı'nın oğlu değil, bir insan ve peygamber olduğuna inanıyor!

Şehirde salgın hastalık çıkarsa hedef gösteriliyorduk. Yoksulluk başlarsa hedef gösteriliyorduk. Şehir yönetimi girdiği bir savaşta yenilirse yine hedef gösteriliyorduk. Daha başka sudan sebepler bulunuyor ve bir şekilde Museviler hedefe konuyordu.

Neyse ki Osmanlı inanç olarak bize benzediği gibi güçlü de bir ülkeydi. Girdiği savaşlarda yenilmiyor, Müslümanlarda temizlik zorunlu olduğu için salgın hastalıklar Avrupa'da olduğundan daha az görülüyor, böylece daha az suçlu aranıyordu.

Arabanın camından dışarı baktım. Daha çok Musevi görmek istiyorum. Göğsünü gere gere dolaşan Musevi erkekler, Musevi kadınlar görmek istiyorum sokakta! Oysa konvoyumuzun şaşaasından etkilenmiş, işlerini bırakıp bizi seyredenler görüyorum.

"İstanbul'u beğendiniz sanırım..." dedi Moşe. "Sürekli dışarı baktığınıza göre..."

"Hekim Moşe, aslında Musevi var mı diye bakıyorum. Onları görmek istiyorum. Özgürce yaşayan Musevileri..."

"Halkın Balat ismini verdiği yere gitmeniz lazım o halde. İstemediğiniz kadar çok görürsünüz. Bayezid* İspanya'dan gelenlerin tamamına yakınını oraya yerleştirdi. Eski bir Bizans sarayı kalıntıları olduğu için oraya bu ismi vermişler. Portekiz'den gelenlerin önemli bölümü İstanbul dışındaki şehirlerde yaşıyorlar. Bir de daha eskiden Bizans'tan beri burada olanlar var tabii. Hepsini görürsünüz zamanla. Üstelik burada Musevi sosisi** yapmaya da gerek yok. Müslümanların alışveriş yaptığı yerlerden, içiniz rahat ederek alışverişinizi yaptırırsınız."

"Bütün hayalim, böyle özgür bir ülkede yaşamaktı. Ama benim yaşamam yetmez. Elbette Musevilerin Avrupa'da özgür ve rahat yaşamalarını da istiyorum..."

"Merak etmeyin. Osmanlı var olduğu sürece Museviler de güvende olacak! Avrupa'ya gelince, er veya geç doğru yolu bulacaklar... Ne olacak, sonunda tüm Musevileri ortadan kaldırmaya çalışacak değiller ya... Bunun da mümkün olmadığını anlayacaklardır. Ben Almanya dedikleri bölge konusunda umutluyum. Eğer Protestanlar orada güçlenmeye devam ederlerse, Museviler en çok orada rahat edeceklerdir. Sanırım, Cermenlerin ülkesinden başlayarak tüm Avrupa, Musevilerin tümüyle ortadan kaldırılamayacağını anlayacak ve bu saçmalıklar da muhtemelen 1700'lü yılları görmeden bitecektir. Öyle değil mi?"

Başımı salladım. Moşe Hamon Avrupa'yı bilen biriydi ama Osmanlı'da yaşamak onu fazlaca olumlu düşünmeye itmişti. Yine de Portekiz ve İspanya'yla karşılaştırıldığında, Avrupa'nın kuzeyi konusunda daha ümitli olabileceğimize ben de inanıyordum.

---

* II. Bayezid

** Portekiz'de Musevi olduğunu gizlemek isteyenlerin dışı beyaz, içi sebzelerle dolu yaptıkları ve kapılarına kurutmak için astıkları sosis.

"Hiç *autodefe** vahşetine şahit oldunuz mu?"

"Rabb'e şükürler olsun ki hayır."

Kızların gözlerine baktım. Anlatmamın doğru olup olmayacağı konusunda kararsızdım. Hepsi suskun, bekliyordu.

"Küçükken, babamla birlikte bir İspanya seyahati yaptık. Hem İspanya'daki akrabalarımızı ziyaret hem orada kalan işleri toparlamak için... Marran olduğumuz için biraz dikkatli davranmamız yetiyordu ama engizisyon, Hıristiyan olmayı, İsa'nın yolundan gitmeyi kabul etmeyenleri sertçe cezalandırılıyordu. Bir meydan dolusu insan toplanmış, adeta zevkten, kendinden geçmişti."

•

Erkekler, kadınlar, hatta çocuklar... Kalabalık çılgınca haykırıyor, "kâfir" olduğu engizisyon yargılamasıyla kesinleşen Musevi'ye gereken cezanın verilmesi için sabırsızlanıyordu. Şehir meydanında yapılacak infaz için günler öncesinden duyurular yapılmış, sadece şehirde yaşayanlar değil, çevre köy ve kasabalardan büyük kalabalıklar toplanmıştı. Meydana hâkim bir noktaya kraliyet ailesi ve aristokratlar için loca hazırlanmış, onlar kadar değerli olmayan halk ise daha iyi görebilmek için hoplayıp zıplamak zorunda kalacağı meydana birikmişti. Bazıları, daha iyi görebilsin diye çocuklarını omuzlarına almışlardı.

Başengizatör ortaya geldi, yerden biraz yüksekçe tutulmuş yerde durdu. Elindeki haçı havaya kaldırıp, kalabalığa gösterdi. Halk engizisyona bağlılık yeminleri ediyor, Hıristiyanlığı korumak için canlarını vermeye hazır olduklarını haykırıyordu. Yanlarında getirdikleri küçük haçları sallayanlar vardı.

---

* İnsanların diri diri yakılması.

"Tanrı'nın ışığını takip ediyoruz!"

"İsa'ya kastedenleri yakın!"

"Hadi yakın artık şu kâfiri!"

"Yakın!"

Alvaro, meydanın dışında, kalabalığın gerisindeki bir binanın ikinci katında, geniş pencerenin arkasında durmuş, yanına Gracia'yı da almıştı. Kalabalığın öfkeli uğultusunun kızını korkuttuğunu görüyor, dizlerine sarılıp, ne olduğunu anlamaya çalışan Gracia'nın saçlarını okşuyordu.

"Biliyorum kızım! Bunun seni çok etkilediğini görüyorum ama sakın gözlerini kaçırma! Bunu görmen ve hiç unutmaman şart!"

Saçlarını okşamayı bırakıp, elini sıkıca tuttu.

Ortadaki direğe bağlanmış Musevi, gördüğü işkencelerden dolayı perişan haldeydi. Karnının üstünde geniş bir yarıktan kan sızıyordu. Yüzü darbe izleriyle morarmış, sağ dizinin altındaki geniş ve siyaha çalan bölge, buranın da ya kırılmış ya da feci şekilde darbe almış olduğunu belli ediyordu. Hiç sesi çıkmıyor, başı önde, baygın gibi görünüyordu.

Başengizatör, yakılacak adamın suçlarını okudu.

"Dine karşı gelmek, eski inancını gizli gizli devam ettirmek, tefecilik yapmaktan suçlu bulundun!"

Gracia bulunduğu yerden çok iyi duyamıyor, bazı suçlamaları da anlamıyordu ama adamın epeyce kusurlu olduğu, bunun sorgucular kurulu tarafından ortaya çıkarıldığı, iki hukuk uzmanı ve noter tarafından yargılamaya şahitlik edildiği ve kararın verildiğini anlayabilmişti. Üstelik hakkında ihbar yapıldıktan sonra gidip suçunu kendiliğinden itiraf etmek yerine, gözaltına alınana kadar beklemiş, suçlarını inkâr etmişti.

Meydanın bir yerinde ateş göründüğünde kalabalık kıpırdandı. Kadınların korkulu çığlıklar attığı duyuldu. Kraliyet ailesi de hafifçe kıpırdanmış ama asil duruşlarını bozmayarak, oturdukları yerden kalkmamışlardı!

Ateş yaklaşırken, gördüğü işkenceler yüzünden yarı baygın olan adam son bir gayretle kıpırdanmaya çalıştı. Boğuk sesler çıkardı ama ne söylediği anlaşılmadı. Kalabalığın uğultusu içinde eriyip gitti.

Ateş, başengizatörün eline verildi. Odunların üstüne tutuşturmayı kolaylaştırsın diye yağlar dökülürken, başengizatör asillerin bulunduğu yere döndü.

"Bu şeref sizindir sinyor. Lütfen buyurun."

Kâfirin altındaki ateşi tutuşturma şerefi verilen adam yerinden kalktı. Kraliyet locasını selamlayıp, kalabalığın tezahüratı altında hızlı adımlarla geldi. Başengizatörün elindeki meşaleyi alıp, aceleci hareketlerle yığılmış, yağlanmış odunlara yaklaştırdı.

Hükümlü yeniden kıpırdanmaya çalıştı ama mümkün değildi. Kırılmış gibi duran boynunu son bir güçle dikleştirip, anlaşılmaz sesler çıkardı. Söylemek istedikleri, hızla tutuşan odunun çıtırtılarına karıştı. Alevler bir anda adamın ayaklarını sardı.

"Innnggh!"

Ateş, beklediklerinden daha harlıydı. Kalabalık çılgınlar gibi bağırıp ellerini kollarını sallarken, sıcaktan rahatsız olan başengizatör birkaç adım geri çekildi. Odunları tutuşturan asilzade, haç çıkarıp uzaklaşmıştı çoktan.

Ateş büyüdükçe büyüyor, yanan adam acılı seslerle haykırmaya, kendini kurtarmaya çalışıyordu.

Sıcaklık, artık meydanın her yerinden hissediliyor, nedense

sessizleşen kalabalık, yakılan adamın acı dolu inlemelerini dinliyordu. Daha önce böyle bir olayı görmemiş olanların yaşadığı şok yüzlerinden okunuyor, kimilerinin açık kalan ağızları kapanmıyordu. Bu görüntüye alışık olanlar ise şapkalarını çıkarmış, haç çıkarıyor, dualar okuyordu.

Başengizatör, kalabalığın havasının değişmesinden endişe etmiş olacak ki yeniden ortaya çıktı ve elindeki haçı kaldırıp kalabalığa seslendi:

"Kâfirin sonu! İsa'ya ihanet edenlere insaf edilmeyecek!"

Kalabalık bunu bekliyormuş gibi yeniden hareketlendi. Adamın acı dolu haykırışlarına bu defa kalabalığın tezahüratı karıştı.

•

İstanbul'daki ilk günümüzde belki hatırlanacak bir anı değildi ama Moşe'nin de Avrupa'daki durumu gerçekçi bir şekilde bilmesini istiyordum. Bu nedenle detaylı anlattım.

"Yanık insan kokusunu ilk defa o gün duydum. Bir daha da unutmadım... Canlı canlı yakılan adam, ne kadar işkence görürse görsün, inancını terk etmemişti. İşkencelere dayanamayarak Hıristiyan olmayı kabul edenlere engizisyon bir parça daha insaflı davranıyor! Onları önce boğup sonra yakıyor! Hidayete erdikleri için..."

"Burada böyle şeyler olmaz."

Umudumuz da buydu ama bir şey söylemek yerine sustuk.

•

Alvaro, şapkasını çıkarıp, garip garip baktı sarı çuval giydirilmiş adama... Boğazından bir iple bağlanmış, kalabalığa teşhir edilerek götürülüyordu. Onun arkasında, üzerine haç çizilmiş, alevin dillerini anımsatan desenler bulunan bir başka suçlu daha...

Çevrede bulunanlar, önde haç taşıyan bir rahiple ilerleyen bu grubu görünce dönüyor, tükürüyor, hakaret içeren sözler ediyor, ellerine ne geçirirlerse –çürük meyve, taş, kokmuş balık– fırlatıyorlardı.

Gracia korkmuştu. Babasının bacağına tutundu. Gözleri korkuyla büyümüş, birkaç gün önceki yanık insan kokusunu unutamadan bir de bunu görmek onu ürkütmüştü.

"Küçük kuşum..." dedi şefkatle eğilen Alvaro. "Korkma! Ben yanındayım. Yanında olmadığım zaman da korkma! Korku, ele geçirilmene, böyle durumlara düşürülmene yol açar. Cesur ama her zaman dikkatli ol!"

Gracia ancak o zaman biraz rahatlayabildi.

"Beni anlıyor musun?"

Başını salladı.

"Neden sarı çuval giydirmişler baba?"

"Aşağılanması için... O, engizisyonun elinden yakılma cezası almadan kurtulanlardan... Ama bu kıyafeti her zaman taşımaya mecbur olacak, kendisinden sonra çocukları da sürekli aşağılanacak."

"Ya arkadaki..."

İşaretparmağıyla gösteriyordu. Alvaro uzanıp, yavaşça kızının elini indirdi. Sesini biraz daha alçalttı.

"O idama mahkûm edildi. Cennete gitmeden önce, bir kez daha zulmüne uğrayacak goyimlerin..."

Gracia boş boş baktı. Onun neyi ne kadar anlayabildiğinden emin olamayan Alvaro, yanağını okşadı.

"Bu kadar küçük yaşında bunlara şahit olmanı istemezdim kızım. Ama hayatın gerçeklerini ne kadar erken görürsen o kadar iyi..."

Teşhir edilen adamlar uzaklaşmış, herkes kendi işine dönmüştü. Gracia'nın lüle lüle saçları yanaklarıma dökülüyor, bu sevimli hali, Alvaro'nun içindeki şefkat duygularını kabartıyordu. Eğilip, onu kucağına aldı, bastırdı.

•

"Engizisyon sizi de sorguladı değil mi? Duyduğumuzda endişelendik. Ben bizzat girişimde bulundum. Ancak Süleyman İstanbul dışındaydı. Dönmesini bekledik. Engizisyon çok güçlü... Süleyman'ın dönüşüne kadar yargılamanızın bittiğini duyduk."

"Öyle ama biz şanslıydık. Bizi çırılçıplak soyup sorgulamadılar. Boyunduruğa almak, karanlık hücrelere tıkmak ya da zincirlemek yerine bir manastıra kapattılar. Mendes olmasaydık muhtemelen her türlü acıyı çekmemiz için gerekeni yaparlardı."

Acı, itiraf etmeyi sağlar!

Moşe başını salladı. Bizi ihbar edenin Brianda Mendes olduğu burada da duyulmuş olmalı.

Bir tahtanın üstüne bağlanıp kafası sabitlendikten sonra ağzına bez tıkıştırılan ve su dökülerek boğulma hissi yaşatılan, kolları arkadan zincirle bağlanıp saatlerce yerden yukarıda tutulduktan sonra kolları ve bacakları ayrılan, kafatası mengeneyle sıkıştırılan, kolları ve bacakları silindirle ezilen, midesi suyla şişirilip baskı yapılarak dayanılmaz acılar çektirilen, kırbaçlanan, tırnakları sökülen, karnının üstüne fareli kova kapatılan insanlar... Nicelerini dinlemiştim bunların... İşkenceden, hapishaneden kurtardığımız Marranlar, Museviler neler neler anlatmışlardı... Bunların her biri insanlık için ayrı bir utanç olsa da engizisyon gerektiğinde kralları bile yargılayabildiğinden, kimsenin sesi çıkmıyordu. Kim bilir, belki gelecek kuşaklar, engizisyon işkencelerine inanmayacaklardı bile... Bugün bile akıl almaz geliyor yapılanlar... Engizisyon da bunu hedefliyor zaten: Ruhları kurtarmak için, bedenlere yapabildiği her şeyi yapmak.

Sonuçta itiraf eden de etmeyen de kurtulamıyor.

Yüz yıldan daha uzun zaman önce Ferran Martinez diye bir İspanyol papaz ortaya çıkmış, dünyadaki bütün kötülükler için suçluyu bulmuştu: Museviler...

Musevilerin varlığını bile İsa'ya hakaret sayan Martinez'in, Sevilla'da yaktığı ateş "Kül Çarşambası" denilen binlerce Musevi'nin öldürüldüğü olaylara kadar gitti, bugüne kadar da sönmedi. Külün altındaki ateş daima kor halinde, hafif bir üflemeyle yine Musevileri yakmaya hep hazır. Müslümanlar da bu ateşten nasibini aldı, Endülüs'ten kaçamayanlar her şeyini kaybetti.

Toplu Hıristiyanlaştırma bunun arkasından geldi. Vaftiz edilenlere "Yeni Hıristiyan" ya da halk ağzıyla Marran dediler, din değiştiren Müslümanlara da Morisko.

Aragon Kralı Ferdinand* ile Kastilya Kraliçesi Isabella,**

---

* II. Ferdinand

** I. Isabella

1469'da evlenip krallıklarını birleştirdi ve bu yeni ülkenin adı İspanya oldu. Engizisyon, İspanya'dan başlayıp, tüm Avrupa'ya adım adım yayıldı. Don İzak Abravanel'in altı yüz altın rüşvet teklif etmesi bile Engizatör Kardinal Tomas de Torquemada'nın dini baskılarını ve Hıristiyan olmayanların İspanya'dan kovulmasını engelleyemedi. Tarık bin Ziyad'ın kurduğu Endülüs yakılmış, yıkılmış, hazinesine el konulmuş, Moreria denilen Müslüman mahallelerin yanında Yahudi mahalleleri de yerle bir edilmişti.

Yok edilen onca şey arasında hiç şüphesiz binlerce kitabın bir anlamı vardı. İnsanlar eğitimli ve kafaları gelişmiş olsa, engizisyonun peşinden bu kadar kolay gitmezlerdi. İspanya, Portekiz ve daha nice yerler Musevilerden arındırılırken, insanlar buna alkış tutup, iyi bir şey yaptıklarına inandırılamazlardı. Ailem, Mendesler, İspanya'daki adlarıyla Benvenisteler ülkelerini terk etmek zorunda kalmaz, her bir kuşağı bir başka toprağa verip, hâlâ ülke ülke taşınıyor olmazlardı. İşte ben de Osmanlı ülkesine gelmiştim ve payitahta yerleşmeye hazırlanıyordum ama ne garantisi vardı Süleyman'ın bir gün fikir değiştirmeyeceğinin?

Acaba Reyna ve Jozef burada yaşayabilecekler mi? Acaba La Chica burada yerleşip kalabilecek mi yoksa başka bir yere kaçmak zorunda mı kalacak?

Kaçarken Akdeniz'in sularına gömülen kaç Musevi vardı? Kaçarken Alplerde, Balkanlarda hayatını kaybeden kaç Musevi?

Sadece biz değil, Müslümanlar ve Protestanlar da çok çekiyordu engizisyondan. Nefret, kör cehalet herkese karşı aynı işliyordu. Daha geçmişe gidilirse Ortodoksların da kötü günleri olmuştu... İstanbul'da özgür bir Musevi olarak yaşarken, insanların eğitimleri için de çalışmak istiyordum. Sadece Musevilerin değil, tüm insanların. Eğer burada umduğumu bulabilirsem, eğitim kurumu açmak istiyordum. İnsanlar eğitilsin, cahil kalmasınlar...

Yanık insan kokusu duymasın bir daha kimsenin burnu...

Kuşkusuz sadece Hıristiyanlar değil Musevilerin de cahili vardı. Yalan değil, Hıristiyanlığı rakip din görüp, yüzyıllarca ona karşı mücadele edilmesi gerektiğine inanan Musevi din adamları çıkıyordu arada bir. Onların da artık çağa uygun yetiştirilmesi şarttı. Onların da tüm insanlığı kucaklayacak kadar aydın olmasını sağlayacak bir akademi kurulması, Musevi din adamları yetiştirilmesi ihtiyacını görüyordum.

Bunları yapabilecek miyim acaba?

Bunun cevabını henüz bilmiyorum ama hissediyorum. Ferrara'da açıkladığım inancımı burada rahat yaşayacağım, amaçlarımın hiç değilse bir kısmını gerçekleştirebileceğim... Dahası, belki Kudüs'e bu kadar yaklaşmışken, eski yurdumuza dönmenin de bir yolu açılır.

Babamın kulağıma fısıldadığı sır...

Kimi Musevi din adamlarının "tek kral, tek din" inancını savunduğunu biliyordum. Ama artık ben bu yaşımda emindim ki, kim insanlığı tekleştirmek isterse, mutlaka büyük sancılar yaşanıyor. Bunu deneyenler başaramadı. Muhtemelen gelecekte deneyecekler de başaramayacak.

Limandan, yerleştirileceğimiz eve doğru ilerlerken, aklımda bunlar vardı. Bu şehirde din değiştirmeye zorlandığı için intihar edenler olmayacaktı. Din değiştirse bile aşağılananlar da olmayacaktı. Bu şehir, Musevilerin özgürce yaşayıp çalıştığı, eğitim kurumları olan bir şehir olacaktı. Bu şehirde isimlerimiz zorla değiştirilmeyecek, erkek çocuklarının sünnetli olup olmadığına bakılmayacaktı. Kendi aile soyadları zorla değiştirilip, ağaç isimleri filan verilmeyecekti.

Yanımda oturan Moşe'ye döndüm:

"Kendi soyadınızı kullanabiliyorsunuz..."

Bunu hiç düşünmemiş olmalı.

"Elbette... Başka kimin ismini kullanacaktım ki?"

-44-

Osmanlı bizden farklı bir ülkeydi. Burada büyük servet sahibi olsak da devleti yönetenlerle doğrudan ve her istediğimiz zaman görüşme imkânımız yoktu. Özellikle de bir kadının "paşa" denilen vezirlerle görüşmesi kolay değildi.

Jozef de yanımıza gelmiş, Mendes Müessesesi'nin ön planına onu koymuştuk. İşler kontrolümdeydi ve Jozef de doğrusu beni hiç pişman etmiyordu ama artık geri planda duruyordum. İstanbul'da ne kadar para işiyle uğraşan varsa, randevu almak için sıraya girmişler, şehre gelişimizin ardından hepsi bizimle iş yapmak için teklifte bulunur olmuşlardı. Zaman zaman bunalıyordum bu taleplerden. Pera dedikleri yerde muhteşem bir ev bulmuştuk ama kiralıktı. Evin günlük bir altın olan kirasını vermekte zorlanmasam da kendi evimiz olsun istiyordum. Pera'nın Yunanca "öte" anlamına geldiğini, Venedik Elçisi Andrea Gritti'nin Rum bir kadından olan oğlunun da aynı yerde oturduğunu duymuştum. Yeni yeni binalar, köşkler yapılıyor ama aralarda bağlar, bahçeler de görünüyordu. Bu şehre artık yerleşmek için gelmiştim. Bizimle para işleri yapmak isteyenler, tanışıp görüşmek, ne tür insanlar olduğumuzu anlamak isteyen beyler, paşalar biraz beklesin istiyorum. Nasıl olsa tanışırız.

Göçmen olmanın bir bedeli vardı ve ben bu bedeli öğreneli çok olmuştu. Geldiğimiz yere yerleşebilmek, burada kabullenilmek için çok çalışmalı, faydalı olduğumuzu göstermeliydik. Yerliler bize uymak zorunda değildi, biz onlara uyum sağlamak zorundaydık. Lizbon'da, Anvers, Lyon, Venedik ve Ferrara'da gördüm bunu. Benimle tanışmak isteyen çok ama benim tanışmak istediklerim Saray çevresi.

Dünya değişiyordu. Avrupa Yenidünya'yı sömürmenin yolunu bulmuş, mimaride, müzikte yeni akımlar ortaya çıkmıştı. Eski Roma'nın ihtişamlı mabetleriyle yarışan yeni kiliseler, katedraller yapılıyor, koroların yerini dans müziği yapan orkestralar alıyordu. Müzik, kilisede okunan ilahilerden ibaret olmaktan çıkmış, zevk için dinlenir hale geliyordu. Protestanlar her geçen gün daha fazla güç kazanıyor, etkileri artık devlet yönetimlerinde de görülüyordu. Bilimde, sanatta, kültürde değişen anlayışa Rönesans diyorlardı, dinde değişen anlayışa Reform...

Venedik'te bu etkileri yakından görme şansımız oldu. Meşhur besteciler Andrea Gabrieli ve yeğeni Giovanni evimize konuk olmuş, zaman zaman Floransa'dan gelen sanatçıları bizimle tanıştırmışlardı. Resimde hem İtalya hem Hollanda'da önemli ustalar yetişmiş, dini temalı resimler yanında, evlere asılmak ya da bizzat duvarları süslemek için ressamlardan tablo sipariş edilir olmuştu. Eski Roma'nın bir başka geleneği yeniden canlanmış, her yerde heykeller görülmeye başlanmıştı. Matbaalar yaygınlaşıyor, kitap ucuzluyor, yayılıyordu. İncil, Tevrat gibi kutsal kitaplara herkes ulaşabilir olmuş, müzik kitapları basıldığı için ünlü eserler her yerde çalınabilir hale gelmişti. Tiyatrolar halka inmiş, sokaklarda, meydanlarda bile oyunlar sahneleniyordu. İlginçti ki Jozef de ünlü olmuş, onu konu alan oyunlar da yazılmıştı.

Osmanlı'da ise durum daha farklıydı. Osmanlı henüz kitapları hattatlar tarafından yazılan bir ülkeydi. Marran Sonsino ailesi İstanbul'a gelmiş, matbaacılığı geliştirmişlerdi. Daha önce de Musevilere ait matbaalar vardı İstanbul'da. Sinan isimli mimar olağanüstü eserler inşa ediyor, bazılarının inşaatı hâlâ sürüyordu. Tekke denilen ibadethanelerde farklı, halkın eğlendiği yerde farklı, askeri işlerde farklı müzik yapılıyordu. Mehter dedikleri askeri bandoyu ilk duyduğumda inanılmaz bir coşku hissettim.

Osmanlılar, savaşa müzikle, düğüne gider gibi gidiyorlar!

Resim yapmakla ilgili dini endişeler bulunduğundan, canlı gibi görünen resimler yapmıyor ama minyatür denilen ilginç bir resim tekniği kullanıyorlardı. Müslümanlar, resim ve heykel konusunda da bize benziyorlardı.

Put ve resim yapmayacak, onlara tapmayacaksın!*

İstanbul'u, bu yeni kültürü tanımaya, bol bol misafir ağırlamaya devam ederken, Jozef'in inşasına biz gelmeden önce başlattığı köşk de tamamlandı. Kimilerinin "Beyoğlu" dediği yeri bırakıp, Ortaköy denilen yerdeki muhteşem evimize geçtik. Çevrede yaşayanların "Belvedere Sarayı" dediği evimizde bu işleri takip ederken, aklım fikrim, artık iyice yaşlanmasına

---

* On Emir'den.

rağmen hâlâ aynı şekilde güzel olduğu söylenen La Rossa'daydı. Hürrem Sultan'a ulaşmak, onunla konuşmak istiyordum bir an önce. İş yapmak için kapımızı aşındıran Musevi ve Müslüman tüccarlar varsın Jozef'le görüşsün. Ben, Avrupa'da gördüğüm kraliçelerden, en azından Mary'den farkını anlamak istiyorum La Rossa'nın...

Şehirde eskiden beri yaşayan Museviler vardı. Kuzey Afrika kökenli Museviler... Avrupa'da zorla Hıristiyanlaştırılmış, Hıristiyan ismiyle üniversitelerde eğitim görmüş olanlar vardı. Onları da ziyaret etmek amacındaydım ama hepsini bir anda yapmak mümkün değildi. Zaten yerleşmek, işe güce bakmaya başlamak derken epeyce vakit geçmiş, bu eşsiz güzellikteki şehri bile daha iyice bir görememiştim.

Beni en çok etkileyen yerlerden biri Bedesten* dedikleri büyük pazar oldu. Her millet ve her inançtan tüccar, mallarını getirip burada satabiliyor, İstanbul'un kadınlı erkekli nüfusu, gelip ne arıyorsa buradan bakıyor, alıp dağılıyordu. Bedesten'in bir ucundan eksiklerle girip, diğer ucundan hiçbir eksiğin kalmadan çıkmak mümkündü.

Moşe Hamon ziyaretime geldiğinde, aklımda yine dışarı çıkmak, mümkünse biraz İstanbul'u görüp, Musevi mahallelerine uğramak, Bedesten'de biraz dolaşmak vardı.

Beraberce çıktık. Benim gölgem olan Pierre yanımda, kızlar evde kaldı. Reyna ve La Chica'yı mümkün mertebe Moşe Hamon'dan uzak tutuyor, aynı yerde bulunsunlar istemiyordum.

Moşe, Venedik ve Ferrara'da bize yardım ederken, akraba olmak niyetini hiç saklamamış, Reyna'yı kendi oğluyla evlendirmek istediğini bildirmişti. Üstelik, bizi İstanbul'a getirebildiği

* Kapalıçarşı

için Saray çevresinde de kıymeti, itibarı artmıştı. Mary'ye yaptığım gibi ona açıkça hayır demedim. Zamana bırakmayı tercih ettim. Moşe ise bunu kabul etmişim gibi algıladı. Damadım olacak kişi Jozef'ti ama Moşe'nin atacağı yanlış bir adım, yoktan yere aramızın bozulmasın, belki Jozef'in de kızmasına yol açacaktı.

Arabayla ilerleyip, sipahi denilen atlı askerlerin orada burada dolaştığı, aseslerin halkın arasında dolaşıp, hırgür edenleri enselerinden tuttukları gibi götürdükleri, insanların taburelere oturup, şerbetler, kahveler içtikleri yerlerin önlerinden geçtik. İstanbul'un sevdiğim çiçek kokuları, baharat kokuları yine genzimi dolduruyor, bu şehirde nedense kendimi yabancı hissetmiyordum.

"Kahve alışkanlığı gittikçe yayılıyor..." dedi Moşe. "Kahve ticareti önümüzdeki yıllarda çok daha kârlı hale gelecek."

"Jozef de aynı şeyi söylüyor... Özellikle Yenidünya'dan da kahve gelmeye başlaması, bizim gibi geniş deniz filosuna sahip olanların işine yarayacak."

"Her şeyinizle Jozef ilgileniyor..."

"Sağ olsun. Yeğenim, İstanbul'da bizim elimiz kolumuz oldu. Sizin de yardımlarınız büyük. Minnettarız Moşe..."

Aldırmış görünmedi.

Kâgir konakların, önünde "başıbozuk" denilen serkeşlerin bulunduğu dükkânların, oraya buraya dikilmiş sütunların önünden geçtik. "Dergâh" dedikleri yerlerde miskin miskin bekleşen insanların, kafalarını, kaşlarını kazıtmış, bellerinin üstü çıplak dolaşan ve "cavlaki" denilen kişilerin toplandığı yerlerden geçtik. Dev iskelelerin kurulduğu, işçilerin arı gibi kaynaştığı bir inşaatın önüne geldiğimizde sordum:

"Bu o değil mi? Süleyman'ın yaptırdığı cami..."

"Evet. Süleyman, Ayasofya'dan daha büyük bir cami yaptırmaya ahdetmiş durumda. Üç bin işçi çalışıyor. Hiçbir masraftan çekinmiyor. İran şahının katkı için gönderdiği mücevherleri ve altınları, harcın içine karıştırma emri verdi Sinan'a... Elbette elinde Sinan gibi bir mimarın bulunması en büyük şansı..."

"Nasıl biri bu Sinan?"

"Benim birkaç kez konuşmuşluğum oldu. Kendi içinde yaşayan, kafası sürekli birtakım planlarla, çalışmalarla dolu biri... Bazen yanında oturanları bile görmez. Deha! Belki Venedik'teki mimarlardan daha iyi... Müslümanların ihtiyaç duyduğu görkemli binaları o yapıyor. Bir yaptığı diğerine benzemiyor. Şehzade Mehmet Camii'nin güzelliği dillere destan iken şimdi de Süleyman Camii* ile yine bizi şaşırtmaya hazırlanıyor. İstanbul'un her yerinden görülecek sanırım bittiğinde."

Caminin inşaat hali bile oldukça ihtişamlı görünüyordu. Sinan, bu şehirde bir an önce tanışmak, görüşmek istediğim insanlardandı.

"Neden bu kadar merak ettiniz bu mimarı?"

Gözlerine baktım.

"Anladım... Ama bunca büyük bir eser yapmamıza izin verirler mi, şüpheliyim. Belki daha mütevazı ama çok güzel bir sinagog..."

"Beni sinagoglara da götürün Moşe... Siz hangisine devam ediyorsunuz?"

"Balat'taki Yanbol Sinagogu'na... Eskiden, Romanyot Musevilerden kalmaydı. Lakin zamanla Sefaradların çoğunluğu buraya devam eder oldu. Bir de Ahrida Sinagogu var. Balkanlardan kaçıp gelen Musevilerin devam ettiği..."

---

* Süleymaniye

"Sinagoglarla birlikte büyük bir okul yapılması gerektiğini düşünüyorum Moşe. Siz ne dersiniz?"

"Umuyorum ki olur. Ama dediğim gibi gerekli izinleri almak bir yana, çok yüksek bir maliyet gerektirir."

"Siz burada belki hissetmediniz ama biz Avrupa'da öyle yüksek bedeller ödedik ki, hangi bedeli ödesek bize hafif gelir."

Haliç'e gelince arabadan indik. Karşıya kayıkla geçmemiz gerekiyordu.

Etrafıma bakındım.

"Tuhaf! Osmanlılar devasa ibadethaneler yapıyorlar ama buraya neden bir köprü yapmamışlar?"

Yolu gösterirken açıkladı Moşe:

"Eskiden burada fıçılar birbirlerine zincirlenerek yapılan bir köprü olduğu söylenir. Grand Turco* döneminde. Ama sonra Bayezid döneminde Leonardo gelip bir proje yapmış. Padişah beğenmemiş. Michelangelo ise daveti kabul edip gelmemiş. Kayıkçı esnafı da geçimini buradan sağlıyor diye sanırım, köprü işini sürekli erteliyorlar."

Kenarda müşteri bekleyen kayıklardan birine geçip oturduk. Haliç'in suları üstünde, güçlü kollarıyla kürekleri çeken kayıkçının bizi karşı tarafa ulaştırıp, Moşe Hamon'un verdiği parayı alması uzun sürmedi.

Başka bir arabaya işaret etti Moşe. Ona binip, yine etrafı seyrede seyrede ilerledik. Osmanlı topraklarına ayak bastığımız günden itibaren Osmanlı bizi korumaya almıştı. Yanımızda muhafızlarla dolaştık ilk birkaç gün ama artık emin hissediyordum kendimi. Yanımızdaki yeniçerileri almalarını talep ettim. Aldılar. Pierre yanımda nasıl olsa...

* Fatih Sultan Mehmet

Sonunda göründü...

Hayallerimde gidip, görüşmeler yaptığım yer. Dünyanın en güçlü hükümdarının oturduğu konak: Yeni Saray...*

Ne kadar mütevazı görünüyordu! Önünde halkın belli ki tören günleri toplandığı bir genişçe meydan, giriş kapısı üstünde iki kule ve nöbet bekleyen askerler... Ne göğe yükselen kubbeler vardı, ne mücevherlerle, renkli camlarla süslü duvarlar... Basit, taş duvarlar ve üzerinde gözetleme kuleleri ile yüksek, ahşap kapılar. Önlerinde, ellerinde topuzlarla duran nöbetçiler, buraya izinsiz kimsenin giremeyeceğini açık seçik gösteriyordu.

"Çok şanslısınız Moşe!" dedim. "Siz dünyanın idare edildiği bu yere girip çıkabiliyorsunuz. Ne de olsa Türkler, dünyanın yarısından fazlasına sahip olmayı başardılar."

"Öyle sanılıyordu ama dünyanın bildiğimizden büyük olduğu anlaşıldı. Yine de Süleyman'ın hâkim olduğu alan, hakikaten de çok geniş."

"Nasıl? Onu görebiliyor musunuz? Anlatıldığı kadar ihtişamlı mı?"

Ellerini yana açtı.

"Yakışıklı ve heybetli olduğu doğru... Ama sultanların en önemli özelliği, sürekli övülmektir. Öyle çok övülüyor ki aslında bir insan olduğunu çoktan unutmuş olabilir." Sözün sonunu fısıldar gibi söylemiş, sır veriyor gibi davranmıştı. "Yine de Şarlken gibilerle kıyaslandığında daha insan olduğunu söylemeliyim Dona Gracia..."

"Bana lütfen Gracia Nasi deyin. Adım artık bu."

"Peki Gracia."

---

* Topkapı Sarayı

"Ya o... Roxelana... Onunla görüşebiliyor musunuz? Yakın mısınız?"

"Siz ne söylüyorsunuz Gracia? Müslüman bir kadın asla bir başka erkekle nikâhlı değilse, görüşmez. Hele baş başa asla görüşmez! Buna teşebbüs bile ölümle cezalandırılır."

"Neden?"

"İnançları öyle gerektiriyor."

"Onu iyi tanıdığınızı sanıyordum."

"Elbette tanıyorum. Ben hekimim. Unuttunuz mu? Söz konusu sağlık olduğunda, belli ölçülerde, Harem'deki sultanlarla da görüşebilirim."

Öğreneceğim çok şey vardı. Ben sözü Hürrem Sultan'a getirmeye çalışırken o aklındakini açtı:

"Kızınız için ne düşünüyorsunuz Gracia? Artık yerleştiğinize göre, başka konuları da düşünmüşsünüzdür..."

"Moşe, henüz yerleştik bile sayılmaz. Hem bu konuda verilmiş sözlerim var. Önce işlerimizi yoluna koyacak, sonra bu konulara bakacağız."

Çok ısrar edip, hayır cevabı almak istemiyordu.

"Hürrem Sultan'la ne zaman görüşebilirim?"

"Sizin için bir ricada bulunacağım. Dilerim olur. Ama Jozef Nasi'nin Fransa'dan alacağı konusu görüşülüyor bugünlerde. Fransa, borçlarını ödeme niyetinde değil. Süleyman'dan bu konuda bir ferman almaya çalışıyoruz. Akdeniz'de ticaret yapan gemilerine el konulması, Fransa Sarayı'nın aklını başına getirecektir."

"Bunu yapabilir miyiz?"

"Yapabiliriz. Fakat bu en son çare olacak. Öncelikle, güzellikle borcunu ödemeye davet edilecek Fransa. Sanıyorum en başta buna yine yanaşmayacaklardır. Venedik'le birlikte Osmanlı'dan ticarette öyle tavizler kopardılar ki, adeta şımardılar. Kapitülasyon dedikleri bu avantajlar, onları Akdeniz ticaretinde öne geçiyor. Özellikle de Osmanlı'yla yapılan ticarette."

Bedesten'e geldik. Burada bir süre dolaşacak, hediyelik eşyalara bakacaktım. Burada ya da başka bir yerde, benim sandıklarımda bulunanlar kadar ihtişamlı ziynet eşyaları bulunmasına imkân yoktu ama yine de bir göz atmakta fayda var. Bir yeri tanıyacaksan, çarşı pazardan başlamak en iyisi... İtalya'dan getirilen güzel kumaşların önemli bir bölümünü zaten biz taşıyorduk.

Çeşit çeşit baharatlar satan aktarların arkasında envaı çeşit kumaşların, eşsiz ipeklilerin bulunduğu dükkânlar sıralanıyordu. Onların daha gerisinde kuyumcular, gelen müşterileri kapıda yakalayıp içeri sokmaya uğraşan debbağlar, çeşit çeşit yemeniler, çarıklar satan kunduracılar, billurları dizmiş züccaciyeciler, ışıldayan kamalar, hançerler, kabzalarında değerli taşlar bulunan hançerler satan silah dükkânları peş peşe sıralanıp gidiyordu. Benim işim gücüm ticaretti. Hangi malın ne değeri olacağını biliyordum. Kimilerine yanaşıp, alıcı gibi bakıyordum. Üstümdeki kıyafetlerden olsa gerek zengin olduğumun kokusunu almış gibi birkaç satıcı birden etrafımı çeviriyordu.

Belimdeki kuşakğa içine birkaç altın attığım kesemi koymuştum. Alışverişe çok niyetim yoktu. Daha çok görmek, dolaşmak için çıkmıştım ama bir anda belimde bir el hissettim. Ani bir hareketle döndüğümde iki el gördüm. Bir el benim keseme doğru kalabalıktan faydalanıp uzanmış ama gölgem Pierre'in varlığından bihaber olduğundan, elini uzattığı anda yakalanmıştı. Pierre'in iri yumruğu adamın tam burnunun üstünde patladı. Bir anda korkuyla çığlık attım:

"Ay! Ne oluyor?"

Çevremiz hemen kalabalıkla çevrildi. Birinin bağırdığını duydum:

"Asesler, yetişin! Hırsız var!"

Adamın kırılan burnundan kan fışkırıyordu. Pierre adamı benden uzaklaştırırken, debeleniyor, kaçmaya çalışıyordu ama nafile. Mengene gibi sıkıca kavrayan güçlü ellerden kaçabilmesi ne mümkün! Çevremiz bir anda seyirlik bulmuşlarla dolup taşarken, benim gibi alışverişe gelmiş kadınların korkuyla ellerini ısırdıklarını, çocukların annelerine sokulduklarını görüyordum. Esnaf hemen yanımda yer almış, hırsıza fırsattan istifade alttan tekme atanlar, yumruğu beyninin üstüne üstüne vuranlar oluyordu. İki ases koşarak geldi ve Pierre'in elindeki adamı gördü.

"Ayvaz! Yine mi ulan?"

Burnundan kanlar sızan adamın gözünden kesintisiz yaş boşanıyordu.

"Etmeyin, yapmayın ağalar! Benim bir günahım yok. Kimsenin bir şeyine el uzatmadım!"

Aseslerden uzun boylu olanı elindeki sopayı, adının Ayvaz olduğunu anladığım hırsızın kafasına indirecek gibi yaptı. Ayvaz iyice sindi. Koluyla başını korumaya çalıştı.

"Sus! Edepsiz! Bir de utanmadan inkâr!"

Diğeri bana döndü:

"Hatun, senin malını mı çalmaya çalıştı?"

Adama baktım. Daha önce de acıklı suratlar görmüştüm ama bu bambaşkaydı. Kan, gözyaşı birbirine karışmış, zaten ufak tefek olan adam adeta büzülüp küçücük kalmıştı.

"Yok... Bir şeyimi çalmadı."

Pierre şaşkın bana baktı. Kalabalıktan şaşkın nidalar yükseldi. Ases doğru duyup duymadığını anlamak istedi.

"Hatun, senin bir şeyini çalmadı mı bu? Hırsızlık yaparken yakalanmadı mı?"

"Hayır. Her şeyim yerli yerinde. Zaten üç kuruşum var, o da belimdeki kesemde duruyor."

İnansınlar diye çıkarıp, kadife keseyi salladım. İçindeki birkaç altın şıngırdadı.

Pierre adamın kolunu bıraktı. Aynı anda adamın atılıp ayaklarıma kapanması bir oldu.

"Ablam, Allah senden razı olsun! Allah ne muradın varsa versin! Bunlar beni boş yere götürecekti."

Çevredeki esnaftan kızanlar oldu:

"Hayâsız hırsız! Bir de utanmadan masumum diyor!"

"Kadın kısmı işte! İlla şefkat gösterecek!"

"Bir başka gün de gelip başka bir şeyini çalar! Hırsıza merhamet edilir mi?"

Konunun uzayacağını, ayaklarımı yalamaya çalışır gibi debelenen adamın beni bırakmayacağını anlamıştım. Oysa buna gerek yoktu.

"Beni rahat bırakın artık!" dedim kızarcasına. "Bir şeyim çalınmadı dedim işte... Başka ne istiyorsunuz?"

Uzun boylu ases uzandığı gibi hırsızı ensesinden kavrayıp kaldırdı. Ayaklarını yerden kesti.

"Ulan şerefsiz! Şimdi defol git! Bir daha seni Bedesten'in yakınında bile görürsem, kim sana merhamet etti, kim bıraktı demem, alırım ayağımın altına! Seni Yedikule'ye götürürüm bir daha da çıkamazsın! Şimdi yıkıl git!"

Adamın suratına okkalı bir tokat vurup, fırlatır gibi yere bıraktı. Birkaç adım öteye düşen adam dengesini sağlayamayınca yere kapaklandı. Kalktığı gibi kaçması bir oldu.

Ases bana döndü:

"Hatun, sen de dikkatli ol! Esnafı işinden gücünden etme. Hadi!"

Bütün bunları daha geriden sessizce izleyen Moşe Hamon'la göz göze geldim. Sonra Pierre'le...

Pierre gözleriyle soruyor, hırsızı neden bıraktığımı anlamaya çalışıyordu. Kalabalık çevremizden usul usul dağılırken, hekime döndüm:

"Hadi gidelim. Anlaşılan bugünlük gezme bu kadar."

Birkaç adım yürüdük.

"Sandığımdan daha çok şey biliyorsunuz..." dedi Moşe, Pierre'in de duymasını ister gibi. "Gelmeden önce Osmanlı kültürünü epey araştırmışsınız! Merhametiniz de sadece Musevi olanlara değil, tüm insanlara karşı büyükmüş... Eli kesilmesin diye bıraktınız değil mi?"

-45-

İstanbul'a geldikten sonra hakkımızda birçok dedikodu çıkarılmıştı. Bunlara çok aldırdığım yoktu ama Osmanlı'ya gelen Marranların esir edildiği, mallarına el konulduğu, haraca bağlandıkları, hatta köle olarak satıldıkları iddiaları tehlikeliydi. Hayatlarını korkunun ve tehdidin gölgesinde geçiren Marran ve Musevilerden kimileri kolaylıkla buna inanabilirdi. Fırsat buldukça oturup çok sayıda mektuplar yazıyor, bunları mühürleyip, kendi cemaatlerine gerçek durumu anlatabilsinler diye, Venedik, Lyon, Anvers, Paris, Londra, Ferrara gibi şehirlerdeki haham ve bilim insanlarına, hekimlerine, diplomatlara gönderiyordum. Hatta İspanya ve Portekiz'de bile ulaşabildiğim kişilere mektuplar yazdım. Osmanlı ülkesinde insanların inançlarına karışılmadığını, herkesin kendi asma ağacının altında huzur ve barış içinde yaşayabildiğini duyurmaya çalıştım.

İstanbul'da yapılacak iş çoktu ama en acil iş, Reyna ile Jozef'in evlendirilmesiydi. Yaşadığımız bir olay, bunu hızlandırmanın hem de çok hızlandırmanın gerekli olacağını gösterdi.

Böyle bir durum yaşamamızda, Moşe'nin talebinin Jozef tarafından öğrenilmesinin de etkisi büyüktü. Bir yandan Moşe, diğer yandan Brianda... Kardeşim, uzakta da olsa, bize zarar vermenin bir yolunu arıyordu hâlâ.

Kafam bunlarla meşgulken, Moşe'den müjdeli haber geldi:

"Hürrem Sultan seni kabul edecek..."

"Öyle mi? Ne zaman?"

"Perşembe günü, öğle namazından sonra..."

"Peki, ne yapmam lazım? Nasıl biri, nelerden hoşlanıyor? Onunla nasıl konuşmak gerekiyor?"

Güldü.

"Sakin ol... Bugüne kadar onlarcasını gördüğün asilzadelerden biri işte... Saray her yerde saray, içindekiler de her yerde aynı asiller. Avrupa'da herhangi bir kraliçeyle görüşürken ne yapıyorsan, burada da onu yap. Başka bir şey yapmana gerek yok."

•

İki gün... Hürrem Sultan'la sarayda görüşmek için iki gün var. Nasıl hazırlanacağım? Bu süre yeter mi?

Hürrem'in Saray'daki gücünü biliyorum. Dünya Süleyman'ı tanıyıp biliyordu ama onun da gücünü tanıdığı tek kişi vardı: Büyük aşkı Hürrem...

İtalya'dan getirttiğim kumaşların en eşsiz, en güzel olanlarından hazırlattım. Burada baharatın bir hediye olarak değeri yoktu ama güzel kokulara değer veriyorlardı. Yenidünya'dan, Hindistan'dan ve daha ötesinden getirilmiş güzel kokulardan küçük şişelerle hazırlattım ki bunlardan birinin kokusunun dünyada eşi benzeri yoktu. İnsan bir kere kokladı mı bir daha bu kokuyu unutamıyordu... Ama beni kabul edecek kişi bir sultandı. Hem de en kudretlisi... Birkaç parça kumaşa, güzel kokulara ihtiyacı yoktu. Onda bile olmayan, eşsiz güzellikte bir mücevher bulmak için ziynet sandıklarını açtım.

Çoğunluğu beyaz elmaslarla süslü onlarca ziynet eşyası, en ince altın işçiliği ürünler. Kolyeler, bilezikler, küpeler, bütün kadınların hayallerini süsleyecek mücevherler... İçlerinde zarif, bir tek halkadan oluşan yüzüklerden, bir kadının gerdanından başlayıp, beline kadar örtecek ve elbise gibi giyilebilecek takılara kadar birçok çeşit vardı. Fakat mücevherden anlayan her kadın, hele de Hürrem gibiler, neyin değerli, neyin nadide olduğunu iyi bilir. Karşımdaki kadına cahil muamelesi yapmayı göze alamazdım. Eşsiz güzellikte, ince kesilmiş beyaz elmaslarla çevrelenmiş, ortasında ateşin korundan daha kırmızı, iri bir yakutun bulunduğu kolyeyi aldım. Şöyle bir kaldırıp baktım. Aynı anda odanın dört bir yanında rengârenk ışıltılar ortaya çıktı. Pencereden gelen ışık, yakuta çarpıyor, dört bir yana renkler saçıyordu.

"İşte bu!"

Elmasın rengi ne kadar koyuysa, o kadar değerlidir. Kadife bir keseye yerleştirmeden önce tekrar baktım doyasıya... Brianda bunun Hürrem Sultan'a gideceğini bilseydi, muhtemelen bunun için de bana dava açardı.

-46-

Harem'in giriş kapısı farklıydı. Buradaki nöbetçileri aşıp da içeri girmeyi başaran oluyorsa da şaşkınlıktan, nereye geldiğini anlayamıyor olmalı. Harem konusunda neler duymuştum neler... Padişahın kudret macunları yiyip, nefis şaraplar içerek gücünü topladığı ve onlarca kadınla beraber olduğu bir yer gibi anlatılıyordu. Tek hâkimi Süleyman'dı ve istediği kadınla, istediği kadar beraber olması için Harem oluşturulmuş, burada sabah akşam zevk ve sefaya dalıyordu!

"Burası benim evimden bile daha sade!"

Harem'in bizim konaklarımızdan, oturduğumuz evlerden bir farkı yoktu. Burada da belirli bir düzen içinde işler yapılıyor, çalışmalar yürütülüyordu. Bir farkla ki burada erkekler değil, kadın hizmetkârlar ile olası bir kazaya engel olmak için hadımağalar bulunuyordu.

Güvenliği sağlayan ağalar ve çeşitli işleri yapmakla görevli kadınların yanı sıra padişahın eşleri, kızları ve küçük çocuklar bu bölümdeydi. Öyle eşsiz güzellikte, süslü diyebilecek bir ortam yoktu. Mutfağın yanından başlayan binanın içinde, yan yana eklenmiş odalar ve bunların aralarında fazlasıyla renksiz bulduğum koridorlar... Avrupa'daki sarayların duvarları resimlerle süslü olur, her köşesinden bir süs, hiç değilse süslü şamdanlar, meşaleler sarkar. Oysa Yeni Saray'ın hareminde sadelik vardı. Bir tek dışarıdan bakıldığında içerisi doğrudan görülmesin diye şeffaf değil, renkli camlarla kapatılmış pencereler süslü sayılabilirdi. Onlardan da rengârenk ışıklar süzülüyordu Harem'in içine...

Siyah ve beyaz tenli ağalar, her koridorun başını tutmuş, neredeyse her yerde düzeni sağlıyorlardı. Zemin de taştı ancak ince "yolluk" denilen halılar serilmişti. Geçmişte Eski Saray'ın harem olarak kullanıldığını hatta bu yüzden oraya "Kadınlar Sarayı" denildiğini duymuştum. Sonrasında padişahtan çocuğu olanlara verilen unvanla "haseki" denilen sultan da Yeni Saray'da tutulmaya başlanmış, onların işlerini yapsın diye kadın çalışanlar görevlendirilmiş, zamanla valideler, kız kardeşler de bu bölümde kalmaya başlamıştı. Sarayın içindeki en ihtişamlı odanın, padişaha ait "Has Oda" denilen oda olduğunu biliyordum. Harem'deki en ihtişamlı oda ise padişahın ne sevgilisine ne de "gözde" denilen cariyelere aitti. En ihtişamlı oda padişahların anneleri "valide sultan"ların hakkıydı.

Taş koridorlarda, haremağalarının arkasında yürürken, Hürrem Sultan'ın nasıl bir kadın olduğunu düşünüyordum. Arkamdan bir haremağası daha geliyor, hediyelerimi taşıyordu. Daha önce birkaç çizimi görmüştüm ama her çizimde farklı bir kadın vardı.

Ya hiç görmeden, düpedüz hayal ederek çiziyorlar, ya da anlatılanlardan ancak bu kadar yapabiliyorlar...

Üzeri fildişi kakmalı, geometrik desenlerle süslü, iki kanatlı bir kapının önüne gelince durduk. Siyah haremağası saygıyla kapıyı tıklattı. Sonra açıp girdi ve diğeri bana işaret etti.

Geçtim ve onu gördüm. Süslü bir divanda oturan yaşlıca bir kadın...

Hemen başımı eğerek selam verdim. Aynı anda, sanki yanımızda sağır varmış gibi arkamdaki haremağası bağırdı:

"Devletlu, ismetlu Hürrem Haseki Sultan Aliyyet-üş Şan Hazretleri!"

Başımı kaldırdım. Sağında solunda genç kadın hizmetçiler... Harem'in neden bu kadar ilginç geldiğini dışarıdaki insanlara, anlayabiliyorum. Buradaki neredeyse tüm kadınlar güzel, endamlı.

"Gel bakalım..."

Dilinde belli belirsiz bir pelteklik...

Haremağası bu defa hiç bağırmaya ihtiyaç duymadan ama genişçe odadaki herkesin de duyabileceği şekilde benim adımı söyledi:

"Beatrice de Luna, Gracia Nasi Hatun..."

Haremağalarından biri içeride kalırken, diğeri çıktı. Hediyeler, Hürrem Sultan'ın ayakları dibine bırakılmıştı.

"Hele şöyle yanaş bakalım hatun! Moşe, seni pek bir methetti. Gel, anlat bir kendini..."

Mary ile olduğu gibi karşılıklı oturup, denk gibi sohbet edemeyeceğimiz açıktı. Saygılı bir şekilde yanaşıp, ayaklarının dibine oturdum.

"Saygılarımı sunarım Hürrem Sultan, La Rossa Hazretleri..."

Şöyle bir baktı. Evet, yaşlanmıştı ama hâlâ çok güzel bir kadındı. Altında Türk kadınlarında görmeye alışık olduğum ama daha güzel bir kumaştan yapılmış şalvar vardı. Üstündeki cepkenin yenleri uzundu. Başını çarşafla değil, küçük bir serpuşla kapatmış, üstüne değerli küçük taşla süslenmiş bir sorguç takmıştı.

"Avrupa'dan geldin demek... Geldiğin yerde bana La Rossa mı diyorlardı, yoksa Roxelana mı?"

"Her ikisini de sultan hazretleri."

Haberi vardı zaten. Yine de sormuştu.

"E anlat bakalım, kimsin, necisin?"

"Kıymetli sultanım, sanırım zaten benimle ilgili her şeyi öğrenmişsinizdir. Ama madem emrettiniz, anlatayım. Portekizli Mendes ailesinin kızı Gracia Nasi. Tüccarım sultanım. Avrupa'da yaşadıktan sonra kendimizi Muhteşem Sultan Süleyman ve değerli eşi Hürrem Sultan Hazretleri'nin gölgesine attık. Payitahtınızda kızlarım Reyna ve Küçük Gracia ile birlikte, akrabalarım Nasi ailesinin yanında yaşamaktayım efendim. Beni kabul buyurup, bu şerefe nail ettiğiniz için minnettarım. Size layık değil ama sultanım..."

Önümdeki bohçayı açacaktım ki bir işaretiyle genç kızlardan biri atıldı. Bir sultanın kendisi iş yapmadığı gibi misafiri de iş yapmazdı. Yardımcılarının işleriydi bunlar.

Kızcağız bohçayı açıp, saygılı hareketlerle birbirinden değerli kumaşları benim yanıma, Hürrem'in ayakları dibine dizdi yan yana. Sonra koku dolu şişeleri gösterdi. Hürrem şöyle bir bakıyor, başını sallıyordu. Karşımda daha süslü bir kadın bekliyordum. Bu güzel kadın ise sadeydi. Hatta fazla sade...

Belimdeki keseyi çıkardım.

"Dünyanın en değerli mücevherleri sizin yanınızda soluk kalır. Dünyanın en değerli taşları sizin kadar ışıltılı değildir Hürrem Sultan Hazretleri."

Keseyi yardımcı kıza verdim. Açtı ve Hürrem'e gösterdi.

Hürrem, ilk defa bir hediye ilgisini çekmiş gibi davrandı. Şöyle bir baktı. Elini uzattı. Saygıyla eline bırakılan yakutu inceledi.

"Nadir bulunan bir taş..." dedi mücevher işinden anladığını göstermek için. "Böyle koyu renkli olanını pek görmemiştim. Kıymetli taşlardan sen de anlıyorsun..."

"Sultanım, aile işimizin bir bölümü de kıymetli madenler ve taşlarla ilgili."

Hediyeyi tekrar yardımcısına uzatırken sordu:

"Avrupa'da çok saray gördün mü? Oradaki sultanlarla tanıştın mı? Onlar nasıl, anlat bakalım."

"Çok kraliçe, prenses tanıdım sultanım. Ama sizin gibi güzelini görmemiştim."

Yanındaki koltuğu gösterdi.

"Hadi, bırak şimdi gönülleme işlerini de olduğu gibi anlat. Gel, şöyle otur."

Etrafıma bakındım. Hizmetkârlarının böyle ani kararlara alışkın olduğu belliydi. Yine saygılı bir şekilde oturdum.

"Kraliçe Mary'den başlayayım isterseniz sultanım... Şarlken'in kız kardeşinden..."

•

Saraydan ayrılırken, uzunca sohbette içtiğimiz şerbetlerden, kahvelerden ziyade, aklımda kalan, söylediği bir cümleydi:

"Yine görüşelim."

Sultan, beni yine çağırtacağının müjdesini böyle vermişti.

Akşam ezanı okunuyordu. Gün batıyor, el ayak çekiliyor, yumuşak, kadife gibi bir gece İstanbul'un üzerine çöküyordu.

"Süleyman'ın etkilenmesi boşuna değil... Bu kadının bambaşka bir havası var. Onu yakından görüp, etkilenmemek zor!"

-47-

Eski ülkem Portekiz ile yeni ülkem Osmanlı yeniden savaşa tutuştu. Vasco da Gama, Hindistan'a giden alternatif yolu bulup İpek Yolu değiştiğinden beri Osmanlı zarar görüyor, yoksullaşıyordu. Böyle devam ederse, dengeler Osmanlı aleyhine bozulacaktı. Bunu bilmek için devlet adamı olmaya bile gerek yoktu. Mücadele artık deniz üzerine kaymıştı ve Portekiz hızla güçleniyordu.

Süleyman'ın, Portekiz'in üstünlüğüne son vermesi için Basra'ya gönderdiği Piri Reis, Amiral Albuquerque ile Hürmüz'de savaştı ve teknolojisi güçlü olan Portekiz, Osmanlı Donanması'nı suya gömdü. Süleyman'ın haberi alınca küplere bindiği ve Piri Reis'in kellesinin vurulması emrini verdiğini duyduk. Mısır'da infaz edildiği söyleniyordu.

Jozef'le oturmuş, Osmanlı'da ekonominin gidişatını değerlendiriyorduk.

"Akdeniz'de yağmanın bitmesi, kanunlar hazırlanıp, vergi alınarak güvenliğin sağlanması gerekiyor ama Osmanlı bunu ihmal etti Gracia hala..."

"Anlamakta zorlanıyorum Jozef, lakabını kanunlardan alan Süleyman, bu konuyu nasıl görmezden geldi?"

"Bunda, büyük kaptan-ı deryaların korsan kökenli olmasının etkisi olsa gerek. Avrupa, özellikle de Portekiz ve İspanya, doğuya ve batıya giden alternatif yollarla hızla güçlenip büyüyor. Osmanlı böyle güç kaybetmeye devam ederse, ekonomisinin ayakta kalamayacağını görebiliyordum. Yenidünya'dan değerli metaller geliyor, Osmanlı'da bir zamanlar yüz dirhem gümüşten üç yüz akçe kesilirken, bugünlerde dört yüz elli akçe kesildiği söyleniyor."

"Bu, paranın yarı yarıya değer kaybetmesi demek!"

"Tastamam öyle!"

"Desene yine Marranlar sayesinde zengin olmanın bir yolunu buldular!"

Ne demek istediğimi anlamamış gibi baktı.

"Jozef, Museviler İspanya'dan kovulurken, canlarını kurtarmak için akın akın kaçarken, Yenidünya'yı keşfetmek için yola çıkan Kristof Kolomb kimdi hatırla! Finansı sağlayan Marranlardı. Kolomb'un bizzat kendisi yazdığı mektuplara 'B'ezrat Haşem' yazıyordu."

"Rabb'in yardımıyla!"

"Elbette. Mürettebatını din değiştirmeyi kabul etmeyenlerden seçmiş, 2 Ağustos'ta yola çıkması gerekirken, 'Teshabe Av'* nedeniyle yolculuğa bir gün geç çıkmıştı."

"Hiç bu açıdan düşünmemiştim!"

---

* Musevi takviminde yer alan, Kudüs'teki her iki kutsal mabedin yıkıldığı tarih. Matem günü.

"Jozef, Yenidünya Marranların parasıyla, büyük ihtimal Marranların yaşayacağı bir yer bulma umuduyla keşfedildi. Ben doğmadan önce ölüp gitmiş. Yaşıyor olsaydı, Kolomb'a sorardık belki..."

Konu dönüp dolaşıp göçmenliğimize geldiğinde kısa da olsa bir sessizlik oluyordu mutlaka. Ona, çok güvendiğim Jozef'e, babamdan aldığım görevi anlatmalıydım.

Şimdi değil Gracia! Bir adım daha kaldı!

Konuyu değiştirmenin zamanı gelmişti:

"Jozef, sana verdiğim sözü artık yerine getirmeye hazırım..." dedim. "Düğün için hazırlıklara başlayabilirsin. İnançlı Museviler gibi nihayet, özgürce, gizlenip saklanmadan düğünü yapabiliriz."

"Memnun oldum Gracia hala. Ben zaten uzun süredir buna hazırlıklıyım. Gereken her şey yapılacak."

"İşleri zaten sen idare ediyorsun. Evlilikten sonra da bu durum devam edecek. Mümkün olursa, yavaş yavaş işten elimi tümüyle çekmek istiyorum."

"Siz nasıl uygun görürseniz..."

"Kırk yılımı işlerle uğraşarak geçirdim Jozef. Yetmez mi? Benim açlığım artık ihmal ettiğim, yıllarca uzak kaldığım inancımla ilgilenmeye..."

"Süleyman'ın baş veziri Kara Ahmet Paşa ile ciddi görüş ayrılıklarımız var Gracia hala. Bize zorluk çıkarıyor. Sultan yaşlandı ve sadrazamına çok güveniyor. 'Muhteşem Süleyman' işleri ona bıraktıkça, paşa da daha fazla devlet üzerinde hâkimiyet sahibi oluyor. Böyle giderse, Saray'ın görüntüde olmasa da gerçekte hâkimi durumuna gelebilir. Neyse ki Şehzade Selim'le ilişkilerimiz iyi. Süleyman, İspanya ve Cermenlere karşı Fransa'yı koruyordu ama bu ülkenin bozuk ekonomisini düzeltmek için istediği parayı faiz haramdır diyerek reddetti. Büyükelçi maaşlarını bile ödeyemeyen Fransa'ya verdiğimiz borçların geri alınmasına uğraşıyorum ama paşa, iki ülke ilişkilerini bizim bozduğumuza inanıyor. Hâlâ temas kurup, görüşebildiğimiz, taleplerimizi ilettiğimiz Fransız elçi D'Aramon'un yakın zamanda görevden alınabileceği yönünde bilgiler var."

Aklımdakini söyledim:

"O halde Süleyman'la beni görüştür."

İnanmakta zorlanıyor gibi baktı. Ciddi olduğumu anladı.

"Denerim ama..."

"Jozef, yapacağın şeye sen inanmazsan, başkası inanıp da istediğini yapar mı?"

"Tamam."

"Mutlaka bir görüşme ayarlamanı istiyorum. Gerekirse Moşe'den hatta Ahmet Paşa dışındaki paşalardan yardım al. Ahmet Paşa'nın en büyük rakibinin Rüstem Paşa olduğunu söylemiştin. Onunla yakınlaş. Benim bir kadın olarak değil, Mendes Müessesesi'nin başındaki insan olarak sultanla görüşmek istediğimi söyle."

"Gracia hala, Süleyman her inanca özgürlük sağlayan, birkaç dili çok iyi konuşan biri ama sonuçta yine Müslüman. Üstelik babasından gelen bir halife unvanı var. Yani Müslümanların başı... Gayrimüslim bir kadınla baş başa görüşmeyi kabul etmesi çok zor!"

"Dene! Tahmin ettiğim kadar akıllı bir adamsa kabul edecektir."

-48-

Bana, başta Jozef olmak üzere ev ahalisi zaman zaman Pierre'i neden hâlâ yanımda tuttuğumu soruyor, onun çok yaşlandığını, artık beni koruyamayacağını, daha genç bir muhafızla değiştirmem gerektiğini söylüyorlar. Oysa onların bilmediğini ben biliyorum: Pierre bana aşkla bağlı. Beni ondan daha iyi koruyacak biri olamaz. Gerektiğinde benim için canını vermekten çekinmeyeceğini biliyordum. Peşimden şehir şehir dolaşması, en kötü şartlarda bile yanımdan ayrılmaması, hep bir gölge gibi takip etmesi, başka birinde bulabileceğim özelliklerden değildi. Pierre bir Musevi anneden doğmuş olsaydı, belki onunla akrabalık bile kurabilirdik ama ne böyle bir imkânımız vardı ne de onun böyle bir talebi... O, ömrünü Dona Gracia'nın gölgesi olarak geçirmeyi tercih etmiş, bununla yetinmişti.

Reyna ve La Chica'yı yanıma alıp, evlilik öncesinde biraz alışveriş yapmak için Bedesten'in yolunu tutarken de yine beraberimizde o vardı. Kızlar karşımda otururken, o yanımda oturuyordu.

La Chica, "Pierre, sen de teyzem sayesinde ebediyen bekâr kaldın!" dedi.

Niye böyle bir laf ettiğini anlamamıştım.

"La Chica, densizlik etme!"

"Ya teyze, kötü bir şey söylemedim ki... Belli ki Pierre bu yolu gönüllü seçiyor. Adam zaten senin yanında yaşlandı. Hani babamız olsa bu kadar yanımızda olurdu ancak..."

Gözucuyla Pierre'e baktım. Kıpkırmızı oldu. Sanki bir suçu yüzüne vurulmuş gibi... Sessiz kaldı.

Reyna da gülüyordu.

"Edepsizler! Siz kendi halinize gülün! Koca kadınlar oldunuz ama daha kibar bir hanımefendi olmayı öğrenemediniz!"

Reyna, "Yok, ben de aynı görüşteyim anne. Bence de benim düğünümden sonra Pierre'i evlendirelim. Hatta ona Müslüman bir eş bulalım. Böylece ailemizde her inançtan insan bulunmuş olur!" dedi.

Kahkahalarla güldüler.

"Düğün öncesi heyecanınıza veriyorum ben bu saygısızlığınızı. Ama Pierre sizin oyuncağınız değil. Haddinizi bilin!"

Pierre usulca konuştu:

"Önemli değil."

Dönüp ona baktım. İçim minnetle doldu. Bir Hıristiyan'ın beni bu kadar çok sevebilmesi şaşılacak bir durum. Bir an, aklımdan bu ihtimalin hiç geçmediği geldi. Gerçekten Pierre, evlenip bir aile sahibi olmak ister mi? Yüz ifadesine bakılırsa, bu konu ne kadar hızlı kapanırsa o kadar memnun olacak.

"Pierre, hiç konuşmadık ama ne düşünüyorsun? Bir aile kurma niyetin var mı?"

Şaşkınlıkla baktı.

"Hayır Dona Gracia!"

"Peki neden? Artık İstanbul'a yerleştiğimize göre senin de yerleşik bir düzen kurma hakkın var. Korkma, yine bizimle yaşayabilirsin. Yine ailemizin bir parçası olursun. Elbette sen istediğin sürece..."

"Ben hayatımdan memnunun..." deyip dışarı çevirdi başını. Kızlar kıkırdadılar. Dönüp ters ters baktım.

Yeniden evlenmeyi hiç istemedim. Bir kez bile... Bunca zaman içinde hoşlandığım erkekler de oldu ama benim hayattaki amacım başka. Benim hayatta bir eşim oldu: Francisco. Diogo'yu da sevdim ama yeniden evlenmek aklımın ucundan bile bir daha geçmedi.

Bunun bir sebebi sevgili kocamın hatırasına sadık kalmak, kızımı bir başka adama baba demeye mecbur bırakmamaksa, diğer sebebi de hukuki konulardı. Yıllarım işlerin içinde geçti. Yeniden evlenmem demek, kocamın hukuki olarak bütün servetimi yönetme hakkına kavuşması demek.

Zaman zaman yorulduğumu hissediyorum. Ne yazık ki Tanrı adına konuştuğunu, karar aldığını söyleyen ve dünyanın büyük bölümünü buna inandıran Papalık'la mücadele edebilmek, gerçekten çok yorucu bir iş. Onlar bütün gücüyle saldırıyor, biz ise hayatta kalmaya çalışıyoruz. Göze göz, dişe diş bir savaş bu. Bize acımıyor, tam gırtlağımızdan yakalayıp sıkmaya çalışıyorlardı ve kaçamıyorsak eğer, aynı yerden karşılık veriyorduk. Bunu yapmaya çalışırken sadece kendimden sorumlu olsam yine işin kolay yolunu seçip, uygun bir adamla evlenebilir, işleri ona devredip, rahatıma bakabilirdim. Oysa sorumlu hissediyordum kendimi. Kızımdan, yeğenimden, Mendes Müessesesi'nden ve zor durumdaki tüm Marranlardan... Bunu benim kadar anlamış bir avuç adam ve kadın daha var ama onların da çoğu benim gibi ya yalnız ya dul.

Zor olanı seçtim.

•

Bedesten'de bütün gün dolaşıp, Reyna ve La Chica ne istiyorsa aldım. Her şeyin en iyisinden alıyor ama sıkı pazarlık yapıyordum. Evlenecek olan Reyna'ydı ve La Chica'nın, Jozef'in küçüğü Samuel ile evlenmesine daha çok vardı ama iki kızımı birbirinden ayıramadığımdan, onun da her beğendiğini aldık.

•

"İnanamıyorum Jozef! Brianda hiç vazgeçmeyecek mi?"

Umutsuzca başını salladı.

"Maalesef Gracia hala. Öyle görünüyor. La Chica'yı hiç göndermemeliydiniz."

"Ama annesini çok özlediğini, hasta olduğu haberini aldığını söyledi. Ne yapabilirim? Bana mektubu gösterdi. Ne olur ne olmaz diye hiç değilse bir kez olsun anne kız görüşsünler diye müsaade ettim."

Jozef elini alnına vurdu.

"Elbette Brianda halanın sağlığı gayet iyi. Kızını İstanbul'dan çıkarıp, Venedik'e getirdiği anda, Hazine'de tutulan yüz bin dukatı alabilecek."

İçime ateş düşmüş, yanıyordu. Yüz bin dukat değildi derdim. Kardeşim, La Chica'yı bir daha bana geri göndermeyecek demekti bu.

"Jozef, hemen Venedik'e git. Sen Brianda ile de görüşebiliyorsun. Ziyaret et. Sonra La Chica'ya durumun içyüzünü anlat ve onu kaçırıp İstanbul'a getir."

Sanırım onun aklında da bu vardı ama zor bir işti. Venedik, Jozef'i de yakalayıp yargılayabilirdi. Üstelik, Papalık kuvvetleri artık Venedik ve çevresinde de etkindiler.

Gayet tehlikeli.

"Çok iyi planlamamız gerekiyor Gracia hala. Bilmem ki nasıl yapmalı?"

Odanın içinde dört dönüyor, bir formül arıyordum La Chica'mı, küçük yeğenimi bana geri getirecek. Bir çözüm...

Sonunda buldum.

"Jozef!"

"Sizi dinliyorum Gracia hala."

"Oraya git ve La Chica ile evlen!"

Doğru duyup duymadığını anlamak ister gibi baktı. Reyna ile evlenmesi öncesinde, kayınvalidesinden böyle bir teklif elbette şaşırtıcıydı. Uzatmadan anlattım:

"Gerçek bir evlilik olmayacak bu. La Chica artık on üç yaşında. Bar Mitzva yapıldı ve artık yetişkin sayılır. Onunla orada sahte bir nikâh yap. Karın olduğu için bu defa söz hakkı sana geçer. Birlikte İstanbul'a döner ve nikâhın geçersiz olduğunu duyurursunuz. Sonra da Reyna ile gerçek nikâhınız kıyılır."

Bulduğum çözüm gayet mantıklıydı ama tereddütteydi:

"Bilmem ki olur mu?"

"Jozef, beni dinle. Başka türlüsü mümkün değil. La Chica'yı getirmeni istiyorum. Onu aklı fikri eğlencede olan kardeşimin yanında bırakamam! İmkân olsa ben gitmek isterim!

"Tamam. Sizin gitmeniz olmaz. Osmanlı topraklarından çıktığınız anda sizi yakalamak ve Roma'ya teslim etmek için sıraya girerler. Siz burada kalın. Ben gider ve La Chica'yı getiririm."

•

İstanbul'a geldiğimden beri ilk kez bu kadar daralmış, sıkıntı yaşamıştım. Günler geçmek bilmiyor, kötü haberler geliyordu. Hem La Chica'nın geri dönüp dönemeyeceği konusunda endişeler yaşıyordum hem de Jozef'i tehlikeye atıp atmadığım konusunda.

Rabbim, bu günler de geçecek mi?

Faenza civarında Papalık muhafızları Jozef ve La Chica'yı yakaladılar. Diogo'nun ileri görüşlülüğü burada işe yaradı. Kızı için benimle birlikte Agostino Enrique ve Oduardo Gomes'i de gerektiğinde vasi olmak üzere tayin etmişti. Agostino ve Oduardo, hem La Chica ile Jozef'in İstanbul'a dönüşü için hem de Brianda'nın Venedik Hazinesi'ndeki yüz bin dukat mirasını almaması için mücadele verdiler. Bu sırada gelen bir başka haber ise saçımı başımı yolmama neden oldu.

"La Chica'ya Katolik bir aristokrat evlenmek üzere talip oldu..."

Çevrelerine sağlam bir ağ örülmüş, tuzağın tam ortasında kalmışlardı.

"Diogo mezarında acı çekiyor! İsteyeceği son şey kızının bir Katolik'le evlenmesi olur. Ah ki ne ah!"

Venedik, elindeki La Chica'yı ve mirası bırakmak istemiyordu. Soğuk bir kış akşamı, tekne ile kaçmaya çalıştıklarını, yakalandıklarını, Jozef'in La Chica ile evlilik belgelerini gösterdiğini öğrendim.

Sonunda pek çok tehlikeden sıyrılmayı başaran Jozef, Brianda'nın itirazlarına rağmen La Chica'yı İstanbul'a getirmeyi başardı ve nikâhın hükümsüz olduğunu duyurdu.

•

Alışveriş yapan kızlar, o anda geçmişteki bu akıldışı olayı hatırladığımı bilmiyorlardı elbette. O kötü dönemi hatırlatıp, Reyna'nın mutluluğu gölgelensin istemezdim. İçimden geçenleri kendime sakladım.

Talmud, bir kadının kendi rızası ile evlenebileceğini söyler. La Chica nihayet annesinin etkisinden uzaktı artık. Onun için uygun aday olarak Jozef'in küçüğü olan Samuel'i düşünüyordum ama bir başkası ile evlenmek isterse, buna da rıza göstermeye hazırdım. Yeter ki mutlu olacağı biri olsun. Yeter ki Brianda'nın tuzaklarından uzak kalsın.

•

Nikâhı sinagogda kıydık. Jozef, Ketuba'yı* Reyna'ya verdi. Karısına sorumlulukları, ölümü halinde mirasın paylaşımı, çocukların geçimi hatta boşanma durumunda yerine getireceklerini yazılı teslim etti.

İnancımız gereği bir haftadır birbirlerini görmüyorlardı. Haham nikâhlarını kıydı ve düğüne geçtik. Herkes neşeliydi. Reyna'nın başına şekerler attık, duvağının açılışını izledik.

---

* Kocanın karısına karşı maddi yükümlülüklerini içeren belge.

Reyna ve Jozef Tallet* altında dua ettiler. Hupa** altında durdular. Minyan*** huzurunda yedi kutsama duası okundu. Şaraptan bir yudum aldılar. Jozef, Kudüs'teki tapınağın yıkılışının simgesi olarak kadehi ayağıyla ezdi.

Eve gelişlerinden sonra kısa bir süre odada yalnız kaldılar. Sonra düğün yemeğine geçti. Dans ettik, eğlendik... Tevrat ve Talmud, erkeğin birden fazla kadınla evlenmesine izin veriyordu ama Jozef'ten söz almıştım.

"Kızımdan başkasıyla evlenmeyeceksin!"

Artık Reyna'nın mallarının yönetimi de ona geçiyordu.

Belvedere Sarayı'ndaki düğüne üç bin kişiyi davet etmiştik. Üç gün üç gece sürdü. Devleti idare edenlerden yoksul Musevilere kadar gelen hiç kimse geri çevrilmeyip en güzel şekilde ağırlandı.

Evlendikten sonra da Belvedere Sarayı'nda yaşayacaklardı. Jozef, geniş bir kütüphane oluşturmuş, paşalardan din adamlarına kadar bütün misafirlerini halılarla kaplattığı bu kütüphanede ağırlıyordu.

---

* Dört ucundan sopa ile ebeveynlerin tuttuğu bez.

** Birlikte yaşayacakları evin simgesi.

*** On yetişkin Musevi erkekten oluşan grup.

-49-

Eğer bir erkek olsam ve resmi bir kabul olsa muhtemelen dış avludan başlayarak bir dolu ritüeli yerine getirdikten sonra sultanın bulunduğu bölüme ulaşabilirdim. Gerçi Süleyman, "Muhteşem" lakabına uygun olarak, kendisini diğer krallarla bir saymıyor, bir başka kralın, o da gerçekten büyük bir ülkenin kralıysa, ancak baş vezirine, yani Sadrazam Kara Ahmet Paşa'ya denk olduğunu kabul ediyordu. Yabancı bir heyet, elçi ya da devlet başkanı olsun fark etmez, Süleyman'ın makamına, Has Oda'ya girmeyi başarsa bile, en fazla sadrazam ile konuşabilir, padişahın gözlerine doğrudan bakamaz, onunla aracısız konuşamazdı. İstanbul'a gelen heyetler de hemen Süleyman'ın huzuruna çıkma imkânı bulamıyor, bir iki hafta uygun görülen konaklarda misafir ediliyorlar, bazen daha da uzun süre bekletiliyorlardı. İlla ki Süleyman ile görüşülecekse ve eğer seferdeyse, dönüşünü beklemek de buna dahildi. Neyse ki Süleyman hız konusunda da iyiydi. Avrupa'nın ortalarından payitahta dönüşü yıldırım hızıyla yapabiliyordu ordusu.

Bir saray görevlisi gibi hissettim kendimi. Kimse benim için tören yapmadı. Hatta birçoğu dönüp bana bakmadı bile. Dışarıda zengin biriydim hem de belki Süleyman kadar zengin ama burada zaten herkes en güzel kumaşlardan dikilmiş en güzel kıyafetleri giyiyor, en güzel yemeklerden yiyip, en pahalı mücevherlerle dolaşıyordu.

Jozef ile birlikte sakin adımlarla önümüz sıra yürüyen ağanın peşinden gittik. Uzun koridorları geçip, çıplak elleriyle bile silahlı insanlardan daha güçlü ve tehlikeli olduğunu bildiğim hadımağaların yanlarından geçtik. En sonunda bizi bekleyeceğimiz yere aldılar.

Ne kadar bekledik bilmiyorum ama belli ki burada beklemek epey usandırıcıydı. Herkes saygılı bir sessizlik içindeydi. Jozef ile değil konuşmak, fısıldaşmamız bile duyuluyor, dönüp bize bakıyorlardı.

Jozef daha önce de buraya gelmişti. Usulü biliyor, kendini hazırlamış görünüyordu.

Sonunda bir görevli gelip, "Peşimden gelin..." dedi.

Yanlış bir şey yapmamaya dikkat ederek ve bizi amaçlarımıza ulaştırması için Rabb'ime içimden dualar ederek yürüdüm. Jozef'in yanımda olması güven veriyor, kendimi iyi hissetmeme sebep oluyordu. Osmanlı'nın başkentinde yaşıyor olmayı sevmemin bir nedeni de buydu: Burada tehlikenin nereden geleceği belliydi. Burada güç, otorite Süleyman'ın elindeydi. Yanındaki paşalar, ancak onun verdiği kadar güç kullanabiliyordu. Düşman olduklarında ise öyle sinsi sinsi değil, eğip bükmeden, insanın yüzüne karşı yapıyorlardı. "Mertlik" diyorlardı buna...

Büyük kapılar açılıp da bize yol verildiğinde, başımı yine öne eğdim. Saygılı bir şekilde, ağır ama kendine güvenli adımlarla ilerledim. Kalbim, yerinden çıkacak gibi hızlı atıyor, kulaklarımda bir basınç hissediyordum.

"Sakin ol Gracia..."

Yine kulağımızın dibinde Süleyman'ın uzun cümlelerden oluşan adını sıralayıp sonra bizim isimlerimizi söylediler:

"Azametli sultanımızın tebaasından Jozef Nasi ve Hanna Nasi Hatun..."

Süleyman'la ilk defa karşı karşıya geliyordum. Başımızı kaldırabildiğimizde tümüyle gördüm onu. Boyu uzun sayılırdı. En azından benden epeyce uzundu. Tahtının önünde ayakta durmuş ama yüzü bize dönük değildi.

Yanında yine ayakta duran Kara Ahmet Paşa'yı da hemen tanımıştım. Birkaç kişi daha ki bunların da vezirleri olduğunu sanıyorum, daha geri planda, sessizdiler. Onlar içerisinde Rüstem Paşa'yı hemen tanıdım. Hepsinin sakalı vardı. Başlarındaki iri kavuklar makamlarına işaret ediyor, üstlerindeki uzun cüppeler, paşa olduklarını anlatıyordu.

Sultanın birtakım sözler söylediğini duyuyordum ancak sonundaki kelimelerden birini anlayabildim:

"Muhibbi..."*

Ahmet Paşa, "Bu gazeliniz de diğerleri gibi şahane sultanım..." dedi. "Unutmadan bunu da yazıya aktarsınlar ve Divan'ınıza eklesinler."

Süleyman başını salladı. Son okuduğu bölümü, bu defa daha yüksek sesle tekrarladı:

---

* Kanuni Sultan Süleyman'ın şiirlerinde kullandığı mahlas.

"Ger huzur itmek dilesen ey Muhibbi fariğ ol. Var midur vahdet makaamı guşe-i uzlet gibi..."*

Hareketlerindeki ağırlığın sadece asaletten değil, artık çökmüş olan yaşlılıktan da kaynaklandığını anlayabiliyordum. Benim de kollarımda, bacaklarımda, belimde ve boynumda ağrılar oluyor sebepli sebepsiz. O benden çok daha yaşlı olduğuna göre, böyle yavaş hareket etmesi normal.

Biz yokmuşuz gibi gidip tahtına oturdu. Hâlâ Jozef'le beraber saygılı biçimde bekliyorduk.

"Söyle bakalım paşa, Tahmasp'ı** artık gemledik diyebilir miyiz?"

"Sizin kudretiniz karşısında nice Tahmasp'lar dizginlenir sultanım. Lakin bilirsiniz, Acem oyunu bitmez!"

"Acem rahat durmadığı için Avrupa rahat edecek desene..."

Bana döndü. Gözlerimi kaçırmam gerekiyordu belki ama yapmadım. Gözlerine baktım. Kalbim küt küt vuruyor, göğsümden çıkmak istiyor gibiydi. Nefes almakta zorlandığımı fark ettim. Böyle giderse düşüp bayılacaktım.

"Sakin ol Gracia... Aman bir hata yapma!"

Kendi kendime sürekli tekrarlıyordum.

Sıradan bir insan olmadığı açıktı. Hani bazı insanlar vardır, aramızda dolaşır ve herkes gibi biri zannedilir ama aslında, içinde bir deryanın derinliği vardır. İşte öyle...

Sıradan biri zaten onun tahtının yükünü taşıyamaz!

"Yasef Nasi, bana kimi getirdin?"

"Halam ve kayınvalidem sultan hazretleri... Kendisi Mendes

---

* Ey Muhibbi, eğer huzur içinde olmak istersen, feragat sahibi ol, dünyadan vazgeç. Allah'ın birliğine ulaşmak için yalnızlık köşesi gibi bir makam var mıdır?

** Şah Tahmasp

Müessesesi'nin sahibi olan, aile büyüğümüz Hanna Nasi. Avrupa'da Dona Gracia Mendes ya da Beatrice de Luna olarak da bilinir."

Süleyman'ın yüzündeki ifadeden, bunları zaten bildiğini anladım.

"Kendisi ve kurduğu müessese, bize epeyce faydalı oldu. Ne dersin Ahmet Paşa, haksız mıyım?"

Ahmet Paşa memnun olmadığını ses tonuyla belli etti:

"En iyisini sultanımız bilirler."

"Sen de bir sevmedin gitti Nasileri!"

Gülecektim, tuttum kendimi. Ahmet Paşa'nın yüzü karıştı. Karşısındaki kudretli Süleyman olmasa, belki neler söyleyecekti ama hiç renk vermemeye çalışıyordu. Daha gerilerde Damat Rüstem Paşa'nın gülümsediğini gördüm.

Biraz olsun rahatlamıştım. Süleyman da herkes gibi bir insandı işte... Korkutuyor, şaşırtıyor ve güldürüyor. Dikkatini bana yöneltti.

"Gracia Hatun, Frenk hatunlar gibi giyinmişsin. Pek bir süslüsün..."

Dilim damağım kurudu. Süleyman doğrudan benimle mi konuşuyor? Bana mı soruyor? Onca hükümdar, kral, vezir ve elçiyi doğrudan muhatap almayan adam... Şimdi cevap veremezsem, bir daha asla onun karşısında konuşmaya cesaret edemem!

Boynumda sıra sıra inciler dışında sadeydim aslında ama bir Müslüman kadın gibi olmadığım da anlaşılıyordu.

"Bir cihan sultanının karşısına, güzel şekilde çıkmak istedim Muhteşem Süleyman Hazretleri... Ne yaptıysam, size saygımdan."

Cevabımı beğendi. Yüzünden anladım. Başını salladı.

"Peki, talebiniz nedir benden?"

-50-

İstanbul'da güzel şeyler peş peşe geliyordu. Şarlken'in nihayet tahttan indiği haberi geldiğinde, en azılı düşmanlarımdan birinin gidişine sevincimden, yoksullara yardım edip, sinagoga gidip, şükrettim. Tek sevinen ben değildim elbette. Osmanlı İmparatorluğu, Fransa, İngiltere, Protestanlar ve engizisyon zulmü yaşayan tüm Marranlar, Museviler ve daha niceleri.

Asil bir kan taşıyordu ama asilce davranamamıştı. Sonunda öldürücü darbeyi kendi ailesinden aldı. Ülkenin bir bölümünü oğlu Felipe'ye,* tahtı kardeşi Ferdinand'a bırakıp, bir manastıra kapandı. Yıllar önce onun yüzünden ben de kızlarımla birlikte bir manastıra kapandığım için bu durum ironik geldi bana. Ferdinand'ı yıkan, yok etmeye çalıştığı Marranlar değil, Protestanlar oldu. Protestanlığı kabul eden prenslerle Katolik

---

* II. Felipe

prenslerin Augsburg Barışı'nı yapması, Fransa'ya gerçekleştirdiği seferde başarısız olması, papa ile yaşadığı anlaşmazlıklar sonunu getirmiş, tahtı bırakmaya zorlanmıştı.

Hayatı boyunca gücü elinde tutmuş birine en büyük ceza, elindeki güç alınmış bir şekilde yaşamak olmalı!

Kapandığı manastırda her tarafa saatler astırması da herhalde Rabb'imin ilahi cezalarından biri. O, gücü elinden alınmış, yalnızlaşmış, çevresindekiler uzaklaşmış bir şekilde sağa sola mektuplar yazıp eski günlerini arayarak zamanını geçirecek, sürekli saatlere bakarak ölümü bekleyecek. Bundan güzel bir ceza olamaz! Artık anlıyorum ki insanlardan intikam almak için kendini paralamaya gerek yok. Bazen sessizce bekler ve zamanın, senin yerine intikamını almasını seyredersin. İşte Kutsal Roma-Cermen imparatorunun sonunu da görmek nasip oldu.

Elbette bu haberi alıp sevindiğimiz günlerde, Şarlken'in sonunu bir sivrisineğin getireceğini, sıtmadan öleceğini bilmiyordum. Daha alacağımız ibretler varmış ama bunları ileride görecektik...

•

Süleyman'ın Has Oda'sından çıktığımızda Jozef hayıflanmadan edemedi.

"Neden ondan taleplerimizi sıralamadık? En azından birkaçını..."

"Jozef, bazen acele etmemek gerekir... Süleyman sıra dışı bir kral... Acele ettiğini düşündüğü için kendi oğlunun canını almaktan çekinmedi. Şehzade Selim ile ilişkilerini iyi tutmaya devam et. Hem Sokullu'ya hem de diğer düşmanlarımıza karşı, en büyük kozumuz o olacak."

Sarayın girişinde, bekleme amaçlı yapılmış odada tutulan Pierre'i de alıp, saraydan ayıldık.

•

Bir diğer haber ise Ferrara'dan geldi. Sevgili kardeşim, dünyadaki en yakın arkadaşım ve beni engizisyonun önüne çıkarmayı başaran kişi, Brianda öldü...

İşte buna sevinmek zordu. Venedik'te ayrılan yollarımız Ferrara'da bir süre kesişse de onu artık kardeşim olmaktan çıkarmıştım. Hayatımız boyunca aynı anneden doğma, aynı babadan olma çok yakın iki kardeş olarak benzer şeyleri yaşamış ama farklı sonuçlara varmıştık. Ben engizisyondan Marranları kurtarmaya çalışırken, dindaşlarımız için özgür bir ülke bulmaya çabalarken ve bu amaçla servetimizi büyütürken, Brianda sosyal hayatın içinde olmuş, eğlenmiş, kafasını derin meselelerle yormamıştı. Ben Venedik'te, Ferrara'da iş açısından en yoğun günlerimi geçirirken, Brianda şaşaalı yaşamı, Saray ve aristokrasi ile yakın olmayı, eğlence hayatından kopmamayı seçmişti.

"Beni kıskanıyor muydu?" diye sordum kendime... Yanıtı biliyordum. "Elbette... Önce babamın işleri bana emanet etmesini, sonra Francisco'nun, ardından da Diogo'nun, kocasının aynı şekilde davranışına şahit oldu. Sadece ihtiyaçlarını karşılamak için servet peşinde olsa, buna hiç gerek kalmazdı. Zaten istediğinden fazlasını veriyorduk ama o, ablasını, beni aşmayı hedefliyordu. Onun kafesi bendim ve öne çıkmak için beni kırmanın bir yolunu bulmalıydı. Kırdı da..."

Sevgili kardeşim, benimle mücadele ederken, kendisinin o şaşaalı yaşama, o sosyeteye nasıl kabul edildiğini unutuyordu. Bunca servetimiz olmasa, çok para harcayamasa, sıradan bir Musevi olsa, onu kabullenmeleri mümkün değildi. Benim bekçilik yaptığım servet ona bu kapıları açıyordu ama bunu görmezden geldi. Kim bilir, belki babama, kocasına ispatlayamadığı kendini, kızımıza, La Chica'ya ispatlamak istedi...

Canımızı çok yakmıştı. Bazen onu dövmek istedim bazen hiç var olmamasını... Ama sonuçta kardeşim...

İnsan kardeşine ne kadar kızabilir ki?

Herkesin karakteri farklı... O, benim gördüklerimi görebilip, anladıklarımı anlayamadı. Kendi amaçlarını belirleyip, onlar için mücadele etti. Bizim gibi görünse de temelde bu serveti yaratanların idealleri, dinlerinden dolayı cezalandırılanları korumaktı. Kendi başlarına da geldiği gibi servetlerinin kıskanılması sonucunda türlü oyunlarla malları mülkleri gasp edilen, hayatları karartılmış, eziyet çeken insanların mücadelelerine yardımcı olmak, en mühim gayemiz olmalıydı.

Haberi alır almaz, duamı okudum:

"Mübarek olan sen, efendimiz, bizim Rabb'imizsin. Kâinatın kralısın, gerçek hâkimsin..."

Sonra kızları çağırttım.

Gelmeleri biraz zaman aldı. Onları beklerken, eteğimin bir kısmını tutup yırttım. Yanında olsam belki bedeninin hazırlanmasına refakat eder, hiçbir eksiği kalmadan, bir Musevi gibi gömülmesini sağlardım. Elbette orada görevlilerimiz vardı ve Agostino, gereken her şeyin yapılacağı mesajını göndermişti ama işte... belki de kardeşim çoktan gömülmüştü bile...

Gün gelip, Francisco ve Diogo gibi onun cenazesini de taşırım umuduyla, tabutla gömülmüş olmasını umuyordum. Biz Museviler tabutla gömülmeyiz. Ruh ölümsüzdür ama beden fanidir ve toprağa verilir.

En büyük korkum, bedenine bir şey yapmalarıydı. Yakılması gibi bir durumu yüreğim kaldıramazdı. Şemirası* kim olmuştu, başında Mezmurlar'dan okunmuş muydu?

Kafamda çok soru vardı. Hayret ediyordum ki çok üzgünüm. Onu sildim zannederken, silememişim.

"Acaba başka bir yol bulabilir miydik? Acaba onu ikna etmenin bir yolunu bulamaz mıydık?"

Elbette artık her şey için çok geç ve yüreğimde ağır bir sızı var. Benden daha küçük olan kardeşim, benden evvel göçüyor bu dünyadan...

Reyna, La Chica ve Jozef girdiler içeri. Hiçbir şey söyleyemeden kollarımı açtım iki yana.

Üçü birden gelip sarıldı. La Chica, fanilamdaki yırtıktan anlamıştı:

"Annem değil mi? Öldü mü?"

Sözün sonunda sesi boğuldu. Gözyaşları çağlamıştı. Diğerleri de ondan farklı değildi.

Ben de artık gözyaşlarımı tutamadım. Hüngür hüngür ağlarken arada bir fırsat bulabildiğimde onu teselli etmeye çalışıyor, şimdiden mendili sırılsıklam olan La Chica'nın daha fazla ağlamasına engel olmaya çalışıyordum.

"Üzülme kuzucuğum! Rabbim onu yanına aldı ama çok şükür o da bir Musevi olarak gitti. Hepimiz gün gelip..."

---

* Ölene, toprağa verilene kadar refakat eden kişi.

Artık konuşamıyordum bile... Gözyaşlarımı kuruluyordum sürekli. Güçlü görünmek, onlara biraz moral vermekti niyetim. Kendine tek hâkim olabilen Jozef'ti. O da gizlice kuruluyordu gözlerini.

"Annem! Annem!" dedi La Chica... "Anne... Neden... neden?"

Devamını getiremeyip başını salladı. Tekrar ağlamaya koyuldu.

"Toplayın kendinizi..." dedim bir süre daha ağladıktan sonra.

Kapı çalındı. Ağabeyi Jozef'in yolunda ilerleyen, La Chica'nın eşi olmasını umduğum Samuel...

"Yeni duydum! Başınız sağ olsun."

Gidip doğruca La Chica'ya sarıldı. La Chica bir süre de onun göğsünde ağladı.

Sessizce sakinleşmesini bekledik.

Epey sonra, kendine gelir gibi olup konuştu:

"Teyze, gitmeli miyiz? Toprağa verilmeden yetişebilir miyiz? Bekletirler mi?"

Başımı iki yana salladım.

"Maalesef çocuğum! Belki biz haberi aldığımızda çoktan toprağa verilmiştir bile. Biliyorsun, cenaze fazla bekletilmez... Uygun şekilde matemimizi yapalım."

La Chica, bunu bekliyormuş gibi yakasına yapıştı ve fanilasının bir kısmını yırttı. Ardından Reyna da aynısı yaptı. Jozef ve Samuel de onları takip etti.

"Ne yapacağız teyze?" dedi gözleri kıpkırmızı La Chica. "Siz bilirsiniz. Ne yapmamız gerekir?"

"Sanki cenaze buradaymış gibi davranacağız kızım. Bir hafta boyunca yıkanmayıp, elbise değiştirsek bile üstümüzdeki yırtık fanilayı değişmeyeceğiz. Deri ayakkabı giymeyecek, mücevher takmayacağız. Jozef ve Samuel tıraş olmayacaklar. Aynaları örtüp, mümkün mertebe alçak yerlerde oturacağız. Daha da ne gerekiyorsa... Her şey tam olacak..."

Bir süre daha sessizce ağladık. Brianda için bu kadar içimin yanacağını bilemezdim. Hele La Chica'nın babasından sonra annesini de kaybetmiş hali, yüreğime çok dokunuyordu.

"Ah benim ahmak kafam!" diye geçirdim içimden. "Keşke onu zorla tutup buraya getirtsem, yanımdan ayırmasaydım!"

-51-

Brianda'nın yası bittikten sonra sıra yeniden işlere geldi. Bundan sonra her yıl onu anacak, mumlar yakacaktım ama biz hayattaydık ve bir amacımız vardı.

Az kalsın, Brianda'nın peşinden gidecektik neredeyse...

•

Kâhyamız Jorge bir sabah endişeli bir yüzle çıktı karşıma.

"Dona Gracia! La sinyora, felaket!"

"Ne oldu?" dedim endişeyle.

"Hastalık! Emilia ölmüş!"

Emilia Venedik'ten beri bizimle olan hizmetçilerimizdendi. Zayıf bir kızdı. Zaman zaman öksürürdü ama hiçbir zaman yatağa düşecek hali olmamıştı.

"Ne diyorsun? Neden ölmüş? Ne ara hastalandı o?"

"Birkaç gün önce... İyileşir sandım. Birkaç gün dinlensin, ondan sonra işlere devam eder diye düşündüm."

"Ne diyorsun Jorge? Neden bana haber vermedin? Hay aksi! Hemen hekim çağırın!"

•

Belvedere Sarayı'nın geniş bir müştemilatı vardı. Çok sayıda çalışanımız, kızlar ve erkekler için yaptırılan ayrı bölümlerde kalır, isteyenlerin evlenmesine ve bir arada yaşamasına izin verilirdi.

Hekimi odamda beklemek yerine hazırlanıp çıktım. Çalışanların bulunduğu bölüme geldiğimde, garip bir hava hissettim. Sanki hepsinin üstüne bir ağırlık çökmüş, bu beklenmedik ölüm herkesi endişelendirmişti.

Beni gören çekiliyor, saygıyla selam veriyordu. Arkamdaki Jorge'ye, "Göster bakalım!" dedim.

"Soldan ikinci oda Dona Gracia. Durun kapıyı açayım!"

Koşturup önüme geçti. Kapıyı açtı.

İki yatağın daha bulunduğu odada, Emilia'nın soğuyan vücudu hâlâ yatağının üstünde duruyor, üstüne örtülmüş çarşafın altında ne kadar zayıfladığı belli oluyordu. Onunla aynı odada kalan kızlarsa gözleri ağlamaktan kızarmış, ellerindeki mendili eğip büküyorlardı.

"Çarşafı kaldırın!"

Biri uzanıp çarşafı çekti. İrkildim.

"Aman ya Rabbim!"

Emilia'nın cildi lekelerle dolmuş, açık kalan ağzının içinde dili kahverengi bir hal almıştı. Burnundan sızan kan, yanağına doğru inip, kuruyup kalmıştı. Bu haliyle çürümeye yüz tutmuşken mezardan çıkarılmış bir cesetten farkı yoktu.

Başımdaki örtüyü hemen ağzıma doğru bastırıp, iki adım geri çekildim.

"Kötü hastalık bu! Veba!"

Kızlar da korkulu çığlıklar atıp geri çekildiler.

"Hemen çıkın odadan! Hasta olan başkası var mı?"

Jorge, "Birkaç kişi daha halsizlikten, ağrılardan şikâyet ediyordu ama..." dedi.

"Hemen onları da hekim için bir araya toplayın. Hemen!"

Odada daha fazla durmanın anlamı yoktu. Çıktım. Eve dönüp hekimi bekleyecektim ki geldiğini gördüm. Genç, Musevi hekimlerden biri... Tanıyor ve destek oluyordum.

"Abraham! Felaket!"

Endişelendi. Hızlanıp yanıma geldi:

"Ne oldu Dona Gracia? Siz mi hastalandınız yoksa? Bana çalışanlardan biri demişlerdi."

"Hayır, ben değilim. İçeride ama durumu çok kötü! Vebaya benziyor!"

"Hemen bakayım."

İçeri girdi. Odama dönmeyip bekledim. Tahminimde yanılmadığımı düşünüyor, korkuyordum.

"Umarım yanılıyorumdur..."

Az sonra yüzünün rengi değişmiş vaziyette çıktı.

Bir iki adım uzağımda durarak konuştu.

"Bayan Nasi, durum kötü!"

Jorge'ye baktı.

"Sorun değil. Jorge kâhyamızdır. Çalışanlardan o sorumlu."

"Dona Gracia, haklısınız. Vebaya benziyor. Hatta eminim

veba... Hemen önlem almanız lazım. Kadının beklemeden toprağa verilmesi, mezarının üstüne kireç dökülmesi şart! Odadaki tüm eşyaları yaktırıp bu odadan başlayarak tüm odaları kireçle badana yaptırın. Hasta olan başka kimse var mı?"

Jorge cevap verdi:

"Birkaç kişi daha..."

"Onları ayrı bir odaya alın. İçeri giren çıkan olmasın."

Kendim için değil, kızlarım için korktum.

"Bizim ne yapmamız lazım evladım?"

"Sizler de hasta olanlardan uzak durun. Sadece sağlıklı olduğuna emin olduğunuz kişilerle yakın olun. Başka herkesten, uzun bir süre uzak durmanızı öneriyorum. Mümkünse hastalık şehirden tamamen temizlenene kadar..."

Her şeyden haberim var sanıyordum ama şehirde olan bitenden bile yokmuş!

"Şehirde hastalık mı başladı?"

"Birkaç gündür haberler duyuluyordu ama tek tük. Anlaşılan salgına dönüştü. Liman civarında hastalananlar olduğunu duymuştum. Gemilerden bulaştığını sanıyorum. Mümkünse limanla da bir süre ilişkinizi kesin. Yeterince yiyeceğiniz varsa, dışarıyla tümüyle ilişkinizi kesmenizi tavsiye ederim."

Neyse ki kilerler doluydu. Birkaç hafta rahat rahat idare edecek kadar hem de. Varsın taze sebze ve meyve yemeyelim...

"Tuvaletlere, lağımların olduğu yerlere de kireç döktürün. Temizliği ihmal ettirmeyin. Şimdilik yapılacaklar bu kadar."

Jorge'ye döndüm:

"Hekimi duydun. Ne gerekiyorsa yap!"

"Başüstüne sinyora!"

-52-

Sonraki günlerde gerçekten de iki kız ve bir erkek çalışanımız daha hastalandı. Onları geniş bir odaya almış ve tecrit etmiştik. Yanlarına kısıtlı giriliyor, onlarla temas eden diğer çalışanlar da temizliği ihmal etmiyordu. Herkese ellerini sürekli yıkama zorunluluğu getirmiştim. İki yıl önce de bir veba salgını olmuş ama atlatmıştık. O zaman edindiğim tecrübeyle, yapılacakları artık biliyordum.

Korku içinde bekleşiyor, dışarıdan haberleri Jozef aracılığıyla alıyorduk.

"Şehirde bazı mahallelerin tümüyle kırıldığı söyleniyor. Haliç'in, Boğaz'ın üstünde insan cesetleri görülüyor. Asesler sürekli kireçleme yapıyor, şehremini* İstanbul'a giriş ve çıkışları yasakladı. Buna gemiler de dahil. Hekimler sürekli hane hane dolaşıp, hasta olanları bulmaya, diğerlerinden ayırmaya çalışı-

* Belediye başkanı

yor. Sadece İstanbul'da değil, Bağdat'ta, Şam'da da hastalık görülmüş. Hastalığın Avrupa'ya da sıçradığı, özellikle İngiltere'de çok büyük kayıp olduğu bilgileri geliyor. Saray önlem almış. Kimileri Harem'in Edirne'ye taşındığını, kimileri sarayın tüm kapılarının kilitlendiğini söylüyor. Hastalığın yoğun görüldüğü yerlerde işlerin şimdilik durdurulması talimatını verdim. Siz de evden çıkmamaya devam edin. Salgın er geç sona erecek."

Reyna benden daha fazla korkuyordu:

"Rabbim korusun! Ya bize de bulaşırsa diye aklım çıkıyor."

La Chica, "Ya bulaştıysa... Nasıl anlayacağız? Ben kendimi bazen iyi hissetmiyorum!" dedi.

Korkuyla ona baktım.

"Aman ağzını hayra aç!"

Jozef rahattı.

"Hastalık pis ve kötü ortamlarda yayılıyor. Baş ağrıları, sırt ağrıları, ateş, titreme, kusma, halsizlik, deride lekeler, kasık ağrılarıyla kendini belli ediyor. Bunlar sende olsaydı zaten anlardık."

Bunların hiçbiri yoktu hiçbirimizde, şükür.

Korkudan Şabat gününde sinagoga gitmemiş, evimizdeki küçük sinagogda yapmıştık duamızı.

"Ne zaman bitecek bu kara ölüm!"

Dönüp bana baktılar, hepsi aynı şeyi düşünüyormuş gibi...

-53-

Kara ölüm denilen vebanın İstanbul'u artık terk ettiğine ikna olmamız bir ayı buldu. Sonunda ölen ölmüş, çalışanlarımızdan bazılarını kaybetmiş, doğru dürüst bir tören bile yapamadan toprağa vermiştik.

Şehirde nüfus oldukça azalmış, işler yeniden başlamıştı ama yeterince işgücü yoktu. Jozef, geciken işleri tekrar rayına oturtmaya çalışırken, ben de çalışanlarımızdan hayatta kalanlara bol bol hediyeler verip, oturdukları odaların daha temiz ve daha sağlıklı olması için gerekenlerin yapılması talimatını verdim.

Epeydir aklımdaydı Harem ve Hürrem Sultan... Salgın boyunca çeşitli rivayetler olmuş hatta bir keresinde Hürrem Sultan'ın öldüğü haberi yayılmıştı. Neyse ki yalan olduğu çok çabuk anlaşıldı.

Bunu bahane edip, geçmiş olsun demek için ziyaretine gittim. Her gidişimde biraz daha ısınıyordum bu kadına. Hem seviyor hem de gücüne hayran oluyordum. Müslümanlar bize benziyordu. Hıristiyanlarla kıyaslandığında daha fazla benzer âdet ve gelenek vardı. Hürrem Sultan da benim gibi geri planda kalarak, gerçek gücünü perde gerisinden kullanmıştı. Şehzade Mustafa'nın idamı için suçlanıyordu ama onun derdi başından aşkındı. Kendi çocukları arasında mücadele başlamış, Selim ile onun küçüğü Bayezid arasındaki mücadele artık herkesin diline düşmüştü. Daha önceden kaybettiği Mehmet, en küçük oğlu Cihangir'in sakatlığı, onun yüreğini de yormuştu.

"Kaderimiz zorluklarla çizilmiş sultanım..." dedim sohbet ederken. "Sizin de benim de..."

Başını salladı. Gözleri daldı.

"Kendi halimde bir köylü kızı olarak yaşayıp gitsem, nasıl olurdu acaba diye düşünmeden edemiyorum bazen Gracia... Beni koparıp getirdikleri yuvamı artık hatırlayamıyorum bile... Yaşlılığın en kötü yanı buymuş. İnsanın hatıraları soluyor. Mehmet'imin yüzünü hayal meyal hatırlıyor, bir kez olsun rüyamda görsem diye yatıyorum. Allah bize başka evlat acısı yaşatmasın!"

"Âmin sultanım. Belki sizin bir şansınız daha olabilirdi. Farklı bir yaşamınız olabilirdi ama benim o şansım da hiç olmazdı sultanım... Sırf taşıdığımız kan nedeniyle, ister gariban bir köylü olalım, istersek Mendes ailesinin kızı, mutlaka hedef alınıyoruz. Hiçbir zaman kendimizi rahat hissedemedik... Sanki gözlerim bağlı, tehlikenin ne yönden geleceğini bilmeden yaşıyormuşum gibi hissettim hep."

"Burada da mı?"

"Hayır sultanım. Burada nihayet bir parça huzur bulabildik. Allah, Muhteşem Süleyman'dan ve sizden razı olsun."

"Hadi yürüyelim biraz..."

Sarayın bahçesine kurdurduğu çadırın altında, güzel havanın tadını çıkarıyorduk. Kalkınca, peşinden gittim.

İleride, surlara kadar uzanan bölgede her taraf çiçeklendirilmiş, daha uzaklarda Boğaz görünüyordu. Dev boyutlarda bir kadırga, daha küçük yelkenliler, suyun üstünde ilerliyor, kenarlarda küçük kayıklar göze çarpıyordu.

"Bu çiçekleri Avrupa'da görmemiştim sultanım... Çok güzeller. Lakin çok çabuk soluyor, bir daha da seneye kadar açmıyorlar. Yanlış mı biliyorum?"

"Laledir onların adı... Kışın, havaların sert olduğu zaman soğan dikilir ve bahar gelirken uç verir. İstanbul'da çok görürsün. Siyah hariç her rengi bulunur. Süleyman Avrupa'da bir krala göndermişti bunlardan hediye olarak."

"İstanbul'da tanıdığım en nadir çiçek sizsiniz sultanım... Lütfen bunu yağcılık olarak görmeyin ama Muhteşem Süleyman'ı böyle bir aşkla bağlayan bir çiçekten daha güzel bir çiçek olamaz..."

Gülümsedi. Yardımcıları, süslü giysiler içindeki genç ve güzel kızlar arkamızdan geliyordu.

Karşımızdan bir başka grubun geldiğini görünce duraksadım. Saygımı göstermek için sultanın bir adım gerisinde kaldım. Yaklaşan grubu tanımıştım. Rüstem Paşa ile Hürrem'in kızı Mihrimah Sultan ve hizmetkârları... Belli ki onlar da güzel havanın tadını çıkarmak istemişti.

Yanımıza gelince durup, Hürrem'e saygıyla selam verdiler. Rüstem Paşa eğilip, kayınvalidesinin elini öptü.

"Sultanım, afiyettesinizdir inşallah..."

"Çok şükür Rüstem Paşa... Siz de mi geziyorsunuz?"

Mihrimah susuyordu. Güzelliğini annesinden almış büyüleyici bir kadındı ama daha ilk bakışta anlaşılıyordu: Annesine dünyanın en kudretli hükümdarına gem vurduran güç, onda yok...

"Ne edelim, biraz vakit bulabildik her nasılsa... Kıymetli sultanımız bizi yeniden görevlendirdiğinden beri fazlaca boş vaktimiz olmuyor görüşmek için. Böyle, Mihrimah Sultan ile hasret gideriyoruz."

Hürrem Sultan kızına döndü:

"Mihrimah, neler yapıyorsun?"

"İyiyim validem. Paşanın söylediği gibi... Dolaşıyoruz biraz."

Hürrem, kızı ve damadının ne söylediğini anladığını belli eder gibi baş salladı.

Paşanın, sadrazam olması konusunda en büyük destekçisinin Hürrem olduğunu biliyordum. Daha önce de bunu başarmış ama Şehzade Mustafa'nın idamından sorumlu tutulanlar içinde olduğundan, görevi Kara Ahmet Paşa'ya devretmişti. Bu durum da uzun sürmemiş, Kara Ahmet Paşa idam edilince, yeniden sadaret mührü damada geçmişti. Bunun, Hürrem'in desteğiyle olduğu sır değildi.

Beni yeni fark etmiş gibi yaptı.

"Sultanım, misafiriniz var. Kimdir acaba?"

Hürrem Sultan, "Gracia Nasi... Kendisi tüccardır. Musevi tebaanın önde gelenlerinden..." diye cevapladı.

Mihrimah, "Demek o eşsiz mücevherleri satan sizsiniz! Validemin aldıklarından bazılarını görmüştüm. Gerçekten çok güzeller..." dedi.

"Sultanım, saygılarımı sunarım. Arzu ederseniz, sizin kadar olmasa da sizin için de güzel ziynetlerimiz var. Uygun olduğunuz bir gün çağırtırsanız, gelip göstereyim."

"İyi olur."

Rüstem, "Aman sakın!" dedi. "Muhteşem Süleyman'ın kızından uzak dur. Kendisi dünyanın en değerli elmasıdır ve ben onun güzelliğinden daha güzel bir şey görmedim. Elbette sultanımızdan sonra..."

Böylece kayınvalidesinin de gönlünü almıştı.

"Seni çağırtacağım ben..." dedi Mihrimah ona aldırmadan.

Rüstem bozulur gibi yaptı ama Mihrimah'a karışamayacağını biliyordum. Müslüman kadınların boşanması çok zordu. Bunun istisnası, padişah kızlarına tanınmış, onların istediği zaman kocalarını boşamalarına izin verilmişti. Kanunları yapan baba olunca, kendi kızlarını korumasında şaşılacak bir şey olmuyordu.

Rüstem yeniden Hürrem'e döndü:

"Sultanım, izninizi istiyorum. Yoksa Mihrimah Sultan'ın masraflarına yetişemeyeceğim. Gidip biraz daha çalışayım bari..."

Tekrar kayınvalidesinin elini öpüp uzaklaştı.

Hürrem Sultan, "Hadi Mihrimah!" dedi. "Sen de bizimle gel. Dolaşalım biraz." Sonra bana döndü. "Peki, Avrupa saraylarının bahçesinde hangi çiçekler oluyor Gracia? Anlat bakalım. Oralar nasıl kokuyor? Buradaki kadar güzel mi? Kadınlar hangi kokuları sürünüyorlar? İnsanların maske takıp, kadınlı erkekli eğlendiği doğru mu?"

"Doğru sultanım."

"Peki, nasıl biliyorlar, yanındakinin kim olduğunu?"

"Bilmek istediklerini sanmıyorum sultanım. Maskenin amacı tanımamak, tanınmamak..."

"Allah Allah!"

"Sultanım, benim bugün size anlatmak istediklerim daha başka. Ne zaman arzu ederseniz uzun uzun eğlenceleri, sarayları anlatırım ama, demin otururken de söylediğiniz gibi, bizim hayatlarımız sorumluluklarla dolu. Sizin gibi büyük bir sultan cihan imparatorluğunun haremini idare ederken, ben de dindaşlarıma yardımcı olmaya çalışıyorum."

"Biliyorum."

"Sultanım, Ancona isimli şehirde dindaşlarım zor durumda."

Bahçede epeyce dolaştık. Hürrem Sultan'a Musevi topluluğun uğradığı sıkıntıları anlattım. Geçmişte nasıl zulüm gördüğümüzü, sadece dua ederek, vicdanlara sığınarak nasıl kurtulmaya çalıştığımızı ama bunun bir faydasının görülmediğini, din değiştirmeyi görüntüde kabul etsek bile yine zulmün bitmediğini...

Ancona, ticaretin hareketli olduğu, insanların dini ayrımcılıkla uğraşmaya ihtiyaç duymadığı bir liman şehriydi. Her ülkeden değişik dinlerin mensupları bu şehirde ticaretini yapar, güven içinde yaşardı. Böyle olunca Marranların göç ettiği yerlerden biri olmuş, akın akın buraya gelmişlerdi. Benzerini daha önce Anvers, Venedik, Ferrara'da gördüğümüz bu durum, şimdi de Ancona'da gerçekleşiyor, şehre çok gelen olduğu için gayrimenkul fiyatları artıyordu. Ancona, kısa sürede Venedik'e alternatif oldu.

Hem Museviler hem de Müslümanlar için kısıtlamalar kaldırılmıştı. Dini ayrımcılık Ancona'ya sokulmuyor, Marranların tekrar Museviliğe dönmelerine göz yumuluyordu. Papalık'ın etki alanında kalan yerlerde, evlerden Talmud'lar, İbranice kitaplar aranarak toplatılmış olmasına rağmen Ancona'da kitap yakma eylemlerine de rastlanmıyordu. Diğer şehirlerde Tevrat dışındaki tüm İbranice kitaplar toplanıp, şehrin meydanında yakılıyordu. Roma'da, Campo dei Fiori Meydanı'nda ve Piazza San Marco'da büyük kitap yakma törenleri gerçekleştirilmiş birkaç yıl önce. Hakkında arama, tutuklama kararı bulunan Jozef bile Ancona'ya rahatça girip çıkabiliyordu.

Daha önceki papalar döneminde olan bu rahatlık, IV. Paulus döneminde bitti. Papa, İspanya'ya açılan harp masrafına karşılık olarak Musevilerin mallarının alınmasını emretti. Ancona'da bulunan Marranlar ve Osmanlı'dan oraya gelmiş olanlar hapishanelere atıldı. Bazıları öldürüldü.

Bütün bunları anlattım Hürrem Sultan'a... Acımı gerçekten hissediyor, beni anlıyordu.

"Sultan Süleyman Hazretleri yardımcı olmazsa, hem Musevileri hem de Müslümanları kıracaklar!"

Süleyman'la konuşacağını, benden dinlediklerini anlatacağını söyledi.

Sık sık ziyaretime gelen Osmanlı tüccarlarına, Belvedere Sarayı'na konuk olanlara ve Divan'dan kime ulaşabilirsek hepsine aynı şeyleri söyledim. Artık vakti geldi:

Paulus'un bu icraatlarına ciddi ve ortak bir tepki verilmeli!

-54-

Osmanlı Sarayı, Marranlar üzerinden epeyce istihbarat alıyordu ve bunu kaybetmemeleri önemliydi. Neyse ki Şehzade Selim de Rüstem Paşa da bunun değerini biliyordu.

Bilgi, servetten daha kıymetli.

Selim'in eşi Nurbanu Sultan'ın Musevi kökenli olması işimizi kolaylaştırıyor, Jozef de Hürrem Sultan tarafından biliniyor ve seviliyordu.

Rüstem Paşa, Ancona konsolosu ile görüşerek, bu duruma son verilmesini isterken, konuyu Divanıhümayun'a taşıdı. Osmanlı'nın mallarının Papalık uhdesine geçmesi kabullenilemezdi. Zincirleme iflaslar İstanbul'a uzanıyordu. Osmanlı mali sistemi vergi üzerine kuruluydu ve para toplanamıyordu. Bu ortam işimizi çok kolaylaştırdı. Umutlarımızı artırdı.

Bu ortamda, Süleyman'ın beni kabul edeceğini duymak, umutlarımı bir kat daha güçlendirdi.

Elçiler veya kabul görecek kişilerin geçtiği protokol yine tekrarlandı. Jozef bu defa Enderun tarafında bekletildi.

Muhteşem Süleyman'la yalnız görüşeceğim!

Bu defa belki ilk seferin tecrübesinden belki başımdaki derdin büyüklüğünden, önceki görüşmedeki kadar heyecanlı değildim. Hediyelerimizi sundum ve izin verince konuştum. Geçen defa giyimime yaptığı uyarıyı aklımda tutup, bu defa oldukça sade ve süssüzdüm. Belki de kadın olduğum, devlet adamı sayılmadığım için olsa gerek, sultanın her görüşmesini yazan divan kâtipleri, bir şey yazmadan bekliyorlardı. Konuşmaya başlarken Rüstem Paşa ile göz göze geldim. Minnettardım.

"Muhteşem Sultan Süleyman Hazretleri, değerli koruyucumuz, sıkıntımız çok büyük! Papalık tahtına oturan IV. Paulus, ne yazık ki Hıristiyan olmayan herkese zulmediyor. Hatta farklı mezheplerden Hıristiyanlara bile... En çok da Museviler ve Müslümanlara... Engizisyonda yargıladığı insanlara işkence ediyor, mallarına el koyuyor, insanları ateşte yakmaktan ve bunu temaşa gibi seyrettirmekten çekinmiyor..."

Mümkün olabildiği kadar açıklıkla, içimden geldiği gibi anlattım. Rüstem Paşa da zaman zaman destekler sözler etti.

Sonunda ayağa kalktı. Dinlediklerinin onu rahatsız ettiğini, kızdırdığını görebiliyordum.

"Rüstem Paşa!"

"Buyurun sultanım."

"Derhal papaya bir mektup yazılsın. Fermanımdır!"

Yazıcılar hemen kâğıt, divit çıkarıp yazmaya durdular. Süleyman devam etti:

"Sultan olan Süleyman, diğer imparatorlardan daha yüce imparator, Sultan Selim'in oğlu, aynı zamanda diğer bütün imparatorların üstü, Allah muzaffer olmasını daim eylesin..."

Mektubunda Musevi ırkından olan bazı kişilerin Ancona'ya ticaret amaçlı gittiğinde, mallarına el konulduğunu haber aldığını, bu durumun Osmanlı'yı da zarara uğrattığını söyleyip, tutuklananların serbest bırakılmasını istedi.

Ferman'ın papaya ulaşmasının ardından Museviler serbest kaldı ama Yeni Hıristiyan Marranlar, Musevi sayılmadığından bırakılmadı. Halbuki suçlama onların Hıristiyan numarası yaparken, gerçekte Musevi olduklarıydı.

Onlar diri diri yakıldı.

•

Benveniste Sarayı'nda duvarları tekmeliyor, öfkeden çıldırıyordum. Kalbim bin parçaydı.

"Hâlâ ve inatla insan yakmaya doymadılar! Doymuyorlar!"

Pierre ağzını açıp konuşmak, beni sakinleştirmek istiyordu ama ne mümkün!

Marranlara da öfkeliydim. Geleceği görmezden geliyor, işleri bugün iyiyse, hep böyle iyi olacak sanıyorlardı. Daha kaç kez tecrübe etmemiz gerekirdi, daha kaç kez güvenimizin boşa çıkması lazımdı uyanmaları için? İşaretleri biz İstanbul'dan bile görebilirken Ancona'da yaşayanlar neden görmemişti?

"Giovanni Pietre Carafa!* Cehennemlik sersem!"

Hakkında epey bilgi vardı elimde. Ataları Napolili bir

---

* Papa IV. Paulus

soylu aileydi. Anne tarafından Portekizli aristokratlarla akrabaydı. 'İnancını Takip Eden' unvanını almış, Kardinal Oliviero tarafından yetiştirilmişti. Papa 3. Paulus tarafından Papalık'ı reforme edecek komitede yer alması için Roma'ya çağrılmıştı.

1536'da kardinal, sonra Napoli piskoposu oldu, İtalya'daki engizisyonu yeniden düzenledi. Şimdi de, yetmiş dokuz yaşında IV. Paulus adıyla papa oldu, reformcu Katolikleri dağıttı. Kilise dışında kurtuluş olmadığına inanıyor, engizisyonu kullanıp, rahatsızlık duyduğu kişilerin bu mahkemede yargılanmasını sağlıyor. Kardinaller bile onun öfkesinden kurtulamıyor. Katolik olmayan, Protestanlık şüphesi olan ve kâfir olanların papa olamayacağına dair kanun çıkartıp, rakibi olduğu kardinallerin önünü kesti.

"Yasaklanmış Kitaplar İndeksi" oluşturmuş, matbaalarda Protestanların yazdığı bütün kitaplar ile İncil'in İtalyanca ve Almanca tercümelerinin basılmasını yasaklamıştı. Yakınlarını kayırıyor, kötülükten ve zarar vermekten başka bir şey bilmiyordu.

Sinagoglara giriliyor, "Ehal" adındaki dolapta muhafaza edilen değerli elyazması rulolar yerlerde çiğneniyor, domuz etine bulaştırılıyordu. Hatta domuz leşinin bu kutsal kitapların bulunduğu dolaba sokulduğunu, tacizlerin devam ettiğini duydum.

"Hem Saçma Hem de Uygunsuz" diye isimlendirilen meşhur bildiriyi yayımlayan Paulus, Roma gettosu kurup, Musevilerin Hıristiyanlardan ayrı, daha gösterişsiz mahallelerde yaşamalarını zorunlu hale getirdi. Gece gettolardan çıkmaları yasaklanan Musevilerin, hangi dinden olduklarını belli edecek giysiler giymesi şart koşuldu. Ağır vergiler getirilmiş, Hıristiyanların Musevilere "beyefendi" diye hitap etmesi yasaklanmıştı.

Museviler, ikinci el tekstil dışında bir şeyin ticaretini yapamayacaklar, her şehirde birden fazla sinagog olamayacak...

Getto dışındaki sinagoglar kiliseye dönüştürülmüştü. Musevi hekimlerin Hıristiyan hastalara bakması, mülk edinmesi yasaklanmıştı.

"Sadece nefret dolu değil aynı zamanda akılsız! Hem Ancona'yı yoksullaştırıyor hem de Hıristiyanların tedavi edilmesini bile yasaklıyor!"

Ancona'daki engizisyon mahkemelerine, Marranlarla ilgili heretiklik, döneklik davalarına bakma yetkisi vermiş, "Musevilerin Hz. İsa'ya ihanet ettikleri için" suçlu olduğunu savunmuştu. Marranlardan nefret ediyor, "kâfir ve sahtekâr" görüyor, ilk fırsatta Museviliğe döneceğini savunuyordu.

"Sanki gönüllü Hıristiyan olmuşuz gibi!"

Giovanni Vicenzo Fallongonio adında Napolili bir apostolik* komiser gönderip, Museviliğe geri dönmüş Marranları engizisyon casuslarına tespit ettirmiş ve bunları, eski papaların tekrarlanmış ve imza altına alınmış taahhüt ve garantilerini hiçe sayarak tutuklatmıştı. Hapse atılan Marranların tüm paralarına, mal ve mülklerine el konulmuş, alacaklarına bile sahip çıkılıp Marranlara borçlu olanların Papalık'a borçlu olduğu iddia edilmişti. Alacakları tahsil konusunda da gayet sıkı takipçiydi papa!

Yüze yakın Portekiz kökenli Marran zindana atılmış, önceden haber alabilen birkaçı kaçıp kurtulabilmişti. Bu defa

* İsa'nın havarileri tarafından kurulan kiliselere bağlı.

rüşvet vermek kurtulmaya yetmiyor, sorgulamalar, uluorta sokaklarda yapılıyordu. Zincire bağlanmış insanlar şehrin ortasında Hıristiyanlıktan Museviliğe döndüklerini itirafa zorlanıyordu.

"Ben çocukken de böyleydi. İnsanlık neden ilerlemiyor?"

Fallongonio'nun otuz kadar kişiden epeyce rüşvet aldığı, onların mallarının üstüne konduğu ve sonra da papa durumu anlayınca ortadan kaybolduğunu duydum. Cenova'ya sığınmıştı ama papa iadesini istese de ele geçiremedi.

Geriye elli kadar Marran kaldı. Bunların doğru dürüst savunma yapmasına bile izin vermediler. Fallongonio'nun yerine gelen Cessare Della Nave, daha da vicdansızdı. Yargılananlardan bazıları vaftiz edilmediklerini, bu nedenle Hıristiyanlıktan dönmelerinin mümkün olmadığını savundu. Papa ise altmış yıl önce tüm Portekiz'deki Musevilerin Hıristiyan olduğunu öne sürüp, bu savunmayı kabul ettirmedi. Tutuklulardan bazıları tekrar Museviliğe döndüğünü itiraf etti ve Malta'ya sürülüp, ömür boyu gemilerde forsa olarak kürek cezasına çarptırıldı. Ceza o kadar kötüydü ki, bir geminin gövdesine zincirli ve sürekli kırbaçlanarak kürek çekmek, açlıktan ya da gemi battığı için ölmekten daha iyisi, doğrudan idama gitmekti.

Yargılamayı Kilise yapıyordu ama bir kurnazlıkla: İnfazları sivil otoritelere yaptırıyordu.

İşte beni çileden çıkaran infazlar da bu aşamada gerçekleşti.

1556 yılının Nisan'ında, "İman Eylemi" adı altında, Campo Della Mostra Ancona'da insanları yaktılar.

Birbirlerine zincirlerle bağlı olarak getirildiler. Şimon ben Menahem, Samuel Gaskon, Avram Falkon, Jozef Oheb ve içlerindeki tek kadın: Dona Yayora...

Önce yüzlerine karşı sözde suçlarını okuyup, sonra altlarındaki ateşi yakma şerefini soylu birine verdiler. Haykırışlarını İstanbul'dan duyabiliyordum... Yanık et kokusunu İstanbul'dan alabiliyordum... Düşündükçe, aklıma geldikçe midem ağzıma geliyor, kimi zaman kusmama engel olamıyordum...

İkinci grubu iki gün sonra yaktılar. İlk günkünden sonra ilgi azalsa da yine insan yakılmasını seyre gelenler çoktu. İzak Nahmiyas, Salomon Aguadiş alevlerde yakıldı.

Bir gün Sonra Molho Avram Kirilio, Davit Nahas, Avram İspanya...

Büyük hekimlerden Amatus Lusitanus, yakalama emrini erken haber alıp kaçanlardandı. Pesaro'ya kaçarken, geride bıraktığı malına mülküne değil, ciltler dolusu tedavi bilgisi içeren kütüphanesine üzülüyordu.

Haziran ayında da iki grup, zincire vurularak getirildi, halk kitlesi önünde direğe bağlanıp, ateşte yakıldı. Rab yolunda ve inançlarına sadık Museviler olarak ölebildikleri için şükür duaları ettiklerini duyuyordum. Son nefeslerini verirken bile inançlarından feragat etmiyorlardı. Jozef Barziyon, Salomon Yahya, David Sakriaryo, Jozef Vardai, Jozef Pappo, Yakup Kohen, Yakup Montalban, Avram Lobo, Avram Kohen ve bir çocuk: Davit Reuben...

Yakılanlar içinde, Ancona'daki casuslarımdan ve eski dostlarımdan Yakup Mosso da vardı. Süleyman'ın kurtardığı kişiler içinde olmasını bekliyordum. Kimileri ise yakılmadığını, intihar ettiğini söylüyordu. Gerçeği hiç öğrenemedim.

Bir hata yapmıştı engizisyon. Yaktığı herkesin ismini kaydetmişti. Bu isimlerin her daim anılacağını, ebediyen unutulmayacağını biliyordum ama onlar bilmiyordu.

Acımız o kadar büyüktü ki hangisine üzüleceğimizi bilmiyorduk. Ama bu defa kuzu gibi oturup kesilmeyi beklemeyecektik.

•

"Bu defa olmaz!"

"Hanımefendi, kiminle konuşuyorsunuz?"

Dönüp baktım. Pierre hâlâ yanımda.

"Pierre, öfkeden deli olacağım! Mosso dahil herkesi yakmışlar. Canlı canlı yakmışlar! Sözde Tanrı adamı olan şu papayı bir elime geçirmek isterdim! Çok üzgünüm, çok öfkeliyim! Çok!"

"Görebiliyorum Dona Gracia... Neredeyse iki saattir odanın bir ucundan bir ucuna gidip geliyorsunuz."

Durdum. Öyle olmalıydı. Yerimde oturamıyordum ama bu kadar vakit geçtiğini fark etmemiştim.

"Bu defa öyle olmayacak!" dedim Pierre'in gözlerine bakarak. "Bu defa yanlarına bırakmayacağız Pierre!"

Suskun bekledi, devam edeceğim diye ama ne söyleyecektim? Henüz nasıl bir karşılık vereceğimizi, vermemiz gerektiğini ben de bilmiyordum. Osmanlı'yı yanımıza alarak bir yere kadar kurtarabiliyorduk dindaşlarımızı.

"Artık daha iyi, daha güçlü bir cevap vermek şart oldu! Ciddi bir tepki verilmeli!"

Hava ne zaman karardı bilmiyorum. Pierre odadan çıkmış, bir koltuğa oturmuş dışarıyı seyrediyor ama hiçbir şey görmüyordum. Tarifsiz bir hüzün ve kızgınlıkla, öylece bakıyordum. Havanın bu kadar erken kararması boşuna değilmiş.

İstanbul'un üstünde şimşekler çakmaya, yağmur, bardaktan boşanırcasına yağmaya başladı.

İçimde bir ferahlama duydum. Adeta ilahi bir işaret gibiydi bu tufan. Bu yağmur boşuna değildi. Yüreklerimize ikide bir yaktıkları bu ateşin de söneceğine dair bir inanç geldi içime.

Usulca kalkıp, yağmura aldırmadan balkona çıktım. Saniyeler içinde sırılsıklam olmuştu üzerimdeki elbiseler. Aldırmadım.

Kilise'nin ardına sığınarak bağnazlık yapanlara verilecek cezayı bulmuştum.

-55-

Papa bile Süleyman'ı, kendi toprakları dışında dahi olsalar Musevilerin hamisi kabul etmişti ama bir şekilde hukukun arkasına sığınılıyor, Marran katliamı sürüyordu. Papanın yeğeni, Pagliano dükü, İstanbul'daki Fransız büyükelçisine cevap mektubu yazdı:

"Bütün Marranların geçmişleri dikkatle incelenip adil bir şekilde yargılandılar. Şüpheye mahal vermeyecek şekilde işledikleri suç ispatlandıktan sonra yerel kanunların uygulanmasından başka mahkemenin önünde bir seçenek kalmadı."

•

Konuyu ilk olarak Jozef'e açtığımda, kulaklarına inanamadı:

"Nasıl olur? Yapılabilir mi?"

"Jozef, diasporadan* beri Musevilerin ortak hareket edebildikleri tek eylem olmadı. Zor olacağını ben de biliyorum ama artık bu değişmeli! Kurban olarak kaldığımız sürece, elinde bıçakla kesmeye gelen çok olacak. Artık kurban olmadığımızı göstermenin zamanı geldi!"

"Peki, herkes uyacak mı dersin?"

"Neden uymasınlar? Din adamlarını kullanacağız. Bütün hahamları... Hepsi cemaatlerine ve cemaatlerindeki işadamlarına tavsiyelerde bulunacak. Gerekirse baskı yapacak. Artık bu haksızlıklara dur demek için ortak hareket etmeye zorlayacak."

"Ve tüm Museviler, Marranlar olarak Ancona'ya boykot uygulayacağız..."

"Aynen öyle! Ancona'ya Marran, Musevi, Morisko fark etmez, hiçbir ticaret gemisi uğramayacak. Ancona ile ticarete son verilecek. Böylece peşinde oldukları zenginlikleri avuçlarından kaçıracaklar. Bu, bir daha böyle bir şey yapmaya kalkanlara da ders olacak."

İç çekti.

"Bilmem ki olur mu? Başımıza gelen onca şeyin sebepleri arasında, kimi Marranların ticarete aşırı düşkünlüğünün ve servet hırsının da payı var Gracia hala. Hepimiz hata yapabiliyoruz."

"Doğru ama artık bir bütün olmalı ve karşımızdaki Goliat** da olsa, savaşmalıyız. Zalimin bağışlamanın faydası olmadığını gördük. Artık cezalandırma zamanı! Acze düşürmeli, kötü icraatları için pişman etmeliyiz. Tarih, başta kucak açılıp davet edildiğimiz ülkelerden daha sonra mallarımıza el koymak

---

* Musevilerin dünyaya dağılması.

** Goliat veya Calut. Davut ile savaşan dev.

için kovulmamız ya da katledilmemizin örnekleriyle dolu. Ne zaman paraya ihtiyaçları olsa, ne zaman krize girseler ilk bize göz dikiyorlar. Tevrat'ta bile bu anlatılmıyor mu? Yusuf Mısır'da sadrazamken, Musevilerin nüfusu artıp zenginleşmeleri, mallarına el konulup, köleleştirilmelerini getirmedi mi? Hazreti Musa bizi Mısır'dan kaçırdı ve canımızı zor kurtardık. Aynı senaryoyu İran'da, Roma'da, İspanya'da, Portekiz'de, İngiltere'de yaşadık. Kim bilir belki ileride belki artık bunu yaşamayız. Belki göstereceğimiz tepkiyle Avrupa'da Musevilere bu yapılan biter... Bağnazlar bizi hedef gösterip, siyasiler zenginliğimize el koyup, bizi katledip, kapı dışarı etmezler. Belki de bu son olur."

"Haklısın hala... Seninle aynı fikirdeyim bu konularda ama..."

"Ben de biliyorum. Bu da nihai çözüm değil ama hiç değilse kolay lokma olmadığımızı göstermenin zamanıdır."

"Pekâlâ... Senin yanındayım."

Nihayet yüzüm güldü.

Planım gayet basitti: Tüm Musevi tüccarlar Ancona Limanı'na ambargo uygulayacak!

Bunun için hahamların inanması ve cemaatlerini ikna etmesi yeterliydi. Kolay olmayacağını biliyordum ama ümitliydim.

Hahamlar güçlüydü. Ellerinde aforoz yetkisi vardı. Aforoz edilen kişi cemaatten dışlanır, iş yapmak bir yana, cemaat mensupları ile görüşemezdi bile... Ancona'ya giden yükün çoğu zaten bizimdi. Fakat tek başına Mendes Müessesesi yeterli olmaz, bunun topyekûn alınan bir karar olduğu mesajı verilemezdi. Yarından tezi yok, bütün hahamlarla görüşmeye başlayacaktım.

Geriye sadece bir soruya cevap bulmak kalıyordu: Ancona'nın yerini hangi liman alacak?

Doğu ile batı arasında ticaretin durma imkânı yoktu. Ancona'ya boykot uygularken, yerine ikameyi sağlayacak bir liman gerekiyordu. Dük Ercole buna hazırdı ve Marranlar için güvence vaat ediyordu. Ancak Ferrara, deniz kıyısında değil nehir kıyısında bir şehirdi. İkinci alternatif Pesaro ise Marches kasabası yakınında, önceden Urbino Dukalığı'na ait bir limandı. Burada, Ferrara salgınından kaçıp sığınan Marranlar ve geçmişten kalan küçük bir Musevi topluluğu vardı. Urbino Dükü Guido Ubaldo kapıları açmıştı.

İstanbul'daki hahamlarla konuştum. Selanik, Bursa, İzmir gibi şehirlere durumu detaylı anlatan mektuplar gönderdim. Dük Guido Ubaldo da ticaretin kendi şehrine kayacağından umutlanmış, her türlü garantiyi vermişti. Ancona, hatta Venedik'e rakip olmak istiyor, kapıları sonuna kadar açıyordu. Limanı ve çevresini büyütmeye, geliştirmeye hemen başlamış, elinde avucunda ne varsa harcıyordu.

Bir örümcek gibi örüyordum ağı. Usul usul ama kararlı... Sonunda ortaya çıkacak eserin muhteşem olmasını, herkese örnek olmasını istiyordum.

Pesaro'da yaşayan Museviler, diğer Musevi cemaatlerini ikna etmek için etkili bir silah buldular. Engizisyondan canını zor kurtaran Yuda Faraci'yi görevlendirdiler. Faraci, çok iyi bir hatipti. Ancona'da yaşanan vahşeti bütün detaylarıyla anlatıyor, duygusal mesajlar veriyordu. Bütün sinagogları dolaşıyor, usanmadan anlatıyordu engizisyonun işkencelerini, kötü uygulamalarını.

•

"Amacımız kardeşlerim, kötüyü cezalandırmak, iyiyi ödüllendirmek. Musevilerin zalimler karşısında çaresiz olmadıklarını, birliğin gücünü göstermek. Bize işkenceler yaptılar. Kollarımızı kırıp, bacaklarımızı kopardılar. Bağırsaklarımızı karnımızdan dışarı çıkarıp, tırnaklarımızı söktüler. Tevrat'ı domuz kanıyla pislettiler. Sinagoglarımızı yıktılar!

O lanetlenmiş limana bir tek Musevi gemisi yanaşmamalı! Kana bulanmış Ancona ile bir tek kişi bile iş yapmamalı! Ziyaret etmemeli, malını göndermemeli! Gemilerinizin oraya uğramasına izin vermeyin!

İman eylemi denilen vahşet törenlerinde, dindaşlarınızın canlı canlı yakıldığını, ölüme giderken bile onurlu bir şekilde kutsal duaları sevinçle haykırarak alevlere teslim oluşlarını unutmayın! Onların ruhları bizi görüyor ve ne yapacağımızı merak ediyor. Onları mezarlarında rahat ettirelim!"

•

Başarmıştı. İkna etmişti çoğunu. Kendisini İstanbul'a da davet ettim.

Geldi ve Balat'ta da anlattı.

Dalga dalga yayılan propaganda başarılı olmuş, sekiz ay sürecek bir deneme için hemen herkes fikir birliği yapmıştı. Bu sürenin bitiminde karar ya gözden geçirilecek ya da aynen devam ettirilecekti.

-56-

Boykot, kısa zamanda etkisini gösterdi. Ancona'yı kara-bulutlar hızla sardı. Yöneticileri acze düşmüş, sersemlemişlerdi. İflas edenler, azalan vergi gelirleri, ödenemeyen memur maaşları, yerine getirilemeyen taahhütler, yarıda kalan işler... Ailelerini geçindiremeyenlerin tepkisi yöneticilereydi. Asayiş hızla bozuluyor, artık yeni mallar gelmediğinden, birçok ürünü bulmak zorlaşıyordu. Bu ise az olan malların fiyatlarının artmasına, özellikle Osmanlı'dan gelen malların ateş pahasına satılmasına neden oldu. Tekstil, ipek, deri ve madenlerin fiyatı çok yükseldi. Osmanlı'ya sevk edilmek için bekleyen mallar sokaklara taştı.

Anconalı üreticiler papaya heyet üstüne heyet gönderiyor, hatadan dönmesini istiyorlardı ama onun keyfi ve lüksü yerindeydi. Şaşaalı yaşamını sürdürüyor, Ancona halkının çilesine kulaklarını tıkıyordu.

Pesaro'dan da haberler geliyordu. Oradakiler durumdan memnun, kısa ama öz bir mesajla teşekkür ettiler:

"Eteklerinde şehitlerimizin kanı kurumadan, azgınlara derslerini mükemmel şekilde veriyorsunuz..."

Ne var ki büyüme hızlı olunca, Pesaro'da bazı sıkıntılar ortaya çıktı. Altyapı, bu büyüklükte bir ticareti kaldırmıyordu. Gemileri limana yanaştırmakta sorunlar yaşanıyor, güvenli olarak limanda kalamıyordu. Depolama imkânı sınırlıydı. Ticaretin yavaşlık sevmediğini bilirim. Diğer tüccarların da zamanla keyfi kaçacaktı. Tek umut, dükün yatırıma devam ediyor, altyapıyı geliştiriyor olmasıydı.

Ancona'daki Museviler ise bu defa yeniden hedef olmuşlardı. Şehirdeki düşüşten onlar sorumlu tutuluyordu. Başta Selanik cemaati olmak üzere, bazı cemaatler, birlik olunması şartıyla boykota katılmıştı. Anconalılar, bir yandan papanın direncini kırmaya çalışırken, diğer yandan eski tanıdıkları Musevi tüccarlarla haberleşerek, boykotun kaldırılmasını talep ettiler. Boykot devam ederse faturayı kendilerinin ödemek zorunda kalacağını, sorumlusunun ise boykota katılanlar olacağını bildirdiler.

İstanbul, Edirne gibi şehirlerde boykot kararına uyulurken, Bursa'dan ilk çatlak sesler geldi. İpek ticaretini elinde tutan Bursalı tüccarlar, çok büyük zarar yaşadıklarını iddia edip, kendilerinin tüm Marranlar için kurban edildiğini öne sürdüler. Marranların daha fazla kazanma hırsı için tüm Musevilerin gözden çıkarılamayacağını iddia ediyor, çözüm bulunmasını istiyorlardı.

•

"Ancona'da yakılan insanlar, her cemaati aynı şekilde etkilemedi Gracia hala... Kimilerimizin içi de onlarla birlikte yanarken, kimileri umursamadı. Maalesef gerçek..."

•

Doğu Avrupa'daki zulümden kaçıp İstanbul'a gelen Eşkenazların ticari faaliyetleri azdı. İspanya kökenli Sefaradlar, eskiden beri İstanbul'da yaşayan Romanyotlar, Marranlar kadar iyi anlayamıyordu olanları.

Zamanla boykota karşı direniş başladı. Ancona Musevileri, Haham Şoşe Bassola aracılığıyla Osmanlı hahamlarına mektuplar gönderdi. Ambargonun kaldırılmaması durumunda başlarına gelmesi muhtemel felaketi hatırlatıp, İstanbul'dakileri sorumlu tutacaklarını bildirdiler.

•

"Galiba boykot mücadelesini kaybediyoruz!"

"Hayır Jozef! Sonuna kadar direneceğiz. Umudunu kaybetme! Eğer boykot kırılırsa, bu defa Pesaro dükü kızacak çünkü bütün servetini bizlere güvenerek limana yatırdı. Kandırıldığını hissedecek. Peki, onun gazabı Pesaro'da yaşayan Musevilere dönmez mi bu durumda?"

"O halde daha sıkı asılmak lazım. Yoksa elimizden kayıp gidecek. Görebiliyorum."

"Jozef İbn Leb ile görüşeceğim. O çok güçlü bir hahamdır. Boykotun önemini şahsen anlatacağım. İstanbul'daki tüm hahamlarla tek tek görüşüp ikna etmesini talep edeceğim. Bilmiyorlar mı, bu liman değişikliğinin en çok Mendes Müessesesi'ni etkilediğini? Buna rağmen biz vazgeçmiyorsak, diğerleri de yanımızda olmalı. Ömrümüz boyunca yaşama savaşı verdik. Museviler için gidişatın artık değişmesini istiyorlarsa, tavırlarını değiştirmeliler. Bu kadar çabuk pes ederlerse, ufak tefek sıkıntılara göğüs germezlerse, daha çok şey kaybederler. Biz dostlarımızı kaybettik, akrabalarımızı kaybettik. Sultan Süleyman'ı devreye sokmamız bile papa nezdinde gerekli karşılığı bulmadı."

•

İbn Leb, bize inanıyordu. Görüşmeler yaptı ve tespitini bildirdi:

"Hahamların birçoğu ile görüştüm. İnsan kurtarmanın önemini anlattım. Ama Yosua Sonsino'yu ikna etmek zor. Ancona Musevilerinin ona yazdığı mektuplar ve dert yanmaları, boykotun devamı konusunda tereddütler yaşamasına neden oluyor."

"Demek hava değişti..."

Umutsuzluğu istemiyordum ama gelecek konusunda artık sinyalleri alıyordum.

"Marranların fazla para düşkünü olduğu, Osmanlı'ya gelmemelerinin, kendilerine zulmeden Hıristiyanların ülkesinde kalmalarının altında bile bu sebebin yattığı hatta aforoz edilmelerine bunun mesnet teşkil edebileceği yönündeki iddialar var. Boykot etmek yerine Ancona'daki Marranların Osmanlı'ya gelmesinin daha akıllıca olacağını iddia edenler..."

"Sonsino'nun kafası epeyce karışmış olmalı."

"Öyle. Sanırım bu tezlerden hangisinin doğru olduğuna karar

verdiğinde, karşına dikilecek ve doğru bildiğini, günaha düşmemek için yapacaktır. Hazırlıklı olsan iyi olur Dona Gracia."

"Anlayamıyorum. O da sizin gibi bir din adamı. Üstelik Sonsino ailesinin bir üyesi. Nasıl olur da sinagogun basılmasını, dini kitaplara domuz kanı sürülmesini kabul edebilir?"

İç çekti.

"Doğru, herkes için farklı bir açıdan görünür Dona Gracia... Senin böyle gördüğünü kimileri başka görüyor. Sen, sinagoglara girildiği için rahatsız olurken, başkası 'Sinagoglara girilen yerde yaşamaya devam edenler kusurlu!' iddiasında bulunuyor. Sen, dindaşlarımıza yardım ulaştırmalıyız diye düşünürken, başkası, 'Orada ne bekliyorlar ki? Buraya gelsinler...' tezini öne sürüyor."

"Anlıyorum..."

•

Bir yandan ambargoya karşı çıkanların yürüttüğü propaganda bir yandan Pesaro Limanı'nın ihtiyaçlara karşı yetersiz kalması yetmez gibi bir de şehirde salgın hastalık baş gösterdiği iddiası yayıldı. Yalandı ama insanlarda Pesaro'ya gitme isteğini azalttı.

Sonsino'yu Belvedere Sarayı'na davet ettim. Yanında, sinagogundan iki itibarlı kişiyle geldi.

Jozef, muhtelif itibarlı din adamlarının imzasını taşıyan ve ambargonun uzamasını öngören belgeyi Sonsino'nun önüne koydu.

"Muhterem Sonsino, padişahın yanına gitmek üzere hazırlanmam lazım. Sizden talebimiz, şu metnin altına imzanızı koymanızdır."

Sonsino şaşkındı. Tecrübeli ve itibarlı bir din adamı olarak, önüne gelen konularda hemen karar vermez, kılı kırk yaran toplantılar sonucunda hükmünü bildirirdi.

"Benim bu konudaki görüşlerimi biliyorsunuzdur sanırım. Siz de, çok hürmet ettiğim Dona Gracia da bilir ki, ben Ancona'daki Musevilerin de düşünülmesi, onların da zarar görmemesini istiyorum."

"Hepimizin amacı bu fakat ilk defa ortak bir kararla gücümüzü gösterdik. Bunu kıran, bu dayanışmayı ortadan kaldıranların, ileride yine zulümler yaşandığında vebali olacaktır!"

"Jozef, sen bir tüccarsın. Oysa ben bir din adamıyım. En yüksek kâr edeceğim kararı değil, herkesin zarar etmeyeceği kararı almak durumundayım. Bu konuda senin de anlayış göstermen gerekir."

"Muhterem Sonsino, biz o zararı fazlasıyla yaşadık ve yaşamaya devam ediyoruz. Halam Hanna Nasi, Dona Gracia Mendes, engizisyonda yargılandı. Hakkımızda arama kararları, tutuklama emirleri çıkarıldı. Dostlarımızı, arkadaşlarımızı, akrabalarımızı kaybettik. Kimileri işkence ile kimileri yakılarak yok edildi. Sizin de bunu anlamanız lazım! Sonuçta hepimizin amacı aynı değil mi? Musevilerin artık özgür olması, baskı ve zulüm görmemesi... Hatalı mıyım?"

Sonsino bir bana bir Jozef'e baktı. İkimizin aynı düşündüğünden emin oldu.

"Bu belgeye imza atarım ama şerh düşerek... Eğer Ancona Musevileri fiziki bir tehlike ile karşı karşıya kalırlarsa, imzam geçersiz olacaktır."

"Düpedüz yan çizmek bu!"

Jozef kabalaşıyordu. Karşısındaki en saygın din adamlarından biriydi. Matbaacı olan ve büyük hizmetleri bilinen Sonsino ailesindendi. Araya girmek zorunda hissettim kendimi:

"Jozef! Lütfen... Sayın hahamımız, dilediği gibi davranmakta özgür. Fakat Sayın Sonsino, altına böyle bir şerh koyarsanız, sizin gibi önemli bir isim bunu yaparsa, diğer hahamlar imza koyar mı? Diyelim ki bu şerhi yazdınız, bunu gören, haber alan engizisyon, hemen Ancona Musevilerine yönelik fiziki tehdide başlamaz mı? 'Fiziki bir saldırı olursa, imza geçersizdir' ifadesi, düpedüz engizisyona, 'Boykottan kurtulmak istiyorsan, Musevilere fiziki zarar ver!' demek olmaz mı? Yapmayacaklarsa bile siz bunu yazınca yapacaklardır. Papanın bu fırsatı kaçıracağını zannetmem."

"Bu da bir ihtimal ama başka türlüsünü yapamam!"

Yanındaki diğer iki adam da aynı görüşteydi. Jozef dayanamayıp patladı:

"O zaman hiçbir halt etme!"

Ortam bir anda buz gibi oldu. Jozef'le aynı fikirde olsam da böyle söylemesini onaylamıyordum. Hayretle baktım.

Sonsino son sözünü söyledi:

"O halde toplantımız bitti. Bize müsaade."

Ben ağzımı açamadan, taraflar el bile sıkışmadan ayrıldı.

Jozef öfkeli soluyor, adamın arkasından sövüp saymamak için kendini zor tutuyordu.

-57-

Küskündüm... Moralim fena halde bozuktu. Bu sebepten belki, eski önceliklerimi bir yana bırakıp, biraz havadan sudan işlere verdim kendimi...

Boykot kırılmıştı. Uzatmak için yaptığım çabalar kâr etmemişti. Sonsino ile yaptığımız toplantıdan sonra fikir ayrılıkları keskinleşti. Hahamlardan bazıları kendi cemaatlerindeki işadamlarından ambargonun uzamaması için baskı görüyordu. Sefaradlar, ülkelerini, yuvalarını kaybetmenin ne anlama geldiğini, engizisyonun ne olduğunu bildikleri için boykotun uzamasını destekliyorken, Romanyotlar Anconalı Musevilere destek veriyordu. Sonrası ardı ardına geldi. Selanikliler ambargoya desteklerini çektiler. Geriye Pesaro'daki Musevilerin, papanın öç almasına ilişkin korkuları kaldı.

Dük Guido'ya da mahcup olmuştuk. Aramızda para toplayıp, dükün zararının karşılanmasına çabaladık.

Hırsını yenemeyen bazı Marranlar, Ancona Limanı'na mal göndermeye başlayınca, diğerleri "haksız rekabet" iddiasında bulundu, bir an önce kendilerinin de Ancona'ya mal göndermek istediğini bildirdi. Edirne, Avlonya ve Mora cemaatlerinden benzer talepler geldi.

Boykot sona erdi.

•

Ester Handali'yi davet ettim Belvedere Sarayı'na...

Reyna ve La Chica da bu çok merak ettikleri kadını yakından tanımak için, davete katılmakta ısrar ettiler.

Ester "Kira" lakabıyla anılıyordu daha çok. Eşi Eliyah Handali, Yeni Saray'ın kadınlarına mücevher sağlayan bir tüccardı. Onun ölümünden sonra Ester işi devralmış, Hürrem Sultan ile yakınlaşmıştı. Harem ile dışarının bağlantısını sağlayan kadınlara verilen "kira" lakabını da böyle almıştı. Onun asıl yatırımının Nurbanu Sultan olduğunu biliyordum. Ama canım aslında hiç iş konuşmak istemiyordu.

Ona değer verdiğimi anlasın diye en güzel porselenlerimle hazırlattım sofrayı. Çin'den gelen aromatik bitkilerden içecekler ve en güzel Kıbrıs şarapları da içmek isterse diye hazırdı.

"Boykot kararının bozulması, moralinizi çok bozmuş diye duymuştum..." dedi.

Benim gibi Musevi olanların ayrıca bir de kadın olanların iş hayatında yer almasından mutlu oluyordum ama Ester doğrudan konuya dalmış, beni unutmak istediğim yerden vurmuştu. Dostça mı yoksa düşmanca bir niyetle mi konuyu açtığını düşünmeden edemedim. Gözlerine bakmaya çalıştım ama gördüğüm perde oldu. Ester, içinden geçenleri dışarıya belli etmemek konusunda çok başarılıydı. Duvar gibi... Renksiz bir duvar.

"Ne yazık ki çok önemli bir fırsat heba edildi Ester..." dedim artık üzüntümü saklayamayarak. "Musevilerin birlik olup, artık güçlü olduklarını gösterebilirdik. Bizi ezemeyeceklerini ispatlayabilirdik ama olmadı."

"Neden?"

Sonraki zamanlarda ondan en çok duyacağım kelimelerden biri buydu: Neden.

Ester, bu kelimeyi öyle bir söylüyordu ki karşısındaki dayanamayıp anlatıyordu.

"En çok zararı biz gördük ama anlatamadık. Yuda Faraci'yi tekrar davet edip Talmud Tora'da konuşturduk. Pesarolulları bekleyen tehlikeleri anlattık. Bir kurul oluşturulmasını önerdim ama ticari rakiplerimiz, bu kurulun yanlı olacağını savundu. Kimin tarafında olacaktı acaba? Mayor Sinagogu'nun hahamı Musa Segura'yı davet edip, Hamam Sonsino'yu ikna etmesini talep ettim. Beş kişilik bir heyet durumu tekrar anlattı. Sonsino bir heyetin Ancona'ya gönderilmesini, hem orayı hem de Pesaro'yu incelemesini önerdi. Zaman olmadığını söylesek de ikna olmadı. Herkesi seferber ettim. Portekiz ve İspanyol Musevilerini ambargonun devamı konusunda istikrarlı davranmaya azmettirdim. Hahamlardan aforoz konusunda söz aldım. Lakin boykot oyçokluğuyla değil, oybirliğiyle olabiliyor. Herkesin katılması lazım. Eşkenazları ikna etmek için Jozef Eşkenazi adındaki tüccarın zararını üstlenmeyi de kabul ettik. Karşı taraf da boş durmadı. Papalık ve İtalya ile ticareti olan bir grup, Sonsino'dan görüşlerini yazılı belgeyle istediler. Sonsino, bizim Pesaro lehine oluşturduğu bildirinin dinen geçerliliği olmadığını, birilerinin güvenliğini temin ederken başkalarının hayatının tehlikeye atılamayacağını ve bunun eşitlik ilkesine aykırı olduğunu resmen yazılı olarak responsasında beyan etti."

"Biliyorum."

"Yazısını Osmanlı dışındaki hahamlara da gönderdi. Ambargoyu tehlikeye attı. İki önemli haham daha imza koyunca, diğerleri arkasından geldi. Jozef Karo ve Yakup Mitrani gibi öncü hahamların desteğini almamız da yetmedi. Papaya unutamayacağı bir ders veriyorduk ama çabuk yıldık. Musevi birliği, başladığı gibi sona erdi..."

"Zararınız bu kadarla bitmedi tabii..."

Ester belki İstanbul dışında benimle yarışamazdı ama şehirde olan biten her şeyden çok iyi haberdar olduğunu anladım.

"Ya, öyle... İki yüz bin dukat toplandı ve Pesaro'ya, zararını tazmin için Guido Ubaldo'ya gönderildi. Uyardım ama dinlemediler. Dük parayı aldı ama papa ile yakınlaştı. Marranları papaya teslim etmedi ama zorunlu göçe tabi tuttu. Artık Paulus'un ölümüne kadar Marranlara rahat yok! Zaten işleri tıkırındaydı, şimdi yine zafer kazanmış oldu!"

Konuştukça daralıyordum. İmdadıma La Chica'nın sorusu yetişti:

"Hürrem Sultan'a ve diğer sultanlara sizin mücevher sattığınızı duyduk. Nasıl, güzeller mi anlatıldığı kadar? Neler yapıyorlar Harem'de?"

Ester gülümsedi. Boykot konusunu açtığına pişman, dinlemeyi onun da çok istemediğini anladım.

"Çok... Hem de nasıl! Hele Nurbanu Sultan, bir afet!"

Reyna, "Hürrem Sultan'dan güzel mi?" diye sordu.

"Bak işte ona bir şey diyemem. Çünkü herkesi kendi devri

ile değerlendirmek lazım. Hürrem Sultan, ay gibi, güneş gibi bir kadındı. Ama ne yaparsın ki gün doğunca ay eriyip kaybolur. Güneş, zamanı gelince batar. Şimdi yeni bir yıldız yükseliyor Harem'de. Nurbanu Sultan'ın devri geliyor."

"Hürrem Sultan ile yakın olduğunuzu duymuştum..." dedim. "Size çok güvendiğini söylüyor herkes."

Bununla gururlandığı belliydi. Kibre varan bir gurur!

"Bir dediğimi iki etmez! Ama ben sevmem övünmeyi. Millet yayıyor bu lafları."

La Chica, "Peki, nasıl dost oldunuz? Nasıl yakınlaştı size?" diye sordu.

Ester buna cevap vermedi. Belli ki sırlarını bize kaptırmak istemiyor. Yaptığımız işler yanında onunkiler oldukça küçük kalır. Ona rakip olma derdimiz yoktu ama fırsat olursa saraya mücevher satmaktan da çekinmiyordum.

"Usta sanatkârlar ancak iş yapmayı bırakacakları zaman sırlarını verirler."

"A, yapmayın ama! Belli ki sarayda etkiniz çok..."

Ester sessiz kaldı. Önündeki şaraptan bir yudum aldı.

O söylemese de biliyordum. Sarayda, özellikle de Harem'de etkindi. Harem'in bir nevi dışarıya açılan kapısıydı ve bunu çok iyi kullanıyordu. Yaptığı şeyde başarılıydı ama takdir de etmiyordum. Bu ilişkileri, dindaşlarını daha fazla korumak için kullanabilirdi.

"La Chica, sizin de evlilik hazırlıkları içinde olduğunuzu duydum. İsterseniz size de birkaç parça göstereyim."

La Chica bana baktı.

"Yok. Sağ olun. Benim ihtiyaçlarımı teyzem karşılıyor."

Ester bilmiyordu ama onun elindekilerden çok daha kıymetli, eşsiz ziynet eşyalarından bol miktarda vardı elimin altında.

"Sizin hediyenizi de gördüm Dona Gracia... Hürrem Sultan'a götürdüğünüz... Çok güzel. Ama keşke satsaydınız! Pahası yüksek bir rengi var."

"Hürrem Sultan'a feda olsun... Sizin kadar olmasa da bizimle de görüşüyor. Bazı meselelerde yardımlarını gördük."

Bozuldu biraz. Kendisine değil, bana yardımcı olmasını kıskanmış gibiydi.

"Öyle mi?"

-58-

Fransa'nın büyükelçileriyle ilişkilerimiz, özellikle de Jozef'in ilişkileri her zaman iyi olmuştu. 1557'de Codignac'ın yerine, Fransa'yı temsilen Büyükelçi De La Vigne geldi ve hiç yoktan bir düşmanımız daha oldu. Kaba saba bir adam olması yetmezmiş gibi hem bize hem de ne haddine ise Rüstem Paşa'ya düşmanlık besliyor, hem bizi hem paşayı gözden düşürmeye çalışıyordu. Başta kendi haline bırakmıştık ama Jozef'in tefeci olduğu propagandasını yaymaya başlayınca, o da rahatsız oldu ve Fransa kralından alacağını gündeme getirdi.

Biz borcun ödenmesini talep edince, De La Vigne Paris'e bir rapor gönderdi ve Jozef'in heretik olduğunu, bu tür insanlara olan borçların ödenmemesinde bir sakınca olmadığını yazdı. Maddi sıkıntıdaki kralın bu raporun üstüne atlayacağı kuşkusuzdu. Jozef'in Hıristiyan görüntüsü altında

Fransa'da esasen bir Musevi olarak izni olmamasına rağmen, finansal işlemler gerçekleştirdiği ve bunun kanuna aykırı olmasından dolayı alacaklarını talep hakkının olmadığını öne sürdü. Avusturya, Belçika, Hollanda, Macaristan gibi birçok ülkede de aynı tezler ileri sürülmüş ve bu tür basit bahanelere başvurularak paramızın üstüne oturma teşebbüsleri daha önceden de olmuştu.

Jozef Nasi geleneksel olarak yıllık toplanabilecek vergileri peşinen hazineden satın alıp bu imtiyaz karşılığında hazineye önemli bir miktar para aktarmıştı. Kalan bölümü de ödemeyi taahhüt ediyordu. Bir Osmanlı vatandaşı olarak hakları devlet tarafından koruma altındaydı. Osmanlı, daha önce de Mendes Müessesesi'nin alacakları için ağırlığını koymuştu. Jozef, Şehzade Selim ve Rüstem Paşa'ya durumu iletti.

•

Kış bütün şiddetiyle bastırmış, İstanbul'un üzerine çöken kar, her şeyi durma noktasına getirmişti. İstanbul Boğazı'nda koca koca buz kütleleri yüzüyordu. Şiddetli soğuk nedeniyle pazarlarda ne varsa ya donmuş ya da tükenmişti. İnsanlar evlerinden zorunlu olmadıkça çıkmıyor, camiler, kiliseler ve sinagoglar cemaatlerini bir türlü toplayamıyordu. Balat ve Galata civarındaki yoksul Museviler sıkıntı çekmeye başlamıştı. Özellikle yeni göçüp gelenlerin durumlarıyla ilgili olumsuz haberler alıyordum.

Onlara yardım konusunda kesenin ağzını epeyce açmıştık. Yalnızca biz değil, Hamon, Handali gibi aileler de ellerinden geleni yapıyordu. Musevi dilenci yoktu ve eğer zor durumda kalan olursa, cemaati onun yardımına koşuyordu. Böyle olağandışı bir durumda ise asıl görev, bizim gibi sermayesi daha çok olanlara düşüyordu.

•

"Yoksullara yaptığınız yardımlar herkesin dilinde Dona Gracia..." dedi haham. "Bu zor günlerde birçok ailenin ocağında sizin sayenizde yemek pişiyor."

"Haham efendi, teşekkür ederim ama bu bizim görevimiz. Ben bunu konuşmak için davet etmedim sizi. Aklımda başka bir konu var."

Gözleri ilgiyle açıldı.

"Elbette. Sizi dinliyorum."

"Benim bir sorunum var. Hem de büyük bir sorun."

Biraz daha arttı merakı. Dini bir konuyu danışacağımı düşünüyordu.

"Biliyorsunuz ki ben daha doğmadan önce Portekiz'de yaşayan tüm Museviler zorla Hıristiyanlaştırıldı. Bunun sonucunda biz de mecburen bir dönem Hıristiyan gibi yaşamak zorunda kaldık."

Affedici bir yüz ifadesi takındı, gözlerini yumdu.

"Kendi inancımı yaşadığımı ilan edene kadar yıllarım geçti. İnancımı yeniden ilan edip, bir Musevi gibi yaşayınca da karşıma başka problemler çıktı. İyi bir Hıristiyan gibi yetiştirildik ve neredeyse Katoliklerden daha fazla dini eğitim aldık. Ancak Musevilikle ilgili konularda çok fazla soru var, yeterince cevap yok. Yeniden inancımı yaşamaya başlayınca, bunun sıkıntısını daha çok gördüm. Haham efendi, ilkbaharla birlikte yeni bir sinagog ve akademi yaptırmak istiyorum. Hem ibadet edilecek hem de dini konularda ihtiyaca cevap verecek din adamları eğitilecek. Ne dersiniz?"

Gözleri mutlulukla ışıldadı.

"Dona Gracia, bu harika olur!"

"Böyle düşündüğünüze sevindim haham efendi."

"Peki, bunun nerede olmasını düşünüyorsunuz?"

"Balat'ta."

Hahamın sevinci kursağında kaldı.

"Ama orada bir sinagog var. Yenisini yaptırmanız sıkıntıya neden olacaktır."

"Neden?"

"Dona Gracia, İstanbul'da bir kural var: Her Musevi tek bir sinagoga bağlı olmalı. Bu, cemaatten toplanıp çeşitli işlerde kullanılan vergilerin takip edilmesi için lüzumlu. Ancak sizin yaptıracağınız sinagoga kim geçmek ister bilemiyorum. Hahamların aforoz etmesinden çekineceklerdir. Sinagogun boş kalması ise hiçbirimizin istemediği bir durum olur."

"Gerçekten bu sorun olur mu?"

"Maalesef! Bir din adamı olarak söylemek hoşuma gitmiyor ama bunların iyi düşünülmesi lazım."

"Tek endişemiz bu olsun haham efendi. Biz de vergi toplama sistemini değiştiririz."

Umutsuzca baktı gözlerime. İstanbul'da, ta Bizans hatta ondan da öncesine kadar giden bir sistem vardı ve değiştirmeyi kimse denememişti.

Sinagog için izin almak zor olmadı ama o sırada başka bir işle uğraşan Sinan, kendisinin yapamayacağını bildirdi. Daima çalışıyor, hanlar, camiler, kemerler, köprüler inşa ediyordu. Eserlerine hayrandım. Sürekli üretmesine rağmen, bir eseri diğerinin aynı olmazdı. Neyse ki onun gibi deha olmasa da başka bir mimar bulmak zor olmadı. Akademinin de yapımı bitince, isteyen herkesin gelip ibadet edebileceğini, herhangi bir vergi alınmayacağını duyurdum. Sanıyordum ki bu, özellikle durumu iyi olmayan dindaşlarımı memnun edecek. Ancak itirazlar hemen başladı. Diğer semtlerdeki sinagogları idare edenler, kararımdan rahatsız oldular. En önemli gelir kaynaklarından olacakları düşüncesiyle, kendi sinagoglarına gelenlere, başka bir sinagogda dua etme, ibadetlere katılma yasağı getirdiler. Hatta bunu yapanları aforoz edecekleri tehdidini savurdular.

Aldırmadım.

"Sinagog, sizin sorumluluğunuzda olacak Jozef İbn Leb... Bu görev için sizden daha yetenekli birini düşünemiyorum."

Gülümsedi.

"Bu görevi kabul etmek benim için onurdur Dona Gracia. Ama sizi tebrik edeyim önce."

"Tebrik edilecek bir şey yapmadım Sayın Leb."

"Yaptınız. Karaimler, Eşkenazlar ve Sefaradlar zaten birçok konuda görüş ayrılıklarına sahipti. En azından hepsini aynı görüşte birleştirdiniz! Hepsi, sizin vergi sistemini değiştirerek yanlış yaptığınız konusunda hemfikir!"

Güldük.

"Onlar yanlış yaptığımı düşünüyor ama ben doğrusunu yaptığımı düşünüyorum. Siz ne dersiniz?"

"Görevi kabul ederek, düşüncemi bildirmiş oluyorum..."

Zeki ve söz söyleme konusunda yetenekliydi. İyi bir hatipti. Bursa ve Selanik'te görev yapmış, halkın takdirini kazanmıştı.

Boykot kararında bize destek vermekten çekinmemiş, boykotun sürmesi için çabalamıştı.

"Veba salgınından dolayı Selanik'ten ayrıldığınız söyleniyor. Demek ki kara ölümün bir faydası da oldu bizim için..."

İç geçirdi.

"Neye inanmak istiyorlarsa öyle söylüyorlar..."

Sesine hüzün çökmüştü. Biraz önce kahkaha atan adamın ruh halinin bir anda değişmesi benim kabahatimdi. Toparlamaya çalıştım:

"Üzgünüm... Amacım moralinizi bozmak değildi. İnanmadım zaten..."

"Dona Gracia, bahsetmekten hazzettiğim bir konu değil ama kader beni zor sınavlarla deniyor. Bir oğlum, adi bir katil tarafından, yok yere öldürüldü. Diğer oğlum denizde yüzerken boğuldu. Selanik'te durabilseydim ben de boğulurdum. Nefes alamazdım. İnanın..."

Benim de boğazıma bir yumru oturdu. Karşımdaki insanın ne kadar büyük üzüntüler yaşadığını hiç hesaba katmamış, gaf yapmıştım.

"Ne diyeceğimi bilemiyorum. Üzüldüm..."

"Üzülmeyin... İnançlı insanlar, böyle denemelere karşı sabretmelidir. Taçlı leydimiz olarak sizin öncülüğünüzde, inancımız için çalışmayı sürdüreceğiz. Artık önemli olan bu..."

"Taçlı mı?"

"Rab ve insan sevgisi krallığının tacı... Sizin başınızda gördüğüm taç budur."

"Beni mahcup etmeyin lütfen! Sizin gibi âlimlerin yanında, bizim gibi insanların yapabildiği nedir ki? Deryada bir damla belki..." Beni daha fazla övsün istemiyordum. "Jozef Karo'yu da ders vermesi için davet ettim. Ancak zaman zaman gelebileceğini söyledi. Daimi olarak bulunamayacağını bildirdi. Safed Akademisi'nde değerli çalışmaları oldu. Sanırım kutsal topraklardan bir daha ayrılmayı düşünmüyor."

"Ben de öyle tahmin ediyorum."

-59-

Kafam bunlarla meşgulken, şehre gelip tablolar yapmaya, resimlerini satmaya çalışan çok sayıda insandan biri daha kapımızı çaldı. Venedik'ten gelen ressam Guliani, beni ziyaret etmek istediğinde gayet isteksizdim. Benim merakım kırk yıl ayrı kaldığım dinim konusundaydı. O konuda bir çalışma için gelmiş olsa başımın üstünde yeri vardı ama hâlâ ve ısrarla başka konularda geliyorlardı. Venedik'te ne olup bittiğini bir de onun ağzından duymak istemesem, kabul etmezdim.

"Muhterem Dona Gracia, beni kabul ettiğiniz içen teşekkür ederim."

"Kapımız sanatçılara her zaman açıktır Sinyor Guliani..." dedim kibarlığı elden bırakmayarak. "Ancak benim gibi yaşlı bir kadının resmini yapmak için geldiyseniz, ikna etmeniz çok zor!"

İçinde bir sır taşıyor da vermememeye çalışıyor gibi heyecanlı hareket ediyordu.

"Hanımefendi, elbette bunu çok isterim. Hatta Belvedere

Sarayı'nın geniş ve boş duvarlarını gördüm. İsterseniz burada birkaç ay kalıp aile üyelerinizin tabloları ile süsleyebilirim. Çok güzel manzaralar da çizebilirim sizin için. Görenlerin hayran olacağı tablolarınız olur. Bütün bunları uygun fiyatla sizin için yaparım. Cömertliğiniz zaten herkesin dilinde."

"Hayır, hayır. Teşekkür ederim. Benim bunlara ihtiyacım yok. Evimiz yeterince süslü."

Ağzındaki asıl baklayı çıkarmaya hazırlandı.

"Peki, fakat size göstermeyi düşündüğüm şey daha başka..." Yanındaki rulolardan birini eline aldı. "Öyle kıymetli bir eser var ki elimde, bunu mutlaka almak isteyecek ve muhakkak çok faydalanacaksınız."

"Merak ettim, neymiş o?"

Çok kıymetli bir eseri incitmemeye çalışır gibi yavaşça açtı. Masanın üstüne, önüme bıraktı.

Baktım ama bir şeye benzetemedim.

"Nedir bu?"

"Dona Gracia, yapmayın! Sizin de dostunuz olduğunu, zaman zaman görüştüğünüzü duymuştum..."

Anlamamış gibi baktım. Tabloda alelade bir kadın portresi vardı.

"Gerçekten anlamıyorum! Kimmiş bu? Benim dostum çoktur."

"Tabii ki Roxelana! Hürrem Sultan... Başka kim olacak?"

Şöyle bir baktım. Resimdeki kadının Hürrem'le uzaktan yakından ilgisi yoktu.

"Siz kendisini görerek mi çizdiniz bunu?"

"Ah, ne yazık ki buna imkân yok! Sultan hazretlerine ulaşmak çok zor... Bunu, bana anlatılan detaylı tanımlarla yaptım. Ama benzediğini söylediler."

Gülümsedim.

"Mösyö Guliani, emin olun ki benzemiyor! Tamam, saçları kızıl, gözleri yeşil ama onlar bile benzememiş!"

Hayal kırıklığı yaşıyor gibi oldu.

"Gerçekten mi?"

"Gerçekten... Daha öncekiler gibi bu da Hürrem'e hiç benzemiyor!"

Eskiden de Hürrem Sultan diye satılan tablolar olmuştu. Hem Avrupa'dayken hem de İstanbul'dayken bunlardan birkaçını görmüştüm ama hiçbir tablo gerçek Hürrem'e benzemiyordu. Zaten karısına düşkünlüğü ile bilinen Süleyman, hiçbir yabancı ressamı getirip de saatlerce karşısında oturtmazdı.

"Teninin beyaz olduğunu doğru öğrenmişsiniz. Ama resim tümüyle hatalı! Bir kere Hürrem Sultan, Türk değil. Siz ortalama bir Türk kadını çizmişsiniz. Hürrem bambaşka bir kadın! Tarif etmekte bile zorlanıyorum."

"Ben de sizden asıl bunun için yardım istemeye geldim. Onun gerçek bir tablosunu yapmak istiyorum. Bunu size hediye etmek isterken amacım, onu bunun için ikna etmenizdi. Duydum ki bu teklifi yapabilecek az sayıda kişiden biri de sizmişsiniz."

Gururum okşanmıştı ama bunu niye yapmam gerektiğini bilmiyordum.

"Kabul etmez!"

"Lütfen Dona Gracia. Size yalvarıyorum. Eğer Hürrem Sultan'ı buna ikna ederseniz, ebediyen müteşekkir olurum. Hem bu krallara denk kadın da tanınmış, gerçek hali bilinmiş olur."

"Siz de onun resmini yapan tek kişi olarak çok meşhur olursunuz!"

Ses çıkarmadı. Amacı buydu: Hürrem'i çizen kişi olmak ve zengin olmak. Birçok ressam gibi onun da bir tablo yaparken, çaktırmadan bir tane daha yapacağını, birini Hürrem Sultan'a bırakıp, onun vereceği küçük bir servetle giderken, diğer tabloyu da götürüp Avrupa'da yine küçük bir servet karşılığında satacağını tahmin edebiliyordum.

"Peki. Madem bu kadar ısrar ediyorsunuz, bir denerim. Ama kabul edeceği konusunda ümitsizim."

Neredeyse elime sarılıp öpecekti.

"Sağ olun, çok sağ olun asil kadın! Bu iyiliği yaparsanız, size borcumu nasıl öderim bilmem. Çok teşekkür ederim."

•

Hürrem Sultan beni kabul ettiğinde epeyce yorgun görünüyordu. Nedense görüşme talebime cevap vermesi her zamankinden uzun sürmüş, kabul edileceğimize dair bilgi, günler sonra gelmişti. Sabahın erken saatleri olmasına rağmen de bitkin bir hali vardı.

"Dona Gracia, benimle önemli bir konuyu görüşmek istiyormuşsunuz... Neymiş bu konu?"

Mihrimah Sultan ve yardımcıları da yanındaydı. Mihrimah'ın annesinin güzelliğini alan yüzünde, gizlenmiş bir endişenin izlerini fark ettim.

"Hürrem Sultan Hazretleri, sizin için bir hediye getirdim..."

"Yine bir mücevher mi yoksa? Eğer öyleyse artık benim mücevherle işim kalmadı. Mihrimah Sultan'a göstermelisin."

"Hayır sultan hazretleri! İşte bu..."

Yanımdaki bohçadan, katlanmış bezi çıkardım. Yavaş yavaş açtım.

Önünde, ayakları dibinde açılan tabloya baktı bir anlam veremiyormuş gibi.

"Bu nedir Dona Gracia? Ne anlamı var bunun?"

"Sizin resminiz sultanım!" dedim gülümsememe engel olamayarak. "Daha doğrusu, sizin resminiz diye dolaştırılanlardan..."

Mihrimah Sultan da eğilmiş, bakıyordu.

"Bu çirkin kadın benim validem olamaz! Bu resmen saygısızlık!"

"Mihrimah Sultan'ım, saygısızlıktan değildir sanırım. Daha çok bilmemekten kaynaklı... Hürrem Sultan'ımızın dillere destan güzelliğini duyan ama bir kez olsun görmeyen çok ressam, kendi hayalindeki güzeli çizdiler. Avrupa'da çeşit çeşit Hürrem Sultan'ımıza atfedilen resim görmüştüm. Elbette hiçbiri kendisi gibi güzel değildi."

Hürrem Sultan, "Sağ olasın Nasi. Lakin geçti bizden de artık..."dedi.

Hepimiz birden "Estağfurullah!" diye karşılık verdik.

"Sultanım, bu resmi size getirmekteki maksadım, ressamının bunu yalvar yakar talep etmiş olması. Guliani adında bir Venedikli, kendisinin önemli resim okullarında eğitim gördüğünü iddia ediyor. Sizin bir resminizi yapmak istiyor. Önce bana da çok acayip geldi ama sonra hadsizliğimi bağışlayın, düşününce belki siz de istersiniz diye iletmek istedim. Malum, Süleyman Hazretleri de size çok düşkündür. Belki onun da izniyle, bir resminizin yapılmasını istersiniz."

Güldü.

"Dona Gracia, benim resmim zaten yapıldı!"

"Gerçekten mi? Haberim yoktu sultanım..."

"Tabii yoktu. Kimsenin yok. Yıllar önce yapıldı ama benim suretim olduğunu Harem dışındakiler, beni görmemiş olanlar bilmez. Minyatür ustalarından biri yaptı ve onun sırrı olarak kaldı. Görenler, başka bir hatunun resmi sanırlar ama benimdir."

"Peki sultanım. Siz nasıl isterseniz..."

Elini çenesine koydu. Resmi incelemeyi sürdürüyordu.

"Ama minyatürde insanı tam, olduğu gibi çizemiyorlar. Yani aynadaki gibi değil. Koca kafalı, küçük ağızlı, gül yanaklı... Üstelik bunda bir derinlik var. Minyatürde olmayan bir şey..." Kızına döndü. "Mihrimah'ım, ne dersin, günaha girer miyiz?"

Mihrimah Sultan, "Validem, dinimizin suret yapmayı hoş görmediğini biliyorsunuz. Lakin karar sizindir."

Biraz daha düşündü.

"Neden olmasın? Baktık olmadı, atar ocağa, yaktırırız."

Arkasındaki porselen kaplamayla süslenmiş ocağı gösterdi. Hizmetlileri başlarını salladılar.

"Tamam Dona Gracia, söyle gelsin. Bir resmimi yapsın bakalım."

"Gerçekten mi sultanım?"

"Elbette. Mademki hâlâ güzeliz, bari şimdi yapsın da görmek isteyen, doğrusunu görsün."

"Emriniz başım üstüne sultanım."

-60-

Saraydan ayrıldığımda hâlâ şaşkındım. Bu teklifin kabul edileceğine ilişkin ciddi şüphem vardı ama Hürrem Sultan, başka bir türlü sultan olduğunu yine göstermişti. Aslında Harem'i Eski Saray'dan Topkapı'da yapılan Yeni Saray'a taşıtan, devlet işlerine karışan, vezirleri kendine bağlayan, istemediği paşayı idama yollayabilen oydu. Osmanlı'da Harem'deki bir kadının başka krallara mektup yazması, padişahla nikâh kıyması zaten sıra dışı işlerdi. Bunları başaran Hürrem'di.

Guliani onun resmini yaptığında, herkes gerçek Hürrem'i görecek, gerçekte nasıl bir kadın olduğunu anlayacaktı.

Guliani'yi çağırttım. Hemen kaldığı handa bulup, yanıma getirdiler. Pierre yabancı, güvenmediği birileri olduğunda her zaman yaptığı gibi yanımızdaydı.

"Sinyor Guliani, Hürrem Sultan ile görüştüm..."

"Gerçekten mi? Süre uzayınca ümidimi kesmiştim. Lütfen söyleyin, kabul ettirebildiniz mi?"

Biraz daha meraklansın diye bekledim.

"Lütfen! Beni daha fazla merakta bırakmayın!"

Pierre'e bir göz attım. Pür dikkat bizi dinliyordu.

"Önce şunu sorayım: Kabul ederse benim kazancım ne olacak?"

Şaşırdı:

"Kazanç mı? Ama Dona Gracia, siz zaten zenginsiniz? Benim kazanacağım üç kuruştan sizin pay almanız..."

"Hayır Guliani, paradan söz etmiyorum."

Rahatladı.

"Anladım. Tamam, sizlerin de tablosunu yapacağım. Hem sizin hem de eğer isterseniz, tüm ailenizin topluca."

"Doğrusu şahane bir teklif! Bunu teklif eden ne çok ressam oldu bir bilseniz! Benim talebim başka..."

Biraz daha yanaştı.

"Dinliyorum."

"İkinci tablo..."

"Hangi ikinci tablo?"

"Hürrem Sultan'ın ikinci tablosu... Hani şu gizlice yapıp, kendinize ayıracağınız..."

Suçüstü yakalanmış gibi panikledi.

"Bunu da nereden çıkarıyorsunuz? Gizlice neden tablo yapayım?"

"Elbette götürüp Avrupa'da satmak için... Endişelenmeyin. Bu aramızda kalacak. Ancak ikinci tabloyu Venedik'e götürmeyip, bana bırakacaksınız. Parasını da alacaksınız. Ne kadar isterseniz, ödemeye hazırım."

Bu defa inkâra kalkışmadı. Düşündü...

"Peki. Ama her zaman olduğu gibi bonkör olacağınızı umuyorum Dona Gracia..."

"Hiç şüphen olmasın!"

•

Ertesi sabah henüz yataktan kalkmamıştım. Odamın kapısı hızlı hızlı vurulunca, paniklemiş halde fırladım. Bir anda gözlerim karardı. Aniden yataktan kalkmak, tansiyonumu oynatmış, kalbim güm güm vuruyordu.

"Kim o?" dedim. "Ne oluyor bu saatte?"

"Anne, uyanık mısın?"

Reyna'nın sesi.

"Kızım, gel! Ne oldu?"

İçeri girdi. Kapının önünde Pierre'i de gördüm.

"Felaket anne! Hürrem Sultan!"

"Ne oldu kızım? Yüreğime inecek? Ne olmuş sultana?"

"Ölmüş anne. Hürrem Sultan ölmüş!"

-61-

Cihanın merak ettiği, benzeri daha önce görülmeyen sultan, son nefesini vermişti. Süleyman'ın en büyük şehzadesi idam edilirken, kendi çocuklarını tahta vâris yapan Hürrem, bu dünyadan göçmüştü.

Akrabam değildi, çok samimi olduğumuz da söylenemezdi ama sarsıldım.

"Zehirlenmiş olabileceği söyleniyor..." dedi Jozef.

"Gerçekten mi?"

"Bana sorarsan değil. Çünkü zaten hastaydı. Kadın hastalığı... Yakınında olanlar biliyor, diğerlerinden gizleniyordu."

O anda aklım başıma geldi.

"Demek o sebepten kabul etti!"

"Neyi kabul etti?"

"Jozef, Hürrem Sultan, resmini yaptırmayı kabul etmişti. Guliani'ye... Ben önermiştim."

"Yazık olmuş! Artık öyle bir şansı kalmadı. Cenazesi Süleyman'ın yaptırdığı caminin avlusuna gömülecek. Süleyman öyle büyük bir üzüntü yaşıyor ki uzun bir süre devlet işlerine bile bakmayabilir. Bu bizim için çok iyi olmadı ama yapacak bir şey yok."

•

Süleyman gerçekten de Hürrem'in yasını tuttu. Öyle üzülmüştü ki İran'da bir şehrin adını Hürremabad olarak değiştirdi. Fransa'dan alacağımızı tahsil edemiyorduk ama Süleyman'ın artık aklında başka şeyler vardı. Bir yandan dünyada en çok sevdiği kadını kaybetmiş, diğer yandan küçük oğlu Bayezid, ağabeyi Selim'le ters düşüp, Süleyman'ın rakibi İran Sultanı Tahmasp'ın yanına kaçmıştı.

Yine de işleri takip etmeye devam ettik. Fransa'ya bir elçi gönderilmesi ve durumun bütün açıklığı ile anlatılmasına karar verildi. Bir çavuş bu işi yapmak üzere görevlendirildi.

Çavuşun çeşitli engellemelere rağmen Paris'e ulaştığı haberini aldım.

Yeni kral Charles* Gustiani diye birini temsilci olarak İstanbul'a gönderdi. Gustiani'nin geliş amacını daha gelmeden öğrendik. Padişahın Jozef'e desteğini çekmesi için çalışmalar yapmaya geliyordu. Gustiani, Süleyman'a borcun mesnetsiz olduğunu, hukuk dışı faaliyetlerle ilgili olduğunu, Fransa'nın ödemeyi reddetme hakkı bulunduğunu iddia etti.

Önceden haber almanın faydası bir kere daha ortaya çıktı.

---

* IX. Charles

Gustiani, Saray'dan umduğu cevabı alamadı. Artık başka yol kalmamıştı.

Ya borcu ödeyecekler ya da Osmanlı'nın dostluğunu kaybedecekler.

Charles, Fransa'nın düşmanları ile barış antlaşmaları yapıp biraz rahatlayınca yine borcunu ödemeye yanaşmadı. Bunun üzerine yeni büyükelçi Petremol'e konu hatırlatılıp hem Süleyman hem de Şehzade Selim'in konuya duyarlı olduğu anlatıldı. Petremol durumu anladı ve kendi kralına borcun ödenmesini tavsiye etti. Yüz elli bin ekü borç vardı ve bu taksitlendirilebilir, altmış bini şimdi, kalanı kışa doğru ödenebilirdi.

Daha öncekilerle aynı bahane, Charles tarafından da tekrarlandı: Musevi'ye borç ödemeye şeriatın izni yok!

Şeriatın hükmünü bildirerek senedin yırtılmasını, borcun bozulmasını Süleyman'dan rica etti.

Katolik şeriatı, Musevi'den büyük miktarlarda borç alınmasını, bunun tepe tepe kullanılmasını yasaklamıyor ama borcun ödenmesini yasaklıyordu!

Fransa'da ya da Avrupa'da bir yerlerde olsaydık, muhtemelen daha kolay bir yol seçer, heretiklik suçlamasıyla yargılar ve hukuka uygun olarak borcun ödenmesine gerek olmadığı hükmüne varırlardı.

Elbette ki kendi ülkesini bile adaletli yönetmek için kanunlar çıkaran ve lakabı "Kanuni" olan Süleyman, bu mantıksız gerekçeyi geçerli bulmadı. İki ülke arasında yazışmalar sürdü, elçiler gitti geldi.

Jozef ise yeni pazarlar bulmak için çalışmayı sürdürüyordu. Lehistan ile yakından ilgilenmeye başlamış, Kral Sigismund Agustus* ile iyi ilişkiler geliştirmiş, şarap ticareti için avantajlar sağlamıştı.

Jozef, Ege ve Akdeniz'de adalarda üretilen şarapları alıyordu. Sakız, Sicilya ve Kıbrıs'ta bağları olan üreticilerle anlaşmalar yapmış, yüksek kaliteli şaraplar ürettiriyordu. Koleksiyonundaki en iyi şaraplardan Şehzade Selim'e de gönderiyordu.

•

"Kıbrıs'ın şarabını değil, kendisini içmeliyiz Gracia hala... Bütün amacım bu!"

"Jozef, Kıbrıs'ı ne yapacağız? Çok sıcak ve çok karışık bir ada olduğunu duydum. Üstelik korsan yatağı olduğu söyleniyor."

"Gracia hala, hayatımız boyunca neyin peşinde koştuk?"

Düşündüm... Hiç aklıma gelmemişti.

"Jozef! Yoksa..."

* II. Sigismund

-62-

Selanik, Marranların İstanbul gibi yoğun yerleştiği şehirlerin başında geliyordu. Bunda, şehri geliştirmek ve İstanbul gibi parlak bir liman haline getirmek isteyen Saray'ın da rolü vardı. İlk gelenler Lizbon Sinagogu'na bağlanıp, bu yörelerden gelen Musevilerin yaşadığı mahallelere yerleşmişler, Ortaköy'de on bir Musevi mahallesi oluşması gibi, göçler devam ettiğinden Selanik'te de birçok yeni Musevi mahallesi ortaya çıkmıştı. Artık yeni bir sinagog daha gerekiyordu. Eski Lizbon Sinagogu, Yeni Lizbon Sinagogu diye ikiye ayrıldı ama yine yetmedi. Üstelik gelen varlıklı ve bilgili Marranları kapmak için mücadele başladı. Kendi cemaatimiz içinde bir çekişmeyi istemiyordum. Fikrimi Jozef'e açtım:

"Bütün yeni gelenleri kapsayacak büyüklükte bir sinagog yaptırmak istiyorum."

"Bir tane daha mı? Nereye?"

"Hayır, İstanbul'a değil. Selanik'e..."

Birkaç saniye düşündü.

"İyi olur Gracia hala. Zaten İstanbul dışındakilere yardım ediyordun. Böylece kalıcı bir eser daha bırakmış olursun."

"Tamam ama bununla senin ilgilenmene karar verdim."

"Tamam da benim diğer işlerim..."

Sözünü bitirmesine izin vermedim:

"Diğer işlerin de önemli ama bunu da ihmal etme. 'Livyat Hen' adına bir sinagog inşa edilecek. Başına ise Musa Almossino'yu getirmeyi düşünüyorum. Sence de uygun mu?"

"Gracia hala, sen bir konuyu açtıysan, zaten kafanda onu uzun uzun düşünüp, etraflıca planlayıp, bitirmişsindir. Bunu bana söylediğine göre sinagogun bitmiş halini bile hayalinde canlandırmışsındır derim."

Beni iyi tanıyordu.

"Ama yine itirazlar gelecek. Sinagogların çokluğundan şikâyet edenler var. Mali yükleri paylaşmak için sinagoglar cemaatini artırmaya çalışırken, senin yeni bir sinagog fikrin, kimilerinin hoşuna gitmeyecektir."

"Bunları aşabiliriz Jozef. Önemli olan Musa Almossino'yu ikna edebilmek. Zeki, esnek, bilgili biri... O çevrede bulunabilecek en iyi aday."

"Eh, onu ikna etmek de benim görevim olsun artık."

"Sana güveniyorum."

Gerçekten güveniyordum. Hem de çok... Kıbrıs meselesini bana açtığından beri artık aklımda bir başka konu vardı:

"Sırrı ona söylemeli, görevi ona devretmeliyim!"

Acele etmiyor, uzun uzun tartıyordum zihnimde ama Jozef'ten daha uygun biri yoktu çevremde.

Kaynağı sağladıktan sonra, sinagogu yapmak zor olmuyordu. Özellikle Saray'ın izin vermekte sakınca görmemesi, en önemli engelin aşılmasını sağlıyor, sultanın sözü üstüne söz söyleyecek kimse bulunmadığından, Müslüman, Musevi ya da Hıristiyan, kimsenin sesi çıkmıyordu. Elbette muhalefet eden de vardı ama yaşam tecrübem bana, hayırlı bir iş de yapsan, illa ki birilerinin bundan hoşlanmayabileceğini, karşı çıkabileceğini göstermişti.

"Almossino görevi kabul için bazı şartlar ileri sürdü ama hepsi makul şartlar. Olumlu cevap verdim."

"Sevindim. Ayrıca..."

Gülümsedi.

"Kafanda bir başka plan daha var değil mi Gracia hala?"

"Evet. Sinagog yanında bir de akademi kurup, her istekliye eğitim imkânı sağlanmalı."

"Tabii ki bunu da detaylarıyla planladın! Peki, başına kimin getirilmesini istiyorsun?"

"Talmud hocalarından Samuel de Medina. Akademinin geliri için de Selanik'teki gayrimenkullerimizin kira gelirleri kullanılacak."

•

Jozef, tüm Katolikler için istenmeyen adam olurken, arkasına aldığı Osmanlı'nın güvencesiyle çalışmalarına devam ediyor, Hıristiyan dünyasının tekniğini, istihbari bilgilerini Osmanlı'ya taşıyordu. Bu kadar nefret edilmesinin temel nedeni, sahip olduklarına el konulamamış, soyulamamış olmasıydı.

Süleyman, Selim'e para göndermek için de Jozef'i kullanacak kadar güveniyordu.

Ancona boykotunun kırılması benim için hayal kırıklığıydı ama hayatımdaki hedefler bitmemişti. Osmanlı bize çok yardımcı oluyor, güven içinde yaşamamıza izin veriyordu fakat gelecekte bizi yine neyin beklediğini bilmemek kötüydü.

•

Gözlerim bağlı orta yerde duruyorum. Tehlikenin nereden geleceği belli değil. Darbe her yönden gelebilir...

Jozef'in Kıbrıs adına düşünceleri olması epeydir ihmal ettiğim bir konuyu yeniden aklıma getirdi. Hayatımı buna adamış, bunun finansmanını sağlamak için bunca yıl çaba göstermiştim.

Zamanı geldi...

•

"Jozef, otur karşıma..."

"Gracia hala, neden bu vakitte benimle görüşmek istedin? Neden sabahı beklemedin?"

Parmağımı dudaklarıma götürüp, sessiz olmasını işaret ettim.

"Herkesin yatmasını bekledim. Pierre'in bile..."

O da sesini alçalttı.

"Beni endişelendiriyorsun. Kötü bir şey mi var?"

"Hayır Jozef. Ama Kıbrıs konusunda söylediklerin, epeydir

kendime sakladığım bir konuyu hatırlattı. Bana emanet edilen bir sır, bir vasiyet. Artık senin de bilme vaktin geldi."

Durumun ciddiyetini anlamış gibi baktı.

"Şimdi sana anlatacağım konuyu, Reyna ile bile paylaşmanı istemiyorum. Bilecek, bunun için çalışacak ama uygun zaman gelene kadar dile getirmeyeceksin! Senin gerçekleştiğini görmeye ömrün yetmezse, bir başkasına vasiyet edeceksin."

-63-

Bizim gibi başka büyük aileler de vardı büyük sermayeye sahip ama bizim kadar kendini bu işlere adayanlar azdı. Bizim bir artımız da diğerlerine kıyasla Osmanlı Sarayı'na daha yakın olmamızdı. Bir aziz olmak, kahraman olarak anılmak değildi niyetim. Ancona Boykotu, ne yaparsam yapayım, kendi dindaşlarım içinde bile durumu anlatamayacağım insanlar olduğu gerçeğini yüzüme çarpmıştı.

Epeyce yol almıştık ama kesin çözüm ne?

Daha önce bize güvence veren ancak sonra sözlerini unutanlar çoktu. Hüsranlarımız sayılamayacak kadar fazla... Irkçı davranmayan tek yer olan Osmanlı, çözüme bir adım daha yaklaştığımız yer oldu.

Tek umut, ırkçı bir yaklaşımı olmayan ve Museviler açısından kutsal toprakların yönetimini elinde tutan Osmanlı ile beraber bir çözüm aramak.

Kutsal topraklar, 1516'da 1. Selim tarafından Osmanlı topraklarına katılmış ve yönetim şekli de dört sancak olarak tasarlanmıştı: Kudüs, Gazze, Nablus ve Safed.

Elbette hayallerimizi süsleyen yer Kudüs'tü. Hem kutsaldı hem de anavatanımız. Ancak Süleyman'dan burayı istemek hayalcilikten öte, delilikti. Kudüs sadece bizim için değil, Müslüman ve Hıristiyanlar için de kutsal kabul edildiğinden, tepkilere neden olabilir, Süleyman'ın bize olan güvenini de sarsabilirdi.

Kutsal topraklarda yer alan Hebron, İbrahim, İshak ve Yakup'un mezarlarının bulunduğu yer olmasına rağmen, hem küçük hem de Kudüs'le çok iç içe olduğu için talep edilmesi zordu. Safed, güvenlikli bir şehir olduğu için akademik çalışmaların geliştiği ve Musevilerin nispeten refah içinde yaşadığı bir yerdi. Önde gelen Musevi akademileri burada kurulmuş, değerli bilginler burada yaşamıştı.

Kala kala geriye metruk ve perişan durumda olan Tiberiye kalıyordu.

Mevcut zorluklara rağmen burası bir Musevi yerleşim merkezinin kurulabilmesi açısından tek seçenekti. Bu hedef belirlendi ve Süleyman'a, Osmanlı menfaatleriyle de örtüşen bir seçenek sunuldu.

Tiberiye orta ve uzun vadede maddi bir yük olmaktan çıkacak, Hazine'ye ciddi gelir getirecek bir yer olacaktı. Osmanlı'ya dost, güvenilirliğini ispat etmiş ve bu cepheden gelebilecek tehlikeleri savuşturacaktı burada oluşacak devlet. En başta kendi canlarını korumak için buna mecbur olacaktı.

Süleyman planı inceledi ve kabul etti.

•

"Jozef, inanamıyorum! Hayalimiz gerçek oldu!" dedim odanın içinde dört dönerken. "Gerçekten oldu mu bu? Gerçekten Süleyman bize Tiberiye'yi verdi mi?"

Her zaman benden bir adım daha sonrasını düşünürdü ve bir parça daha karamsardı:

"Sıra en zor kısma geldi Gracia hala. Diaspora Musevilerini bu yöreye nasıl yerleştireceğiz?"

Sevincim kursağımda kalır gibi oldu.

"Ya gelmezlerse?"

"Olabilir. Çünkü Avrupa'da sefil bir hayat sürenlerin bile kurulu bir düzeni var. Belirli bir rahatlık düzeyi var. Tiberiye gibi hayvanların bile barınmakta zorlandığı, asgari yaşam şartlarının henüz olmadığı, korunaksız bir yere, üstelik ailelerini de alıp gelmek istemeyebilirler. Hem, geldiklerinde ne bulacaklar? Ne ev var ne de yapılacak iş."

"Yani diyorsun ki önce şartları oluşturalım..."

"Evet. Yoksa Tiberiye'nin bize verilmesi hiçbir işe yaramayacak."

"O halde önce bunu sağlamalıyız. Terziye, marangoza, fırıncıya ihtiyaç duyulan bir yer oluşturmalıyız. Üstelik bu yerin kutsallığını da unutma Jozef! Özgürlük isteyenler gelecektir. Yeter ki biz altyapıyı hazır edelim. Filistin'e dönüşün yolunu açalım. Asırlar sonra bu mucizeyi anlayıp gelecekler olacaktır!"

"Sen Tiberiye'yi görmedin Gracia hala. Ama yerini bilirsin. Celile Gölü'nün batı kıyılarında..."

Biliyordum. Eskiden Musevilerin yoğun yaşadığı bir yerdi. Termal kaplıcaları yüzünden olsa gerek, Kral Herodos Antipas tarafından burada bir şehir kurulmuş, İmparator Tiberius Claudius Nero'nun adını vermişlerdi. Herodos Antipas, Musevilere yaptığı zulümle ünlüydü. Tiberiye'nin şimdiki halini görmemiştim ama şehir çok büyüyünce Celile Gölü'nün Tiberiye Denizi diye anıldığını, Museviler Romalılarla savaştıklarında, Celile'yi savunan Musevi ordusunun generali Matthias'ın oğlu Jozef'in savaşı kaybettiğini, bilahare Romalılarla bir olup Vespasian'a danışmanlık yaptığını, adını da Josephus Flavius olarak değiştirdiğini biliyordum. Romalılar çevre şehirleri yerle bir etmiş, Flavius şehrin altın anahtarını sunarak, yıkımdan kurtarmıştı.

Tiberiye, Talmud'a ve Kabala'ya yön veren önemli dini şahsiyetlerin hayallerini süsleyen, bazılarının gelip bir süre kaldığı veya yerleşmek üzere taşındığı, öldüklerinde de bu şehirde gömülme ayrıcalığını edinmiş ünlü kişilerin mezarlarının bulunduğu yerdi. Bugün harabe olsa da...

•

68 yılında Kudüs, Museviler için Romalıların baskısı altında yaşanmaz hale gelmişti. Musevi ayaklanmalarından bıkan Romalılar ebediyete kadar Musevileri Kudüs'te yaşamalarını yasaklamak üzere cezalandırdıktan sonra, her şey allak bullak olmuş, 70'te 2. Mabet yıkılmıştı. Haham Şimon bar Yohai, Kabala* ile ilgili en meşhur kitap külliyesi olan Zohar'ın** yazarı, Tiberiye'yi "ruhani kirlilikten" arındırmış ve Musevilerin tekrar yerleşmesinin yolunu açmıştı.

---

* Musevi mistisizmi veya Tevrat'ın gizli yüzü.

** Işıldama

Bu tarihlere kadar Sanhedrin, yetmiş yaşlı bilge adamla başkanlık yapan bir "nasi"den* oluşan Musevi Şûrası ve dinen en önemli kurulu, tabii olarak Kudüs'te toplanıyordu. Nasi, adaletli karakteri ile anılan Kral Süleyman'ın soyundan gelmesi geleneğine uyularak seçilir, bu unvanla anılıp kurul başkanlığı görevinin doğal namzedi olarak kabul edilirdi. Bu kurul hahamların, eğitimleri sonunda başarılı olanlar arasından uygun bulduklarının beratlarını imzalama ve tayinlerine karar verme yetkisine sahip, bir nevi dünya Musevilerinin ırksal yüce hayali meclisiydi. Sanhedrin, 145 yılında Romalılara karşı Bar Kohba isyanının umutla başlayıp hüsranla sonuçlanmasından sonra Kudüs'ten ayrılmış ve 150 yılı civarında yerleşmek üzere Tiberiye'yi seçmiş, 425'te Bizans istilasından sonra şehir tamamen dağılmıştı. 135'te Musevilerin Kudüs'ten kovulması sonunda gelen göç ve Yohanan bar Nafşa'nın da buraya yerleşmesi, Tiberiye'nin din akademileriyle Musevi âleminin önemli eğitim ve bilgi merkezi olmasında rol oynadı. Mişna yani çok karışık bir şekilde gelişmiş olan Talmud'un daha anlaşılabilir olması amacıyla kodlanması ile Kudüs Talmudu, 200'lü yılların başlarında Haham Yuda Nasi tarafından buralarda toparlandı.

Halifeler bölgeyi egemenlikleri altına aldıktan sonra, 636 yılında Hazreti Ömer döneminde Bet Şin, bölge başkenti sıfatını Tiberiye'den devralmış ve Kudüs'e yetmiş Musevi ailenin göçüne izin vermesiyle birlikte Kudüs'te Musevi yaşamı canlanmış, Tiberiye'nin eski etkinliği sona ermişti.

12. yüzyıla gelindiğinde Tiberiye'de elli Musevi aile yaşa-

---

* Prens

maktaydı ve en kaliteli Tevrat elyazmalarının buradan temin edilebildiği söylenirdi. Sinagoglarda bulunan elyazması Tevrat ruloları belirli din bilgisi seviyesine ulaşmış, yetkilendirilmiş hattatlar tarafından çok katı kurallar çerçevesinde yazılır, en ufak bir hata dahi kabul edilmezdi.

Bu şehre damgasını vuranlar arasında, 1204 yılında Mısır'da ölen Musevi tarihinin efsanevi şahsiyeti Haham Moşe ben Maimon veya daha fazla bilinen adıyla Maimonides de vardı. Hukuku bilgini, yazar, filozof, hümanist ve aynı zamanda bir hekimdi. Vasiyetnamesinde Tiberiye'de gömülmeyi arzu ettiğini belirttiğinden cenazesi zor şartlarda nakledilmek suretiyle buraya taşınmıştı.

1265'te, Museviler Tiberiye'yi terk etmek zorunda kaldıktan sonra, Memlukler, gaddar Haçlıları buralardan sürerler ama her iki grup da Tiberiye'nin yaşamaya uygun bir yer olmaması için ellerinden gelen her şeyi yapar. 1516'da Osmanlılar Tiberiye'yi fethedince burayı taş üstünde taş kalmamış, maddi manevi her türlü varlıktan yoksun, durgun yaşamı olan bir yer ve insanlarını korku içinde, sinik ve içine kapanmış bir ruh halinde buldular. Sadece birkaç fakir Musevi balıkçı günlük hayatlarını sürdürme mücadelesi veriyordu.

•

"Jozef, anlamakta zorlanıyorum, Süleyman bize bu toprağı verdi mi şimdi?"

"Hayır Gracia hala. Toprak yine Süleyman'ın kalacak. Bize iltizam veriyor. Burada sadece vergi toplama ayrıcalığı değil, geniş haklar da sağlıyor. Bir nevi yarı bağımsız bir bölge..."

"Ve biz burada Musevilerin kendilerini yönetebilecekleri, politik özgürlüklerine kavuşabilecekleri bir ortam yaratacağız. Vaat edilen topraklardan kovulduktan yüzlerce yıl sonra ilk kez bu topraklarda bir güvencemiz olacak. Artık burada başarılı olup nüfuzumuz artınca birileri bizden rahatsızlık duymayacak..."

"Ya da yöneticilerin ucuz tutkularına kurban edilmeyeceğiz..."

"Rüya gibi!"

"Öyle."

"Şu son olayın üzerine yeniden umutlanmama sebep oldu."

-64-

Osmanlı'da huzura kavuşmuştuk ama Avrupalıların düşmanlığı bitmemiş, burada kullanabilecekleri herkese ulaşmaya çalışmışlardı. Sokullu Mehmet Paşa'nın da Jozef'e ilişkin önyargıları, hasımlığa dönüştü. Üstelik Süleyman'ın torunu, bir sonraki padişah olması için artık hiçbir engeli kalmayan Selim'in kızı Esmehan ile evleniyor olması Mehmet Paşa'nın elini çok güçlendirdi.

Jozef'le birlikte var gücümüzle çalışmaya başladık. Tiberiye'den İsrail yeniden doğacak, diasporayı toplayacaktı. Jozef'e "Tiberiye Lordu" unvanı verildi. Elli bir yaşında, artık saçları ağarmaya başlamış bir kadındım. Tiberiye'de Musevilerin özgür ve kendi kendilerini yönettiğini görmeye ömrüm yetecek mi bilmiyordum. Ancak bildiğim bir şey var ki Jozef'in aklındaki yer Tiberiye değil her zaman Kıbrıs oldu. Kıbrıs'ın Venedik'ten alınması ve Musevilere vatan olmasını istiyordu. Bununla hem daha güvenli bir ülke kuracağını hem de Venedik'ten bir çeşit intikam alacağını düşünüyordu.

"Beni Kıbrıs kralı yapacağını söyledi!" dedi heyecanla.

Reyna benden önce davrandı:

"Kim, nasıl?"

Ben de meraklı gözlerle bakıyordum.

"Selim... Bir gün padişah olunca, Kıbrıs'ın fethedileceğini ve beni de kral yapacağını söyledi."

Reyna sevinçten ellerini çırptı. Ben ve arkamda yine sessizce bekleyen Pierre ise sakindik.

"Ne oldu Gracia hala, sevinmedin mi?"

"Jozef, heyecanını anlıyorum. Ama bana pek inandırıcı gelmedi bu konu. Kıbrıs'ı Selim sana vermek istese bile padişah çok güçlü ama onun gücünü aldığı yerler var. Bunlardan biri Divan dediği o paşaların toplamı. Bir diğeri ordusu... Sonra Harem de var... Bunların her biri sultan üzerinde etkili... Biri bile muhalefet etse, bu iş olmaz. Osmanlı içinde bir krallık oluşturulmasına izin vermeyebilirler. Mutlaka düşmanlarımız da boş durmayacaktır. Ayrıca unuttuğun bir şey var: Kıbrıs hâlâ Osmanlı'ya ait değil! Venedik'in kontrolünde ve Yenidünya'nın zenginlikleri Avrupa'ya akıyor. Avrupa, bu konuda Venedik'in yanında olup, burayı Osmanlı'ya kaptırmak istemeyecektir."

"Biliyorum. Bu nedenle bütün desteğimi vereceğim. Selim'in padişah olması ve Kıbrıs'ı alması lazım!"

"Bunun yerine Tiberiye'ye yoğunlaşmalıyız."

"Tiberiye bir çöl. Bin yıldır da harap durumda. Oysa Kıbrıs yemyeşil bir ada. Eşsiz bir inci!"

Uyarılarımı duymuyordu bile. Selim'e inanmış, çoktan kafasında planları kurmaya başlamıştı.

"Kıbrıs'taki Musevilerle temasa geçeceğim. Her türlü istihbarat ve yardıma ihtiyacımız olacak. Orada gerekirse sabotaj ekipleri oluşturulmasını isteyeceğim. Kıbrıs mutlaka Osmanlı'nın eline geçmeli!"

Başımı salladım. Haklı çıkmasını istiyordum ama gerçekler vardı. Enerjimizi ve servetimizi Tiberiye'ye yoğunlaştırmalı, herkesin istediği Kıbrıs yerine, şu dönemde kimsenin umurunda olmayan Tiberiye'yi mamur etmeliydik.

Kutsal topraklara gömülmek bütün Marran ve Musevilerin arzusuydu. Francisco da bunu istemiş, uzun çabalardan sonra bunu yapabilmiştik. Kutsal toprakların kuzey eteklerinde olan Tiberiye'nin Museviler için ayrı bir önemi vardı. Bazı hahamlar, Mesih'in dünyaya buradan geleceğini, buralardan çalışmaya başlayacağını söylüyordu. Mesih buraya gelecekse, ilk diriltilecekler arasında kendisinin de olmasını isteyen çoktu.

"Mesih Kıbrıs'a gelmeyecek ki! Kutsal topraklara, Tiberiye'ye geleceğini düşünen çok."

Elde ettiği büyük zaferi anlamıyormuşum gibi baktı. Elbette o da haklıydı. Kısa bir sürede hem Tiberiye'yi Süleyman'dan almayı başarmış hem de Selim'den Kıbrıs'ın sözünü almıştı. Bu iltimaslar, damat paşalara bile verilen şeyler değildi.

"Bin yıldır umutla bekleniyor ama bu biraz da bizi ayakta tutmak için inandığımız bir şey Gracia hala. Bizi ayakta tutmak için... Mesih gelirse, başımızın üstünde yeri var. Ama Kabalistlerin görmek istemediği şu: Sadece hayal edilerek, beklenerek ve dua edilerek olmuyor. Çok çalışmak lazım! Akdeniz'in ortasında bir Musevi ülkesi olacaksa, Mesih bundan emin ol hiç rahatsız olmaz. Tiberiye için de çalışmayı sürdüreceğiz, Kıbrıs için de..."

Reyna söze girdi:

"Anne, kocamın bir kral olmasından niye rahatsızlık duyuyorsun?"

-65-

Annemin, babamın, kocamın, sevdiğim adamın ve daha nicelerinin ölümünü görmüştüm ama yine de evladım yanımdaydı. Hürrem Sultan'ın ölüp gittiği için çok şanslı olduğunu düşünüyorum çünkü çok sevdiğini bildiğim oğlu, Bayezid, babası tarafından verilen emirle, Kazvin denilen şehirde bulunup boğduruldu. Üstelik çocuklarıyla birlikte...

Tiberiye'nin bize verilmesinde muhtemelen Selim'e verdiğimiz desteğin etkisi vardı. Süleyman, Bayezid'in İran'a kaçmasına çok kızmış, zaten Hürrem'in de desteğini alan Selim'in yeri garantilenmişti. Süleyman, vergi gelirlerinin artmasını beklerken, oğlundan ve torunu Murat'tan da bu kararına sadık kalmalarını vasiyet etti.

Jozef'in kendini Tiberiye'de kral ilan edeceğini, Musevileri buraya toplayacağını söyleyen dedikodular hemen başladı. İstanbul'da olduğu kadar Avrupa'da da dedikodular alıp yürüdü.

Fransa kralı, papa ve diğerleri rahatsız olmuş, "Nasi'nin Tiberiye'nin harabelerinde dolaşan yılanlardan daha tehlikeli olacağı" yorumları yapılmıştı. Hıristiyanları galeyana getirmek için, şehirdeki kilisenin sinagoga dönüştürüleceğini iddia edenler de vardı. Filistin'in apostolik delegesi Bonifazio, İstanbul'a gelerek, Rüstem Paşa ile görüştü. Ona protestoları anlattı. Bonifazio'nun bilmediği, Rüstem Paşa ile Jozef'in yedikleri içtiklerinin ayrı gitmediğiydi.

Tiberiye'yi görmüş olan gezginler, portakal çiçeği kokularını, palmiye ağaçlarını anlatıyor, hayallere dalmama neden oluyorlardı.

Hayatımın son yıllarını kutsal Tiberiye'de geçirmeyi hayal ediyordum. Engizisyondan kaçıp kurtulanların arasında, kaplıcalarda banyo yaparak, göl kenarında püfür püfür esen rüzgârları yüzümde hissederek, sakin ve huzurlu yaşamanın hayalini kuruyordum. Bu şekilde belki Francisco'nun yanına da gömülebilirdim.

Elbette bu hayalleri kurarken, ömrümün sonunun nasıl geleceğini bilmiyordum...

•

Ertesi yılın baharında Jozef, Haham Jozef ben Ardut'u Tiberiye'ye gönderip, oradaki durum hakkında bilgi vermesini, harabelerden elde edeceği taşlarla, yerleşim yeri etrafına bir duvar örmesini istedi. Süleyman, hem çevre illerdeki valilerin yardımcı olmasını hem de inşaat ve duvar ustalarının yardımcı olmasını ferman buyurdu.

Jozef, yaptıkları işlerin muhasebesinden mutlaka beni bilgilendirirdi.

"Gracia hala, geçen yıl bölgeden toplanan verginin en az altı katını vereceğiz. Senede bin altın ödemeye ve on yıl içinde toplanan vergilerin en az on katına çıkacağına söz verdik."

Bu iş bize pahalıya patlıyordu ama değerdi.

"Tamamdır. Bu hamle, saraydaki muhaliflerin bile ağzını kapatır."

"Jozef ben Ardut, Filistin yolunu tutmadan Süleyman tarafından sarayda kabul edildi. Kendisine devletin resmi görevlisi gibi maaş bağlandı."

"Duvar güvenliği sağlayacaktır ama bu yetmez. Orasını yaşanabilir bir bölge haline getirmek lazım."

"Biliyorum. Bunun için Tiberiye'yi ipek ve yün hammaddeleri işleyecek bir şehir haline getirmek istiyorum. Ben Ardut'tan ipekböceklerinin üremesi için bol miktarda dut ağacı dikmesini istedim. İspanya'dan yün ithal edip, Venedik'te kullanılan giysilerin benzeri yapılabilirse, çok iyi fiyatlara satılabilir. Öncelikle güvenlik sağlanmalı. Tiberiye'nin yanı başındaki Safed daha güvenli olduğu için hem gelişmiş hem de önemli din âlimlerinin yetiştirilebildiği bir şehir haline geldi. Yerleşimle ilgili bir sorun da yerin altı..."

Gözlerine baktım.

"Sürekli zelzele oluyor."

"Daha sağlam binalar yapılsın o halde."

"Oradaki Musevilerle ilgili de bir sorunumuz var."

"Nedir?"

"Din akademileri açılmasını, Talmud ve Kabalist çalışmalar yapılmasını istiyorlar. Dilimin döndüğünce kendilerine yazdım. Önceliğimiz bu aşama, o değil. Bürokratik zorluklara neden olur şimdi bu işlere girmek. Önce şehri cıvıl cıvıl hale getirmeliyiz. Yoksa Marranları bu şehre göç etmeye ikna edemeyiz."

"Jozef, Tiberiye'yle ilgili güzel bir haberin yok mu?"

"Gelecekte olacak. Ama şimdi bütün sorunları bilmen lazım..."

"Başka sorunlar da mı var?"

"Araplar... Onlar da isyan etti. Çevredeki Araplar Tiberiye'nin canlandırılmasının İslam'ın sonunu hazırlayacağını, yıkılışına neden olacağını iddia ediyor. Duvar işi için aldığımız işçilerin dini duygularına seslenip, 'kendi dinlerine ihanet ettikleri' algısı oluşturuyorlar. İşçilerden kaçanlar oluyor. Haham Jozef Ardut, Şam paşasına şikâyetlerini ve sıkıntılarını iletti, sultanın emirlerine uyulmadığını anlattı. Kaçan Arap işçilerinin geri gelmelerinin sağlanmasını istedi. Paşa soruşturma açtırıp, iki kişiyi idam ettirdi. Bundan sonra işçiler yeniden çalışmaya başladılar."

•

Bir yıla kalmadan, bin üç yüz metre uzunluğunda duvar örüldü. Celile Gölü'nün bir kenarından başlayan duvar, hilal şeklinde bir yay çizip, tekrar göle dönüyordu.

Çabamız karşılığını bulmaya başladı. Avrupa'da çile çekip umut arayanlar arasında, bu girişim heyecan yarattı. Venedik ve Ancona'dan gemilerle insanların götürüldüğü iddia edilince, söylentileri duyanlar da göç hazırlıklarına başladı. Jozef, Tiberiye'ye götürülecek insanlarda bazı vasıflar arıyordu. Sermaye ve ticari bilgiye sahip olanlar tercih ediliyordu.

"Herkesi alamayız Gracia hala. Gönüllü gelmek isteyenlerin çoğu zaten yoksul, kısıtlamalar nedeniyle ikinci el eşya alıp satanlar. Ancak onları götürürsek, gittikleri yerde yoksullukları daha da artacak. Bunu bilmedikleri için gitmeye can atıyorlar."

"İsrail yeniden kurulmuş gibi heyecan duyuyorlar değil mi?"

"Öyle sanırım. Kulaktan kulağa öyle dedikodular yayılmış ki şaştım kaldım. Hatta senin Tiberiye'de kendine bir köşk yaptırdığını bile duydum!"

Gülümsedik. İleride böyle bir niyetim vardı ama daha ortada temeli bile yoktu.

"Yıllardır bizi takip etmekten vazgeçmediler. Her adımımızı... Neyse ki ihtiyatlı davranıyoruz."

"Bize teknik işlerden anlayan insanlar gerekli. Tekstil atölyelerini, boyahaneleri kuracak insanlar gerekli. Genç ve dinamik insanlara ihtiyaç var Gracia hala. Gelen gideni aratmıyor. Paulus'un yerine Pius* geldi ama durum değişmedi. Baskı altındakiler de Grand Senior** ve Nasi'nin kurtarıcı meleği olduğuna inanmışlar. Bütün bir kasabayı toplayıp taşınmak isteyenlerden bile başvuru geliyor. Daha 'taşınabilirsiniz' denilmeden, tası tarağı toplayan, elinde ne varsa satıp savıp yola düşmek isteyenler var."

"Ne yapacaksın peki?"

"Orada mallarının karşılığını teslim edip, burada almalarını sağlayacağım. Gelene kapılarımızı kapatamayız. Ayrıca güvenli seyahatleri için ne gerekiyorsa..."

"Jozef, sende bir usanma görüyorum. Bana söylemediğin bir şeyler mi oluyor?"

---

* IV. Pius

** Kanuni Sultan Süleyman

"Yok... Sanırım biraz hayal kırıklığı yaşıyorum. Avrupa'dan gelmesi beklenenler gelmiyor. Gelenler, Kral Süleyman dönemini yaşayacaklarını sanırken, zorluklarla karşılaşıp, beğenmiyor, Tiberiye'de yaşayanlar ise şehri canlandırmak için yaptığımız faaliyetleri neredeyse dinsizlik gibi suçluyor. Açıkçası sen bu kadar istekli olmasan, bu projeye devam eder miydim, bilmem..."

"Jozef, sakın yılma! Sakın umudunu kaybetme! Bunu daha önce de yaşadık biz. Ancona Boykotu'nu hatırla. Bazen dindaşlarımızın iyiliği için, onlara rağmen çalışmak gerekiyor."

"Evet ama böyle giderse, Süleyman'a verdiğimiz sözleri tutamayacağız. İleride bizim için tehlikeler olabilir. Artık bizi koruyacak bir Rüstem Paşa da yok..."

Rüstem'in çok sevdiği kızı Ayşe Sultan hastalanmış, İstanbul'u yoklayıp geçen vebadan kendini kurtaramamıştı. Mihrimah Sultan'ı koruyup kollamak için aklı çıkan Rüstem, çok sevdiği kızını koruyamayınca üzüntüden olsa gerek, kendisi de hastalandı, ardından iyileşemeyip, hayatını kaybetti. Hekimlerinden bildiğim, ölümünün doğal yoldan olmasıydı.

"Aklında ne var Jozef?"

Sustu. Aklındakini söylemedi ama uzun sürmeden ortaya çıkacaktı.

-66-

Kapı deli gibi çalınıyordu. Ne olduğunu anlamaya fırsat bulamadan fırladım yataktan. Pierre'i gördüm açınca.

"Jozef geldi. Sizi görmek için ısrar ediyor."

Pierre'in böyle bir özelliği vardı. Jozef hatta Reyna'nın bile, beni olmayacak bir saatte rahatsız edebilmek için onu aşması gerekir. Bu ihtiyar koruyucum yanımda olduğu için bir kere daha şanslı olduğumu hissettim.

"Beklemesini söyle."

Kapıyı kapattı. Üzerime bir sabahlık alıp, giyinmeden indim. Jozef beni çalışma odasında bekliyordu. Heyecandan ileri geri yürüdüğünü gördüm.

"Jozef, gecenin bu saatinde ne oldu?"

Arkamda duran Pierre'e baktı. Belli ki bahsedeceği konu Pierre'den bile gizlenecek bir konuydu.

Pierre de anlamıştı ama Jozef'e değil bana çalışıyordu. Umursamadı. Jozef ısrar etti:

"Yalnız konuşabilir miyiz?"

"Jozef, Pierre'den gizleyeceğim bir şey yok."

"Benim var. Lütfen!"

Dönüp umutsuzca Pierre'e baktım. Gözlerine... Şaşırmış görünüyordu. Bunca yıldır, özellikle de son yıllarda sadece yatarken yanımdan ayrılıyordu.

Ses çıkarmadan dönüp odadan çıktı. Kapıyı üzerimize kapattı.

"Kırdın onu!" dedim. "Umarım söyleyeceğin şey gerçekten buna değer."

"Gracia hala, sen eskiden benden daha dikkatliydin. Ne oldu sana?"

"Ben hâlâ aynıyım. Gecenin bir yarısında ne için uyandırdın beni?"

"Sana çok mühim bir haberim var. Ama bunu şimdilik kimseye söylememelisin. Hatta kendi kendine bile tekrar etme! Eğer ağzından kaçırırsan, sonucu tahmin edemeyeceğin kadar ağır olur."

"Hayda! Ne oluyorsun yavrum? Nedir bu söyleyeceğin? Kalbim çarpmaya başladı."

Elimi kalbimin üstüne koydum. Gerçekten, belki uykum bölündüğünden belki de Jozef'in gizeminden, küt küt vuruyor, yerinden çıkacak gibi çarpıyordu.

"Dinle beni şimdi..."

Yanıma geldi ve kulağıma eğildi.

•

Jozef anlatmayı bitirdiğinde, gözlerim şaşkınlıktan büyümüş, ağzım açık kalmıştı.

"Doğru mu duydum?" dedim inanmakta zorlanarak.

Başını salladı.

"Tamamen doğru. Şimdi ben hemen gidiyorum. Heyette yer alacağım. Ama dediğimi unutma! Bunu bilen ilk kişi çoktan boğularak öldürüldü bile!"

Bunca yıldır Osmanlı'da, payitahtta ve Saray'a yakın yaşıyordum ama İstanbul hâlâ beni şaşırtmayı sürdürüyordu.

Jozef geldiği gibi hızla gitti.

Açık duran kapının öte yanında Pierre duruyordu. Göz göze geldik. Ayakta duracak halim kalmamıştı. Sandalyeye oturdum. Öylece kaldım.

-67-

Jozef'in geri dönmesi epey uzun sürdü.

Reyna, La Chica ve Samuel ikide bir yanıma geliyor, Jozef'in nerede olduğunu soruyor, benim bir şey bilip bilmediğimi merak ediyorlardı. Jozef, eminim ki benden başkasına zaten bu konuda ağzını açamazdı. Bunun bir sebebi, bu sırrın saklanması ise bir başka sebebi de söyleyeceği kişiyi de tehlikeye atacak olmasıydı. Yalnızca bana, hem halası hem kayınvalidesi olan, gerçekte ise annesinden farksız olan sırdaşına güvenmişti.

"Bilemiyorum ki... Siz ne kadar biliyorsanız, ben de o kadar biliyorum. Belki Venedik'e, belki Tiberiye'ye gitmiştir. Papa sürekli zorluk çıkarıyor, Marranlar da çeşitli sebeplerle ya gelmek istiyor ya da gelenler ayrılmaya çalışıyor. Belki onlarla ilgili bir sorun yaşanmış olabilir. Giderken bana da bilgi vermedi. Eğer görüşebilseydik, soracaktım."

Böyle söylerken Pierre'le göz göze geliyorduk ve onun bakışlarında kırılganlıkla karışık bir şaşkınlığa rastlıyordum. Sevgili Pierre... Eğer söyleyebilsem sana da söylerdim ama gerçekten bu konuyu bilmemen daha hayrınaydı. Kırılmış olsan da...

Reyna, "Anne, kocam gece yarısı çıktı evden. Önce senin yanına uğradığına eminim. Seninle görüşmediyse, kiminle görüştü? Pierre'le görüşecek hali yoktu ya..." diye sordu.

"Kızım, senden bir şey sakladığımı mı düşünüyorsun?"

"Hayır ama... Bu durum da normal gelmiyor."

"Sen ve La Chica'nın erkekler hakkında öğrenmesi gereken bir şey daha: Onlar bazen gizemli işler yapar. Bazen başlarını alıp gitmeleri ve bir süre kaybolmaları gerekir. Eğer ki dönerlerse, evlerine, yuvalarına gerçekten bağlıdırlar demektir. Ama dönmüyorlarsa işte o zaman önlem almanın zamanı gelmiştir."

"Ne yani, kocam başka bir kadına mı gitti?"

Hepimiz güldük.

La Chica, yakın zamanda kocası olan Samuel'e döndü:

"Böyle bir şey duyarsam, emin ol zaten eve geri dönemezsin!"

Samuel her zaman içimizde en sessiz olandı.

"Ağabeyimin iş için gittiğini tahmin ediyorum. Gelince açıklayacaktır."

"Hah, ben de onu diyorum!" dedim. "Jozef'in iş konusunda hastalıklı olduğunu bilirsiniz. Delirmiş gibi çalışır, çalışır ve çalışır. Bırakalım biraz daha çalışsın. Tiberiye'yi Museviler için bir cennet haline getirsin."

Reyna ikna olmuş gibiydi:

"Pekâlâ ama madem bir araya geldik, madem La Chica da evli bir kadın olduğuna göre, artık yeni hediyelerin zamanı geldi. Bütün servetini dindaşların için harcıyorsun anneciğim. Biraz da kızların için harcamanın zamanı gelmedi mi? Şöyle güzel, zümrütlerle, yakutlarla süslü bir şey istiyorum gerdanımı süsleyecek. Öyle ki, kocam döndüğünde gözleri yuvalarından fırlasın!"

"Ben de yine elbiseler diktirmek istiyorum!" dedi La Chica. "En güzel kumaşlar bizim müessesemizden geçiyor ama şu halimize bak!"

"Ne varmış halinizde? Herkesten daha çok elbiseniz var. Herkesten daha güzel kumaşlardan giyiniyorsunuz."

Samuel kıpırdandı.

"Ben sizleri artık anne kız baş başa bırakayım da bunları rahat rahat konuşun. Jozef'in yokluğunda işler bana bakıyor."

"Peki. Gidebilirsin..."

Samuel de Jozef gibi iyi yetişmişti. Arzu etmiyordum ama bir gün Francisco'nun yerini Diogo'nun aldığı gibi, gerekirse Jozef'in yerini Samuel alabilirdi. Bu donanıma sahipti.

"Pierre, sen de sıkıldın artık, görüyorum. Eğer bana kızlardan bir tehlike geleceğini düşünmüyorsan, sen de gidebilirsin biraz..."

Pierre başını sallayıp, yavaşça çıktı. O kapıyı çekerken, kızlar yine gülüştüler.

"Anne, demedi deme bak, bu adam senin yüzünden tohuma kaçtı! Sana olan aşkından, kurudu kaldı zavallı!"

"Edepli olun bakayım!"

Güldüler.

-68-

"Muhteşem" lakaplı, Musevilere özgürlük ve insanca yaşam şartları sunan, kimi yerde hamisi olan Süleyman öldü...

Jozef, o gece benim kulağıma, bu ölüm haberini fısıldamış, Macaristan üzerine, Zigetvar'a giden Süleyman'ın, kırk altı yıl süren saltanatı ve yetmiş bir yıllık ömrü, burada sona ermişti.

Sadrazam Sokullu Mehmet Paşa, cephedeki asker haberi duyup, gevşemesin, ordu yenilmesin diye ölümünü gizlemiş, ilk iş olarak ağzından kaçırmasın diye hekimini boğdurmuştu. Sonra Kütahya'ya, Şehzade Selim'e haber göndermiş, hemen gelmesini tavsiye etmişti. Kırk iki yaşındaki Selim, Hürrem Sultan'ın oğluydu. Jozef'in de dostu...

Jozef'in kulağıma fısıldadığı sözleri hatırladım:

"Selim, padişah olmaya gidiyor. Benim de heyetine katılmamı istedi. Ancak bunu kimseye söyleme! Haber duyulur, İstanbul'da taht kavgası başlarsa, hepimizin kellesi uçar!"

Belgrad yolunda tahta oturan Selim, İstanbul'a padişah olarak dönüyordu. Ancak onun ulaşmasından sonra Sokullu orduya durumu açıklamış, yeni sultana biat etmelerini istemişti. Mehmet Paşa'dan çok hazzetmiyordum. Doğrusu o da bizden hoşlanmıyordu ama takdir ettim. Eğer onun aklı ve tecrübesi olmasa, Süleyman'ın ölüm haberiyle birlikte İstanbul karışır, ülkenin dört bir yanında kargaşa çıkardı. Bunun örnekleri daha önce de görülmüştü ve şimdi bu, Süleyman gibi bir büyük kralın tahtı devredilirken sorunsuzca aşılmıştı.

"Artık Nakşa dukasıyım!" dedi müjdeyi verirken. "Yeni sultan, daha tahta oturmadan beni Nakşa Adaları'nın dükü ilan etti. Naksos ve Kiklad adalarının..."

"Peki, Mehmet Paşa nasıl karşıladı?"

"Hiç hoşlanmadı. Lakin yeni sultanla hemen ters düşmek de istemedi. Bu adalar için yılda kırk bin dukat vereceğimi duyunca, Hazine'ye para girişi olacağından, razı oldu."

La Chica, "Jozef, artık işadamı değil, devletlu oldun!" dedi.

Reyna da sevinçliydi:

"Osmanlı'nın bir devlet adamı! Ne saadet!"

Samuel de ağabeyini kutluyordu. Gözüm ister istemez Pierre'e kaydı. Artık bana bakmıyordu. Belki göz göze gelmek de istemiyordu. Onun sevinmediğini düşündüm bir an.

"Peki, Nakşa'da mı oturacaksın?" diye sordum. "Osmanlı, görev verdiği paşayı İstanbul'da tutmuyor."

"Hayır Gracia hala. İstanbul'da kalacağım. Ama Nakşa'ya gidip, bir bakmam lazım."

•

Selim, şaraptan anlıyordu. Avrupalılar onu aşağılamak ister gibi "Sarhoş Selim" lakabını takmışlardı. Jozef'ten ve diğer kaynaklardan edindiğim bilgilere göre, devlet işlerine çok müdahalesi olmayan, güvendiği insanlarla çalışmayı tercih eden ve onları da memnun eden bir kraldı. Tahta çıktıktan sonra da ne babasının başarılı sadrazamı Sokullu'yu değiştirmiş ne de Jozef gibi dostlarına ihsanda bulunmaktan çekinmişti. Görünen o ki, ikisinden de vazgeçecek değildi. Bu durumun ne işe yaradığını biliyordum: Yöneticiler, genellikle iki tarafı da idare edip, onların arasındaki anlaşmazlıklardan faydalanırdı.

Selim herkesin sandığından daha zeki olmalı!

Jozef'in, Selim'e ne kadar yakın olursa olsun, daha fazla devlette yükselemeyeceğini biliyorum. Din değiştirip Müslüman olmadıkça bu zordu. Ama zaten onun da bunu istediğinden şüpheliydim çünkü Osmanlı'ya gelme nedenimiz, dinimizi özgürce yaşamaktı. Hiçbir zenginlik, paye, görev bunu değiştiremezdi. Sokullu'nun ise devletin işine yaradığı sürece Jozef'le sürekli uğraşmayacağını düşünüyordum çünkü onun derdi inancımız değildi. Öyle olsa Natan Ben Eşkenazi'yi önemli görevlere atamaz, ona da güvenmezdi.

"Bizimle derdi ne peki? Daha doğrusu seninle?"

"Eski bir Bizans imparatoru soyundan gelen Mikael Kantakuzenos adındaki asilzade ile ortaklığı var. Beraber ticaret yapıyor ve ciddi gelir sağlıyor. Bizi rakip olarak görüyor."

Kantakuzenos'u biliyordum. Lakabı "Şeytanın Oğlu" idi. Ticarette entrika, karanlık işler yapmaktan çekinmez, arkasına aldığı destekle öne çıkmayı severdi.

"Şeytanın Oğlu bize de bulaştı demek ki..."

"Selim'in bize desteği sürecektir. Piyale Paşa'nın da desteği var. Gerisi size kalıyor..."

"Nurbanu Sultan'ı az buçuk tanırım. Onunla yakın olmak için çabalarım. Ama Ester Handali daha yakın. Ester'in desteğini de istememiz lazım."

"Ester bize destek verir mi?"

"Verir... Abartılı derecedeki kendine güveni zaman zaman beni de rahatsız ediyor ama bazı konularda bizim yanımızda yer alacağını düşünüyorum. Özellikle dindaşlarıyla ilgili konularda..."

"Haseki Nurbanu Sultan'ı ziyaret etmelisin en kısa sürede."

Bunun için bahanem hazırdı. Kutlamak... Kocasının tahta çıkması, onun da iktidarının başlaması demekti.

-69-

Sokullu ile Jozef arasındaki en keskin görüş ayrılıklarından biri, Selim'in iktidarının ilk dönemlerinde ortaya çıktı. Mehmet Paşa, akıl hocası Haham Hekim Eşkenazi'yi de yanına almış, Fransızlarla ilişkileri güçlendirip İspanya'yı etki alanına alan Habsburglar ile mücadeleye hız vermişti. İspanya'da zorla Hıristiyanlaştırılan Moriskoları ayaklandırmak gibi amaçları vardı. Jozef ise İspanya'yı iyi tanıyordu. Katoliklerin ortak düşman olarak Osmanlı'yı kabul ettiğini bildiğinden, Protestanları desteklemenin İspanya'yı zayıflatacağını savunuyordu. Anvers'te, zorla Hıristiyanlaştırılan Marranlar, Protestanlığı desteklemiş, Jozef bunun haberini almıştı. İspanya ve Avusturya'da din fanatizmi artmış, Katolikliğe karşı başkaldırılar başlamıştı. Ticaretin çok güçlü olduğu Hollanda'yı kaybetmesi, İspanya için asıl darbe olacaktı.

Sonunda Mehmet Paşa da aynı noktaya geldi ve Hollanda'daki isyanın öncülerine İspanyol genel valisi ile anlaşmalarda katı tavır takınmalarını, kendilerine destek vereceklerini vaat etti. İspanya, Osmanlı'ya barış teklif edince, Mehmet Paşa Hollandalıların da anlaşmaya katılmasını önerdi. Kabul edilmeyeceği belliydi.

İspanya ile savaş artık kaçınılmaz bir şekilde yaklaşıyordu.

•

Jozef, Sultan Selim ile ilişkilerini, kıskanılacak düzeyde iyi tuttu. Her cuma, saraya Sefarad Musevilerinin mutfağının en lezzetli, en nadide yiyeceklerini götürüyor, nadide şaraplar gönderiyordu. Venedik birkaç kez Selim'i zehirlemeyi denediğinden, gelen yiyeceklerde Nasi mührü olunca ancak güveniyordu.

Ortodoks Hıristiyanların patriğinin Belvedere Sarayı'na geleceği söylendiğinde şaşırmamız normaldi. Ama sebebi ortaya çabuk çıktı. Patrik, Jozef'ten, Süleyman dönemindeki özgürlükçü tavrın devamı için yardım istemiş, Selim de fermanı Jozef aracılığıyla göndermişti.

Patrik eğilip öpmek istediğinde, Jozef'in sanki ateşe tutulmuş gibi elini çektiğini gördüm.

"Ne yapıyorsunuz patrik hazretleri! Siz bir din büyüğüsünüz. Ben ise sıradan bir insan... Lütfen beni mahcup etmeyin!"

Patriğin gözlerinde ona karşı sevgi ve hayranlık okudum.

"Evladım, siz Avrupa'da Hıristiyanlardan çok çekmiş bir topluluk olarak buraya geldiniz. Oysa burada Hıristiyanların hakları da korunsun diye aracı oldunuz. Size nasıl teşekkür etsek azdır."

"Hiç önemli değil patrik hazretleri. İnsanların inançlarını

yaşarken baskı görmemesinin ne demek olduğunu biliyoruz. Eminim ki Museviler baskı altında kalacak olsa siz de hiç durmaz, karşı çıkarsınız."

"Elbette!"

•

Şarap Osmanlı'da dinen yasaktı. Ama gelir getirdiği ve tebaanın bir bölümü kullandığı için tamamen yasak edilmiyordu. Selim, gayrimüslimlerin kendi aralarında şarap ticareti yasağını kaldırdı. Müslümanlar zaten şarap ticaretine karışmayı istemedikleri için, Jozef aldığı imtiyazlarla şarap ticaretinden yüksek gelir elde ediyordu. Boğaz'dan geçen ve Mısır'dan gelen şarap ihraç tekelini ve vergi tahsil haklarını belli bir meblağ karşılığında almıştı. Gemiler, çalışanlarımız ve yeniçerilerin desteği ile kontrol edilip değerlerinin onda biri kadar vergiye tabi tutuluyordu. Jozef ödediği miktarın çok üstünde kazanç elde ediyor, şaraplar Boğdan, Polonya gibi ülkelere ihraç ediliyordu.

Bunlar gelir getiren işlerdi ama Fransa'dan on beş yıldır tahsil edemediğimiz, yüklü bir alacağımız vardı. Jozef'in Osmanlı Hazinesi'ne borçları da bir hayli yekûn tutuyordu. Selim, Fransa'nın bir türlü borcunu ödemeye yanaşmadığını görünce, bir ferman yayınladı. İskenderiye'deki Fransız bandıralı gemilerin yükünün üçte birine el konulması ve bu uygulamanın Jozef Nasi'nin borcu tamamen ödenmiş olana kadar devam etmesini emretti.

Karara sevinmiştim ama ciddi problemler de yaşanıyordu. Osmanlı, 1535'te Fransız gemilerine Osmanlı denizlerinde rahatça gezinme izni vermişti. Bu nedenle Dubrovnikli, Mısırlı ve daha birçok milletten gemiciler de Fransız bayrağı ile dolaşıyordu. El konulan mallar arasında bu milletlere ait gemilerin de olması, kargaşaya neden oldu.

İşler hiç bitmiyordu ama artık kendimi iyice dini konulara verdim. Yaptırdığım akademide eğitim veriliyor, din adamları yetiştiriliyordu. Himayemdeki işlerin çoğu hayır işleriydi. İki kızımı da evlendirmiş, iyi birer damatla dünya evine sokmuştum. Francisco'nun vasiyeti yerine gelmiş, cenazesi kutsal topraklara taşınmıştı. Geriye yapacak fazla bir işim kalmadığından, ticari işleri de büyük oranda Jozef ve Samuel'e bırakmıştım.

Tam da kendimi artık işten güçten elini eteğini çekmiş hissetmeye başladığım günlerde ummadığım bir şey oldu. Neredeyse hayatımın yarısında yanımda olan Pierre hastalandı.

Garip olan şuydu ki o güne kadar bir gün olsun, hasta yatağında yattığını görmemiştim. Sabah uyandığımda onu kapının önünde, benden önce kalkmış ve hazırlanmış bulmamak, tuhafıma gitti.

Benim odama bitişik odasına gittim ve kapıyı bile çalmadan içeri girdim.

Yatağındaydı. Soğuk algınlığı gibi basit hastalıklar dışında hiç hasta olmayan, onlarda da yatarak hastalığı atlatmak gibi bir alışkanlık edinmemiş olan Pierre'i yatağa neyin bağladığını anlamam zordu. Neyse ki en iyi hekimlerin çoğu Musevi... Hemen bir ulakla Natan Eşkenazi'ye haber gönderdim. Şu anda padişah bile sağlık konusunda ona güveniyordu ve Pierre'i önce o görmeliydi.

"Neyin var Pierre?" dedim elimi alnına koyarken. "Hasta mı oldun yoksa? Hani sen hiç hasta olmazdın?"

Konuşmak istedi ama sesi çıkmadı. Üzgün, feri kaçmış gözleriyle baktı bana.

"Tamam... Anladım. Sen yorma kendini. Hekim geliyor."

Ateşi vardı. Üstelik çok da halsiz görünüyordu. Sağına soluna baktım ama gözle görülen başka bir şey yoktu. Bir sandalye çekip, Pierre'in yatağının yanına oturdum. Karşısına geçmiş, elini, teselli etmek ister gibi avuçlarımın içine almıştım.

Hizmetçilerden biri gelip, kahvaltının hazır olduğunu söyledi.

"Kahvaltıya inmeyeceğim... Bugün iştahım yok."

Konuşamayan Pierre'in gözlerinden iki damla yaş, yastığa doğru süzüldü.

İçim burkuldu. Bir tuhaf oldum. Pierre'i, bu yüzünde yara izi taşıyan insan azmanını böyle ağlarken görmek, kalbimi darmadağın etti. Birden onu ne kadar çok sevdiğimi hissettim. Ne kadar çok değerli olduğunu benim için... Avuçlarımdaki elini sıktım.

"Dur bakalım Pierre! Seni o kadar kolay bırakmam! Bunca yıl sen beni korudun, şimdi de ben seni koruyacağım!"

Gözlerini yumdu. Daha fazla ağladığını görmemi istemiyordu.

"Tamam. Uyu sen... İyice dinlen. Hekim gelecek ve seni iyileştireceğiz."

Sessizleşti. Nefes alışı çok yavaştı. Adeta durmuş gibi.

Evin içinde bir şeyler olduğunu duyuyordum ama bütün dikkatimi Pierre'e vermiştim. Onun nefes alışını duyamam diye endişeliydim.

Kapı hafifçe vuruldu. Ben seslenmeden açıldı. Reyna gelmişti. Dönüp bakmadım ama anladım... Yanımda durdu ve elini omzuma koydu teselli etmek için.

"Neyi var anne?"

"Bilmiyorum. Hastalanmış. Hekime haber gönderdim."

Fısıldaşıyorduk. Pierre uyansın istemiyordum. Dinlensin, iyileşsin bir an önce.

"Üzülme. Pierre çok güçlüdür. İyileşir."

"Umarım..."

Başka bir şey söyleyemedim. Boğazıma bir şey tıkanmıştı ve bir kelime daha etsem, hüngür hüngür ağlayacaktım.

"Ben de senin yanında bekleyeceğim..."

Başımı iki yana salladım.

"Lütfen! Pierre aileden biri. Beklemek istiyorum."

Kendimi toparladım.

"Sen git ve evle ilgilen. La Chica'ya da söyle, evde sessizlik istiyorum. Aşçılar en besleyici yemekleri hazırlasınlar. Hekim gelince doğrudan buraya getirin."

"Peki."

Ne kadar süre Pierre'in eli elimin içinde bekledim bilmiyorum. Bana bir an gibi geldi ama uzun sürmüştü. Sanki elini bırakırsam, beni bırakıp gidecekmiş gibi geliyordu.

"Rabbim, senden bu Hıristiyan'ı korumanı diliyorum. Hiç kuşkusuz ki onun birçok Musevi'den daha fazla senin yoluna hizmeti oldu. Musevi bir anadan doğmamış olabilir ama iyi biri. Değerli hizmetleri çok... Biz bir şeyler yapabildiysek, bunda önemli katkıları var. Onu sağlığına kavuştur ve bizden ayırma..."

Hekim gelinceye kadar dua etmeyi sürdürdüm.

•

Sonunda gelmişti. Ayağa kalktım. Pierre hiç uyumamıştı sanırım. Hemen gözlerini açtı.

"Buyurun Bay Eşkenazi! Gelin. İyileştirin onu!"

"Selamlar Dona Gracia."

"Yaklaşın lütfen."

Geldi. Pierre'in elini ancak o zaman bırakabildim. Birkaç adım geri çekildim Natan Eşkenazi işini yapabilsin diye.

Ben sessizce beklerken o Pierre'in ateşine baktı, ciğerlerini dinledi. Gözkapaklarının altına bile baktı. Sonra onu rahat bırakıp, bana başıyla işaret etti.

Peşinden gittim. Odanın kapısını kapatıp, yüksek olmayan bir sesle konuşan hekimin söyleyeceklerine verdim dikkatimi.

"Dona Gracia, üzgünüm! Pierre son günlerini yaşıyor. Onun için yapabileceğimiz bir şey kalmamış!"

Bir an oda dönüyor gibi oldu. Sendeledim. Tutunacak bir şey aradım. Zemin ayağımın altından kayıyordu.

Fark etmişti. Uzanıp kolumdan yakaladı.

"Ne diyorsunuz siz!" dedim en yakın iskemleye kendimi bırakırken. "Nasıl olur? Pierre ölemez! En azından benden önce... İyileştirin onu!"

"Sizden saklamış olmalı..." dedi üzgün bir sesle. "Epeydir çekiyor olmalı. Ağrıları olduğundan hiç bahsetmiş miydi?"

Hayretle baktım.

"Hayır. Pierre soğuk algınlığını bile ayakta atlatır. Çok güçlüdür."

"Yaşlılığa bağlı hastalığa yakalanmış. Muhtemelen yanınızda kalabilmek için konuyu hiç açmadı ama uzun zamandır hasta olduğu belli. Bay Pierre yolun sonuna gelmiş. Belki, son günlerini biraz daha uzatabilirsiniz ama o kadar..."

"Hiç umut yok mu?"

Başını umutsuzca sağa sola salladı.

Üzerine atılmak, başındaki kavuğu, üzerindeki cüppeyi parçalamak istiyordum. Bana Pierre'in öleceğini söyleyemezdi!

"Olamaz!"

"Siz imanlı bir kadınsınız. Hayatın gerçeklerini biliyorsunuz Dona Gracia... Geldiğimiz gibi bir gün döneriz. Aslolan, yaşayacak olan ruhtur."

Diyecek bir söz bulamadım. Haklıydı ama içim bin parça! Pierre, yüzünü hep saklamaya çalışan, saçını bu sebepten bağlamayıp önüne döken ve hep gölgem gibi yanımda olan Pierre ölecek mi?

"Sizin de renginiz soldu. İsterseniz sizi de bir muayene edeyim..."

"Hayır. Ben iyiyim. Teşekkür ederim geldiğiniz için."

"En azından, son anlarını rahat geçirsin diye bir ecza hazırlatıp, size göndereceğim."

"Teşekkür ederim Bay Eşkenazi."

Hekim gitti. Haberi hazmetmek için, Pierre dağılmış halimi görmesin diye biraz bekledim. Oyalanıp, kendimi toparlamaya çalıştım. Yeniden Pierre'in odasına girdiğimde, hizmetçiler çorba hazırlayıp getirmişlerdi.

"Pierre. Hadi, biraz kalkmaya çalış. Eğer arkana yaslanabilirsen, sana çorba içireceğim."

Gözlerini açtı. Kıpırdanmaya çalıştı. Zorlandığını, acı çektiğini görebiliyordum. Bütün gayretiyle toparlandı. Yardım edip arkasına yastık koydum.

Tabağı ve kaşığı elime aldım. Bir kaşık çorbayı usulca ağzına doğru uzattım. Dudaklarını araladı. Yarısını verebildim. Yutkundu. Sonra bir kaşık daha...

Birkaç kaşık içtikten sonra elini kaldırıp durmamı istedi. Sesini duyabildim:

"Hanımefendi, anlatmam gereken... Size... Anlatmalıyım."

"Yorma kendini Pierre. Dinlen!"

"Vaktim yok. Anlatmam lazım..."

-70-

Pierre konuşmak için ısrar ediyordu ama şimdi kendisini yormasına gerek yoktu. Onu ikna edip tekrar uyuması için bıraktım. Belki de ne söyleyeceğini duymak istemiyordum. Onunla aramızda, adı konulmamış, çalışan-patron ilişkisinden öte bir bağ vardı. Hayatını bana adamasının arkasında sadece kazandığı para ya da yüzündeki yara izine aldırmadan gözlerine sevgiyle bakabilen biri olmam yatmıyordu. Daha derin bir şeyler vardı ve bunları duymaya hazır değildim.

Uyuduğuna emin olunca, odadan usulca çıktım ve ancak o zaman aklıma geldi yemek yemek. Ben de bir şeyler yemeli, onun başında nöbet tutarken daha kuvvetli olmalıydım. Eşkenazi, hastalığının bulaşıcı olduğunu söylemedi. Demek ki tehlike yok ama öyle bile olsa, onu yalnız bırakamam.

Hazırlanıp, odama getirilen yemekten bir parça yedikten sonra yeniden Pierre'in odasına döndüm. Uyuyordu.

Onu uyandırmadan bir koltuğa çöküp, sessizce bekledim.

Onunla geçirdiğim yılları düşünüyordum. Diogo'nun ölümünden sonra hayatıma girmişti ve çeyrek yüzyıldır yanımdan hiç ayrılmamıştı. Şimdi onu kaybedeceğime inanmak zordu. Eğer imansız birisi olsam, belki de bu duruma isyan ederdim ama Rabbim beni deniyor.

Yine sevdiğim bir adam, yine benden önce gidiyor!

Yüreğimin daraldığını, elimden bir şey gelmemesinin ne acı olduğunu hissediyordum. Çok zengindim. Avrupa'da belki kraliçeler bile benimle servet yarıştıramazdı ama işte, basit bir hastalık beni yeniyor, elimdeki bir adamı daha alıp gitmeye hazırlanıyor.

•

Akşama doğru gözlerini açtı yeniden. Biraz daha dinlenmek iyi gelmiş gibiydi. Sevinçle yaklaştım.

"Pierre, daha iyisin ya..."

"Evet..." dedi ama sesi yine halsizdi. "Sizden af dilemek istiyorum."

"Hadi Pierre! Hasta olmak da suç değil ya... Sen iyileş yeter ki."

"Onun için değil..."

Durdu. Devam edip etmemekte birkaç saniye kararsız kaldı. Bekledim. Artık ne söyleyecekse söyleyecek.

"Papa III. Paulus..." dedi. "Beni o zorladı."

Birden tuhaf oldum. Yıllar önce ölmüş gitmiş bir papanın şimdiki durumla ne alakası var?

"Ne diyorsun Pierre? Sayıklıyor musun? Papa nereden çıktı?"

"Lütfen bölme! Kızsan da dinle."

İki iri damla gözyaşı daha döküldü yanaklarından.

"Dinliyorum..." dedim sözün nereye varacağını merak ederek.

"Senden, sakladım. Beni yanından uzaklaştırmandan korktum."

Kafam allak bullak oldu. Sesimi çıkarmadım daha fazla yorulmadan anlatsın diye.

"Paulus, beni seni yanına yolladı. Diogo Mendes'in ölümü ile kafanın karışık olacağını... Sonra o sırada, içinde bulunduğun boşluk... Faydalanmak ve güvenini kazanmak için. Sonraki yıllarda devam etti. IV. Paulus da çok zorladı. Dona Gracia, ben papaya bağlı çalıştım. Senin yanından haber vermek için... Affet!"

Sustu.

Doğru mu duydum diye baktım. Sessizce gözyaşları süzülüyordu. Hayatımı emanet ettiğim, kızımı, ailemi emanet ettiğim insan, gece gündüz yanımda olan, beni koruyan insan... Papa ile... Papalık'ın casusu olarak yanı başımda...

"Yalan söylüyorsun!"

Ağzımdan çıkan ses bu defa kararlı, yüksekti.

"Son dileğim, sadece affındır. Tanrı beni affetmese de olur. Hayatımı ona çalışarak geçirdim. Sen, affet..."

Kesik kesik konuşuyor, artık zor nefes alıyordu.

"Affet... Yalvarıyorum!"

Ayağa kalktım. Ne yapacağımı bilmiyor, nefes almakta zorlandığımı hissediyordum. Sanki şakaklarım patlayacak gibiydi.

"Pierre, lütfen yalan olduğunu söyle! Beni seviyorsun sanıyordum. Yoksa senin ardından acı çekmemem, yas tutmamam için mi bunlar? Bak, öyleyse lütfen! Beni kahrederek gitme!"

"Hayır... Çok üzgünüm. Hayatım boyunca yanında casusluk yaptım. Seni hep korudum. İstedikleri bilgilerin çoğunu...

zaten vermedim... Seni tehlikeye atmak bir yana, korumak istedim... Ama beni affetmezsen..."

Yaklaşıp, üzerine doğru eğildim. Gözlerine baktım. Halsizdi, feri kaçmıştı ama doğru söylüyordu.

Benim de gözlerimden süzülen yaşlar, yanaklarımdan kayıp, onun yüzüne aktı.

"Pierre, sen ne yaptın? Pierre, bunu nasıl yaptın? Keşke... keşke hiç söylemeseydin bunu bana! Şimdi, bununla nasıl yaşayacağım?"

Mırıldandı:

"Affet!"

Birden tüm öfke damarlarım kabardı. Adeta çıldırmış gibi bağırmak, yüzüne tokat atmak istiyordum. Yılanlar gibi tısladım:

"Seni asla affetmiyorum! Dilerim cehennemin en berbat köşesinde sonsuza dek yanarsın! Dilerim diğer tarafta ruhun huzur yüzü görmez! Lanet olsun sana! Dinle beni, hâlâ ölmediysen iyi aç kulaklarını da dinle! Sen geberip gidince, vücudunu parçalatıp köpeklere yedireceğim! Bir mezarın bile olmayacak! O çok sevdiğin haçın gölgesinde yatamayacaksın! Duyuyor musun?"

Gözlerini bir kere daha açtı. Sonra gözleri yukarı doğru kaydı ve geriye sadece akı kaldı.

-71-

İstanbul Yahudileri, en güzel kıyafetleri giyiyor, çoğu varlıklı ve iyi durumda olduğundan, pahalı kumaşlardan elbiseler yaptırıyor, pahalı yüzükler, küpeler takıyorlardı. Müslüman kadınlar gibi başımızı örtüyorduk ama her halükârda, giyimimizdeki fark anlaşılıyordu.

Osmanlı artık eskisi kadar vergi toplayamıyordu. Bir yer fethediliyor, vergiye bağlanıyor, orada ekip dikmek isteyenlere, belirli bir vergi karşılığında geniş topraklar veriliyor, askerlerin bir kısmına bakma yükümlülüğü getiriliyor ve sonra İstanbul'a dönülüyor. Bu, Grand Turco ve Grand Senior dönemlerinde başarılı bir politika olarak yürümüştü ama gelecek artık böyle olmayacaktı. Artık İpek Yolu'nun Osmanlı topraklarından geçmesine gerek yoktu. Denizden yeni yollar işliyordu. Yenidünya keşfedilmiş ve oradaki zenginlikler de Avrupa'ya akmaya başlamıştı. Osmanlı olduğu yerde sayarken, Yenidünya'ya ulaşabilecek gemiler, silahlar yapılmıştı. Yoksullaşmanın hissedilmeye başlanmasıyla birlikte gözler yine bize döndü. Halkın düşen yaşam düzeyini bahane edenler, Museviler hakkında Saray'a şikâyeti artırdı.

Şikâyetler çoğalınca, Selim de direnmedi ve Musevilerle Hıristiyanların en kaliteli, en pahalı elbiseleri giyip, en iyisinden tülbentler bağlayıp sarıklar sarmasına sınırlama getirdi. İstanbul'da kumaş, sarık, ayakkabı fiyatlarının yükselmesi bahane edilerek, Müslüman, Musevi ve Hıristiyanlara ayrı ayrı giyinme fermanı verildi. Museviler ve Ermeniler koyu renk pamuktan kumaşlar giyecek, yarı pamuk, yarı ipek kumaş saracaklar, değeri ise otuz kırk akçeyi geçmeyecek. Sarıkların Denizli bezinden olması, kadınların ferace giymemesi, Bursa pamuklusu giymesi, açık mavi giyinmesi kararı verildi. Müslüman kadınlar gibi takıyye ve arakiye başlık giymemiz yasaklanıyor, başımıza alaca kuşak sarmamız isteniyordu. Açıkçası en pahalı kumaşlar ve en göz alıcı renkleri kullanmamız yasaklanmıştı.

•

Musevi bir aile olarak Galata'daki Katolik Assisili Aziz Fransua Kilisesi'ne ilk defa gidiyorduk. Daha önce Ortodoksların lideri konumundaki patrik hazretlerinin Fener'de bulunan kilisesine bir ziyaretim olmuştu ama Katolikler İstanbul'da zaten bir hayli azdılar. Aziz Fransua'da ise her ne kadar tuhaf bir durum olsa da ev sahibi gibiydik çünkü Pierre'in bizden başka yakını yoktu.

Bizim geleneklerimizde cenaze tabuta konmaz. Bunun istisnası, sonradan başka bir kabristana taşımak istediğimiz cenazelerdir. Pierre'in cenazesi Katolik inancına uygun olarak tabuta konulmuş, başının geldiği taraf açık bırakılmıştı. Oturduğum en ön sıradan, onun yüzünü görebiliyordum. Hüzünle karışık bir gülümseme ifadesi vardı yüzünde.

Her ne kadar kızmış olursam olayım, onu affettiğimi ya da bir gün affedeceğimi biliyor olsa gerek.

Yeni Hıristiyan kabul ettikleri bizleri, Portekiz'de detaylı bir dini eğitimle yetiştirdikleri için, rahibin yaptığı bütün duaları anlıyordum.

Bir sırayı biz doldurmuştuk, bir sırayı da tanımadığım ama kilise cemaatinden olduğunu tahmin ettiğim kimseler... Gözüm ısrarla Roma'nın, Venedik'in ya da hiç olmazsa Fransa'nın temsilcilerinden birini arıyordu ama kimse yoktu. Pierre'i kim bilir belki rüşvet belki tehditle bizim yanımızda casus olarak kullanmışlar, sonra tek başına bırakmışlardı işte...

Kimdi, kimin nesiydi bilmiyorum. Belki bir ailesi bile yoktu. Kiliselerin kapısına bırakılan sahipsiz çocukların, yetimhanelerde bakılıp, zeki ve yetenekli olanlarının kilise hizmetlerinde kullanıldığını biliyordum. Belki Pierre de aynı şekilde, ailesiz biriydi. Onu benim yanıma casus olarak sokmuşlar ve yirmi yıldan fazla, benim onların faaliyetlerinden haberim olduğu gibi, onların da düşman belledikleri Mendes ailesinin faaliyetlerinden haberleri olmuştu. Kim bilir, belki de daha önce bir şekilde kimliği ortaya çıkan, açık edilen ve engizisyon işkencelerine maruz kalan elemanlarımızın da vebali Pierre'in boynundaydı.

Nasıl yapabildi?

Yanımdan hiç ayrılmadığını sanıyordum ama bu sadece gündüzleri. Geceleri ne yaptığını doğrusu merak etmemiş, arada bir kaybolmasının, erkek ihtiyaçlarını gidermek için olduğunu düşünmüştüm. Hem, herkesin hemfikir olduğu bir konu var: Pierre bana bir patrona bağlanır gibi değil, aşk benzeri bir tutkuyla bağlı. Hemen herkes bunu en az birkaç kez ima etmiş, doğrusu ben de benzer duygular hissetmiştim.

Belki de Pierre'e haksızlık ediyorum. Belki de o kadar kızmaya gerek yok. Belki başlarda, mesela Agostino'nun yakalanışında filan rolü olabilir ama sonrasında çok büyük olaylar yaşamadık. İstese, beni ve ailemi Venedik'ten, Ferrara'dan kaçışlarım sırasında yakalatabilirdi. Belki de gerçekten bana âşık olmuş, önce casusluk yaparken, sonra korumaya bile çalışmış, gerçek patronlarına ya az bilgi ya da eksik ve hatalı bilgi vermişti. Bunların hepsini ona soracağım ama artık bu hayatta değil...

Kilisenin yanındaki küçük mezarlığa artık üstü tamamen kapalı tabutu indirilirken de yanında durdum. Rahip, bizim Musevi olduğumuzu biliyordu elbette. Bakışlarında sorular seziyordum ama aldırmadım. Üzerine bir kürek toprak da ben attım. Jozef, Reyna, Samuel, La Chica... Geri kalanını kilise çalışanları halledecekti.

"Huzur içinde uyu..." demem ve ondan sonra da ayrılmamız gerekiyordu ama bir türlü ağzımı açıp, bunu söyleyemiyordum.

Jozef durumu anlamış gibi koluma girdi.

"Gracia hala, artık gitmemiz gerekiyor."

Reyna da onun koluna girdi.

"Annemi biraz Pierre'le baş başa bırakalım. Belki özel bir şeyler söylemek ister."

Uzaklaştılar. Mezarın başında kaldım. Tek başıma... Üzeri kısmen toprakla örtülmüş tabuta baktım.

"Ah Pierre! Sen ne yaptın?"

Hayatımdaki en ağır darbeleri hep yakınımdakilerden yedim. En güvendiklerimden geldi darbe. Önce kız kardeşim Brianda, sonra Ancona Boykotu'nda beni yüzüstü bırakan dindaşlarım ve şimdi de Pierre...

"Sevgili Rabbim, sırada kim var? Kızım Reyna mı? Diğer kızım La Chica mı? Yoksa Jozef mi? Lütfen onlardan bir ihanet görmeden gideyim bu dünyadan..."

"Hoşça kal Pierre! Yine görüşeceğiz. Sonsuz hayatta..."

Geri dönüp yürüdüm. Jozef diğerlerinden ayrı, biraz daha yakında bekliyordu.

Yanına ulaşınca koluma girdi.

"Jozef!" dedim. "Ne zamandır biliyordun?"

İç çekti. Derin bir nefes alıp verdi.

"Sevgili Gracia hala, İstanbul'a geldiğinizden beri haberim var. Önceleri kontrol etme şansım daha azdı ama İstanbul onun için yabancı, benim iyi bildiğim bir şehirdi. İlişkilerini çözmem uzun sürmedi. Merak etme, ciddi bir bilgi gönderemedi."

"Bana neden söylemedin? Neden bir saf, salak gibi güvenmeye devam etmeme sebep oldun?"

"Siz, ona çok bağlıydınız. Moraliniz bozulsun istemedim. Hem ne gerek var? Zaten kontrolüm altındaydı. Deşifre olmadığını sanması daha işimize geldi."

"Süleyman'ın ölümünü bu yüzden onun yanında söylemedin değil mi?"

"Evet. Selim tahta oturmadan önce Avrupalılar öğrensin ve yeniden Haçlı ruhu hortlasın istemedim."

Artık ebedi suskunluğa gömülmüş, başlarında istavrozlarla yatan ölülerin arasından sessizce yürürken, sırrımı Jozef'e emanet etmekle ne kadar doğru yaptığıma bir kez daha emin oldum.

-72-

Bir Musevi olarak en önemli özlemim, tüm Musevilerle aynıydı: Kudüs'te yaşamak ve Kral Süleyman devrindeki refahı ve özgürlüğü tekrar görmek.

1. Mabet Kudüs'te İsa'nın doğumundan 957 yıl önce Kral Süleyman tarafından, 2. Mabet ise İsa'dan 516 yıl önce aynı yere inşa edilmişti. Birincisini 597 yılında Babilliler, ikincisini İsa'nın doğumundan 70 yıl sonra Romalılar yıktı. Hayalim bir gün üçüncü mabedin tekrar aynı yerde yükselmesiydi.

Mesih bir gün mutlaka gelecek, ilk günah, yani Âdem ile Havva'nın yasak meyveyi yemesi affedilecek, dünya güllük gülistanlık olacak. Ölüler dirilecek, yaşam için çalışmaya gerek kalmayacak.

Her Musevi gibi Mesih'in gelmesini dört gözle bekliyor, Hamursuz Bayramı'nda, "Bu bayramı burada, seneye Kudüs'te kutlarız..." diye dua ediyorum. Kudüs'e deve sırtında, gemilerle naaşlar naklediliyor, bir gün orada ölmesem de, orada dirilmeyi hayal ediyorum.

Yaşlandığım için olsa gerek, kendimi artık daha günahkâr hissediyordum. Kırk yıl... Kırk yıl boyunca Musevi olduğumu saklamak zorunda kalmış, bir Hıristiyan gibi yaşamıştım.

Bunun için Rabbim beni affedecek mi?

Dinlerini değiştirmeye zorlanan birçok Musevi bunu reddetmiş, intihar edenler, meydanlarda ateşlerde yakılırken bile inancından dönmeyenler azizlik mertebesine erişmişlerdi. Çocuklarının zorla vaftiz edilmemesi için, onları bu günahtan kurtarmak, ruhen tertemiz ölmelerini sağlamak için elleri ile boğanlar olmuştu. Oysa bu kahramanlıkları gösteremeyenler din değiştirmiş gibi yapmış, Marran olmuşlardı... İçimde bir yerde, bunun eznikliğini hep taşıyorum. Buna rağmen ne Tiberiye'ye ne de Kudüs'e gidip, oradaki zor şartlarda yaşamayı göze alabildim. Kutsal toprakların günahları temizleyen bir yönü var. Orada değil yaşamak, yürümek bile bana iyi gelecek ama bunu da yapamadım.

İstanbul'a gelişimizin ertesi yılı, Francisco'nun naaşını alıp, kutsal topraklara nakletmek benim için bir teselliydi. O artık Kudüs'te yatıyor. Onun bıraktığı yerden baharat ve tahılı, şimdi de şarabı biz sevk ediyoruz Avrupa'ya.

Jozef artık devlet görevlisi olduğundan, onu devlet koruyor ve her daim yanında iki yeniçeri yürüyor. Benim korumam, en güvendiğim kişilerden biri olmasına rağmen ihanet etti!

Jozef'in sakallarına da artık tek tük aklar düşmeye başladı. Bu ona devlet görevinde daha bir ciddiyet ve ağırlık kazandırırken, benim ise iyice yaşlandığımı hatırlatıyor.

•

Belvedere Sarayı'nın bahçesinde oturmuş, gecenin bir vaktinde yalnız, yıldızları seyrediyordum. Yıllar önce, Lizbon'da yıldızları seyrettiğim gece geldi aklıma. Bu defa üzerimde rengârenk şallar, saçımda süslü tokalar yoktu ama yine öyle deniz kokusu ve nem geliyordu burnuma.

Arkamda bir çıtırtı duyunca dönüp baktım.

"Kızım!"

"Benim anne... Ne yapıyorsun?"

"Oturuyorum, düşünüyorum..."

"Neyi düşünüyorsun anne? Hem artık bir koruman olmadığına göre, daha dikkatli olmalısın. Yanına kadar geldim, ondan sonra fark ettin."

Karşıma oturdu. Yaşlandıkça daha çok bana benziyordu. La Chica ne kadar Brianda'ya benziyorsa, Reyna da o kadar bana benzemişti.

"Eh, artık yaşlı bir kadınım ben kızım. Kimsenin benimle alıp vereceği olmaz. Ama sizlerin korunması lazım... Asıl siz dikkat edin."

"Öyle deme! Sen ailemizin temeli, çatıyı tutan direğisin."

"Sağ ol kızım ama yaşlandım. Üstelik son zamanlarda içimde bir sızı var. Acaba işlediğimiz günahlar için affedildik mi diye düşünüyorum. Sen şanslıydın, o dışı başka içi başka görünme zulmünü daha az yaşadın. Ama benim kırk yılım, kendi inancımı gizleyerek geçti."

"Böyle söyleme! Sonuçta tüm ömrünü, servetini Museviler için harcadın. Her gün seksen fakiri doyuruyorsun. Memleketlerinden koparılmış, yolda kalmış insanlara el uzatıyorsun. Birçoklarının özgürlüğü için fidyeleri sen ödedin. İstanbul'a gelenlere, başka şehirlere gidenlere gemilerimizi tahsis ettin, ev ve iş bulmalarına yardım ettin. 'La Sinyora' dedikleri sinagogu ve yeşivayı* kurdun. Annemsin diye söylemiyorum, her Musevi senin kadar çalışsaydı, çoktan kendi krallığımız kurulmuş olurdu."

Kızımın sözleri içime su serpiyordu.

"Gerçekten böyle mi düşünüyorsun?"

Uzanıp elimi tuttu.

"Tabii ki. Hatta birçoğunun gerçek ismini kullanmasını bile sen sağladın. Bunun için sana 'sinyora' diyorlar. Seni hep hayırla anıyorlar. Düşmanların bile sana saygı duyuyor. Bunu sağlamak kolay mı? Sen hepimiz için en iyi örneksin."

Bu kadarı da fazlaydı. Biraz daha konuşsa, ağlayabilirdim.

"Yeter! Beni övme artık. Senden bunları duymak beni çok mutlu etti. Biliyor musun ne düşündüm?"

"Söyle anne."

"Acaba sen de bana ihanet eder misin bir gün?"

Bozuldu.

"O ne demek öyle?"

"Ne bileyim? Öz kardeşimin ihanetini gördüm, Pierre'in, dindaşlarımın hatta hahamların ihanetini bile yaşadım. Bir seninle La Chica, bir de Jozef kaldı. Dilerim, sizlerin bir ihanetini görmeden son nefesimi veririm!"

"Yapma! Böyle söyleme! Ne bizden bir ihanet göreceksin ne de öyle hemen son nefesini vereceksin! Mümkünse daha uzun uzun başımızda bulunacaksın."

"Kader..." Sonra aklıma gelmiş gibi sordum. "Jozef nerede? Yemekten sonra görünmedi."

"Ne olsun, gençliğini hatırladı yine! Çalışanlarla kılıç talimi yapıyor. Tutmasam cirit atmaya kalkacaktı! Aradan yıllar geçti

---

* Din okulu

ama hâlâ zırhını kuşanıp, atış talimi yaptığı oluyor. Bir gören olsa Haçlılar geldi sanacak!"

"Hizmetkârlarımız da yıllardır bizimle... Bu kadar kalabalık gelmeseydik diye düşündüğüm oluyor. Kırk kişiye ihtiyaç var mıydı burada?"

"İyi yapmışsın. Prensesler gibi yaşadım sayelerinde. Bir tek..."

"Pierre'in şaşırttığını söyleyeceksin..."

İç çekti.

"Ne yazık ki evet... Hâlâ aklım almıyor. Pierre gerçekten sana, Papalık casusu olduğunu söyledi mi?"

"O söylemese de Jozef biliyormuş zaten. Üzülmemem için benden gizlemiş."

"Garip! Hep sana âşık olduğunu düşünürdüm."

"İnsan yaşadıkça daha neler görüyor neler... Bari bu son olsun!"

"Umarım."

"Yine de onu affedebilmen güzel."

"Affetmedim! Sadece bunca yıllık hizmeti karşılığında, bu saygıyı hak ettiğini düşündüm. Madem Papalık'ın hizmetindeydi, iyi bir Hıristiyan gibi gömülmeyi de hak ediyordu. Onlar bizim canlımıza bile varsın saygı göstermesin. Biz onların ölülerine gerekli saygıyı gösterelim."

Sessizlik oldu.

"Moşe Hamon geldi aklıma. Bir yıldan fazla oldu öleli. Hatırlar mısın, oğlu ile evlendirmek istiyordu seni. İkna etmem zor oldu ama huzur içinde yatsın, sonunda kabullendi. Dünyanın bu tarafında, onun gibi insanlar bulunması büyük şans. Engizisyonun elinden kurtulmamızda da yardımı olmuştu. Süleyman'ın hekimi olarak durumu birinci elden anlatmasa, belki de gelişimiz, yerleşmemiz de bu kadar kolay olmazdı."

"Artık bu konuyu kapatsak mı anne? Bak ne güzel, yıldızlar parlıyor, İstanbul'dayız, özgürüz ve işlerimiz yolunda gidiyor..."

"Neden kızım?"

"Ne bileyim? Hoşuma gitmedi sürekli eskiyi düşünmen... Eskide üzücü anı çok... Artık bugünün keyfini sürelim biraz da."

Haklıydı.

"İstanbul Boğazı çok güzel..." dedim. "Manzara her zaman muhteşem... Bazı sabahlar uyanınca pencereyi açıyor ve uzun uzun Boğaz'ı seyrediyorum. Bazen de çevrede ufak gezmelere çıkıyorum. Saraydaki mesaisini bitirip çıkan memurlar, buralarda oturuyorlar. Biliyor muydun?"

"Duymuştum."

"Bizi yok etmek isteyenler fakirleşti, geri kaldı. Bize özgürlük verenler, ülkelerine davet edenler ilerledi, zenginleşti. Musevileri yok etmeye çalışan kim varsa, başına felaketler geldi, sonu hüsranla bitti. Artık ders olmuş mudur kızım? Bundan sonra da bunu deneyen çıkar mı?"

"Umarım çıkmaz."

"Rahmetli Süleyman, bizim kıymetimizi anlamıştı. Moşe Hamon'un değerini bildiği gibi Jozef'in değerini de bildi. Ona 'Frenk Bey' unvanını verdi. Selim bizim kıymetimizi bildi. Nakşa dukalığını verdi."

"Takımadaların dükü oldu! Polonyalı şarap üreticileri, Jozef'in önünü kesmek için birlik olmuşlar."

"Biliyorum. Jozef bana hâlâ her konuda bilgi veriyor. Ama bana sorarsan onun aklı fikri Nakşa'da ya da Tiberiye'de değil."

"Nerede peki?"

"Museviler için yeni ülke yapacağı adayı istiyor. Kıbrıs'ı..."

"Orası Osmanlı'nın değil ki?"

"Selim'i gece gündüz Kıbrıs'ı fethetmeye ikna etmeye çalışıyor. Selim'in kendisine Kıbrıs krallığı sözünü verdiğini söylüyor. Vazgeçmeyecek... Ama iyi tarafından bak. Başarılı olursa, Akdeniz'in doğusu Museviler için güvenli hale gelir. Ayrıca vaat edilmiş topraklara biraz daha yaklaşırız. Kıbrıs'ın alınmasını ben de istiyorum küçük kuşum. Ne kadar koruyucu gemileri yanlarına versek de bazen dindaşlarımızı taşıyan gemiler, Kıbrıs'ı mesken tutmuş korsanların saldırısına uğruyor. Venedik, bilerek Kıbrıs'ın korsan yatağı olmasına göz yumuyor ki Osmanlı Akdeniz'in doğusunda hep meşgul olsun."

"Mehmet Paşa engelini aşabilirsek olacak!"

Dönüp baktık. Jozef arkamızdaydı.

"Ah, bu akşam aile burada toplanıyor galiba!" dedi Reyna. "Hadi gel Jozef. Yanıma otur."

Jozef gelip oturdu. Yüzündeki ter damlalarından, talim yaptığı anlaşılıyordu.

"Ana kız Kıbrıs'ı mı konuşuyordunuz?" Cevabı beklemeden devam etti. "Sokullu, Kıbrıs'la uğraşmak yerine İspanya'daki Moriskolara yardıma gitmeyi tercih ediyor. Onlara yardıma giderse, İspanya'da bir isyan başlatabileceğine inanıyor. Böylece Akdeniz'in batısını karıştırmak ve Avrupalıları kendi silahıyla vurmak istiyor. Kıbrıs'ı fethetmemiz durumunda, Avrupa'da Osmanlı'ya karşı yine ittifak oluşmasından çekiniyor."

"Haksız da değil!" dedim. "Avrupalılar donanmalarını çok geliştirdi. Eğer güçlü bir şekilde Osmanlı'nın karşısına çıkarlarsa, bu defa kazanabilirler."

"Müezzinzade dedikleri paşaya çok güveniyor Mehmet Paşa. Ama onun denizciliği konusunda ciddi kuşkular var. Aynı kuşkuları paylaşsam da Kıbrıs'ın alınması bizim için artık bir gereklilik oldu. Size başka bir haberim var benim. Polonya'ya balmumu ticaretinin tekelini aldım."

Bu güzel bir haberdi.

"Demek bizsiz aile toplantısı yapıyorsunuz! Küstüm size!"

Gülmemek için kendimi zor tuttum. Sanki gerçekten bir aile toplantısı tertiplemiştik bahçede. La Chica ile Samuel de gelmişti. Kahkahalarla güldüğümüzü görünce onlar da güldü.

Gelip karşımıza oturdular.

"Hizmetliler söyledi burada oturduğunuzu..." dedi La Chica. "Yanınıza gelelim dedik. Zaten hava sıcak, içeride durulmuyor. Burası güzel esiyormuş."

Yüzünü Boğaz'a doğru döndü. Serin bir meltem esiyor, havayı serinletiyordu.

Onun güzel yüzünü seyrederken, Brianda'yı görür gibi oldum. Yıllar öncesine dönmüşüz, Brianda karşımda oturuyor. Bir farkla ki La Chica, annesi kadar süslü değildi. Güzelliğini ondan almıştı. Ailemizde akıl tarafı bana aktarılırken, güzellik tarafı Brianda'ya gitmiş, kızlarımızla da bu durum devam ediyordu.

Onu seyrettiğimi fark etmiş gibi bana döndü:

"Teyze, beni mi seyrediyorsun?"

"Evet kızım. Nazar değmesin! Ne kadar güzelsin! Tıpkı..."

Sustum.

Gülümsedi.

"Tıpkı annem gibi değil mi?"

"Evet."

Hüzünlü bir sessizlik oldu. İç geçirdim. Rabbim bana bir kardeş vermiş ve onu da ne yazık ki erken almıştı elimden. Hayatta olup, beni yine servet için sıkıştırmaya devam etse, razıydım. Belki o da peşimizden İstanbul'a gelir, belki burada kendini bulup durulurdu.

Samuel, "Kardeşinizi özlüyorsunuz..." dedi.

"Çok. Hem de nasıl! Akılsız kardeşim, inşallah cennetin en güzel köşesinde yerini alır. Ona hâlâ kızgınım ama öyle çok özledim ki, anlatmak mümkün değil... Keşke peşimizden İstanbul'a gelseydi!"

Yeniden sessiz kaldık. Uzaklarda bir yerde sazlar çalınıyordu. Sanki birileri düğün yapıyor, hora tepiyordu. Gökyüzü açık, yarımay gökte parlıyor, İstanbul Boğazı karanlığın içinde ışıl ışıl parlıyordu.

Sessizliğin uzamasına La Chica izin vermedi. Kuşağından çıkardığı kesesini karıştırırken, "Belki bir hatırası, bir resmi olsaydı iyi olurdu teyze..." dedi. "Ama bak, bende ne var."

Gösterdiği şeye baktım. Bir madalyon... Yanımda duran kandili kaldırıp, daha iyi görebilmek için yaklaştırdım.

"Nedir o? Ver bakalım."

Uzattı.

Alıp iyice baktım. Üzerinde "Dona Gracia Evi-Tiberiye" yazıyordu. Hem Latin hem de İbrani alfabesiyle. Ama asıl şaşırtıcı olan ortasındaki kabartmaydı.

"Aman ya Rabbim! Bu Brianda!"

Gözlerimden bir anda sevinç gözyaşları boşandı. Yıllar sonra kardeşimi görmüş gibi oldum.

"Hayır teyze. Çok benzediği muhakkak ama bu benim yüzüm."

"Nerede yaptırdınız bunu? Neden daha önce göstermediniz bana?"

Gözyaşlarım artık beni dinlemiyor, akmaya devam ediyordu.

Samuel cevap verdi:

"Evlendikten sonra Ferrara'da, Pastorino de Pastorini bir resmini yapmak istemişti La Chica'nın. Resim yaptırmanın günah olmasından dolayı iptal ettik sonra... Ardından, bu madalyonu yapmış çıkardığı kalıpla. İyi oldu sanırım. Resim bir tane olurdu ama bundan birkaç tane var."

Madalyonu, Brianda'yı okşuyor gibi okşadım. Islanmış yanağıma götürdüm.

"Ah! Bu akşam... Ne oluyor bana bu akşam bilmiyorum. Bir tuhaf oldum."

Reyna endişelendi:

"Anne, iyi misin? Yorgun gibisin. İstersen kalkalım da gidip yat. Dinlen."

"İyiyim..." dedim madalyona bakarken.

La Chica, "Bu sende kalsın teyze. Bizde daha var nasıl olsa..." dedi.

"Teşekkür ederim kızım." Madalyonu öptüm. "Sanki bu akşam kardeşimi geri verdin bana... Hiç yanımdan ayırmayacağım."

-73-

Yatağıma uzandım. Hiç uykum yoktu. Süslü tavanı seyrettim bir süre. Geçmişi düşündüm. İnsanların canlı canlı yakılmalarını, yanan insan etinin kokusunu... Midem kalktı ama tuttum kendimi. Sonra evliliğimi, Portekiz'den, Lyon'dan, Vatikan'dan, Ferrara'dan kaçışımı...

Babamın bana verdiği sır, Jozef'te güvendeydi artık. Aile misyonumuzu ona devretmiş, bir gün kendi ülkemizde yaşamak üzere verilen görevi ona devretmiştim.

"Bir gün İsrail yeniden kurulacak. Museviler, artık misafir olarak değil, kendi ülkelerinin sahibi olarak, özgür yaşayacaklar. Bu amaçla birçok aile çalışıyor. Bizim görevimiz de bunun için çalışmak kızım... Ama o kutlu gün gelene kadar gerçek niyetini sakla ve durmaksızın çalış. Eğer zamanından önce açıklarsan, seni de diğerleri gibi yok ederler."

Dalmışım...

Uyandığımda odam beyaza kesmişti. Sonra beyazlık yayıldı. Her yer beyaza büründü. Tüm evren bembeyaz oldu.

Kalkmadım yatağımdan.

"Zaman geldi mi?" diye sordum kendi kendime. "Demek ki özgür bir ülkeyi görmeye yetecek kadar süre verilmemiş! Ezilme, aşağılanma, eziyetlerin bittiği günü görecek kadar yokmuş sürem... Ama olsun... İlk adımı attık. Gün gelecek, inancını hür bir şekilde yaşayacak herkes. Bir idealim vardı ve ne yaptıysam onun için yaptım. Hayatımı bu yola koydum ve nihayet işte, Rabb'ime kavuşma zamanı geldi demek ki... Elimden bu kadar geldi. Eğer bin yıl daha ömrüm olsaydı, yine aynı yolda harcamak isterdim! İbrahim'i firavunun elinden kurtaran Sara, iman edip ilk inanan kişi olan ve İshak'ı doğurarak Musevilerin annesi olan Sara kadar hizmetim olmadı. İran Kralı Ahaşveroş'un karısı olup, Musevileri yok etmeyi düşünen vezir Aman'ın gerçek yüzünü gösterip kurtuluşu sağlamadım. Cesur ve güzel Debora gibi kadın hâkim olup, orduma moral vererek zafere taşıyamadım. Rut gibi sadakatin sembolü olamadım. Yudit gibi düşman komutan Holofernes'in koynuna girip, sarhoş edip kellesini uçuramadım. Ama elimden geleni yaptım. Kurtarabileceğim her bir Musevi'yi kurtarmak için varımı yoğumu kullandım. Mademki benim üzerime düşen bu kadardı, tamam o zaman. Rabb'ime kavuşmanın zamanı geldi..."

Sonra sonsuz bir beyazlığın içinde eridiğimi gördüm. Bembeyaz bir ışık... Son sözüm şu oldu:

"Sadece kâinatın yaratıcısı olan Rabb'e bütün varlığımla tapıyorum..."

SON